gli Adelphi

8

Robert M. Pirsig è nato nel 1928, nel Minnesota, da una famiglia di ascendenze tedesche e svedesi. Questo è il suo unico libro, apparso per la prima volta nel 1974.

ROBERT M. PIRSIG

Lo Zen
e l'arte della manutenzione
della motocicletta

CON UNA POSTFAZIONE DELL'AUTORE

ADELPHI EDIZIONI

Titolo originale
Zen and the Art of Motorcycle Maintenance

Traduzione di Delfina Vezzoli

© 1974 BY ROBERT M. PIRSIG
© 1981 ADELPHI EDIZIONI S.P.A. MILANO
I edizione *gli Adelphi*: gennaio 1990
V edizione *gli Adelphi*: settembre 1992

ISBN 88-459-0734-1

INDICE

LO ZEN
E L'ARTE DELLA MANUTENZIONE
DELLA MOTOCICLETTA

Per la mia famiglia

NOTA DELL'AUTORE. Quanto segue è basato su fatti realmente accaduti. Benché molto sia stato cambiato per finalità retoriche, nella sua essenza deve essere considerato realtà. Tuttavia non va in alcun modo assimilato al vasto corpo di dati relativi alle pratiche ortodosse del buddhismo Zen. E neppure va associato troppo strettamente con la realtà pratica delle motociclette.

E ciò che è bene, Fedro,
e ciò che non è bene —
dobbiamo chiedere ad altri di dirci queste cose?

PARTE PRIMA

1

Senza togliere la mano dalla manopola sinistra vedo dal mio orologio che sono le otto e mezza. Il vento, anche a cento all'ora, è caldo e umido. Chissà come sarà nel pomeriggio, se già alle otto e mezza c'è tanta afa.

Nel vento ci sono gli odori pungenti degli acquitrini ai margini della strada. Ci troviamo nella zona delle Pianure Centrali, piena di pantani, ideali per la caccia alle anitre; veniamo da Minneapolis e andiamo a nord-ovest, verso i due Dakota. Questa è una vecchia strada di cemento a due corsie dove non c'è molto traffico, perché parecchi anni fa ne è stata costruita un'altra, parallela, a quattro corsie. Quando passiamo accanto a un acquitrino l'aria si fa all'improvviso più fresca; poi, appena oltre, si riscalda bruscamente.

Sono felice di ripercorrere questa regione. È un posto che non è un posto, senza nulla che lo renda famoso, ed è proprio questo il suo fascino. Lungo le vecchie strade così, la tensione scompare. Corriamo sobbalzando sul cemento eroso tra tife e distese di pascoli, poi ancora tife e erbe palustri. Qua e là c'è uno specchio d'acqua, e ai margini delle tife, guardando bene, si vedono le anitre selvatiche. E le tartarughe... C'è un merlo. Do una pacca sul ginocchio di Chris e glielo indico.

« Cosa? » mi urla.

« Merlo! ».

Dice qualcosa che non riesco a sentire. « Cosa? » urlo a mia volta.

Mi solleva il casco da dietro e mi urla nelle orecchie: « Ma ne ho visti un *sacco*, papà! ».

« Ah! » grido di nuovo. Poi annuisco. A undici anni un merlo non fa un grande effetto.

Bisogna diventare più vecchi per cose del genere. Per me tutto questo si confonde con ricordi che lui non ha. Fredde mattinate di tanto tempo fa, quando l'erba palustre si era fatta marrone e le tife ondeggiavano al vento di nord-ovest. Allora l'odore pungente veniva dalla melma: i nostri stivaloni da palude la rimescolavano mentre ci appostavamo in attesa dell'alba. Era l'apertura della caccia alle anitre. Oppure d'inverno, quando i pantani erano gelati e morti, e potevo camminare sul ghiaccio e la neve tra le tife morte senza vedere altro che cieli grigi e cose morte e fredde. I merli non c'erano più. Ma adesso, in luglio, sono tornati; tutto è al culmine della vitalità, ogni centimetro di questi pantani ronza e stride e cinguetta in un unico brusio, un'intera comunità che trascorre la propria vita in una specie di benigna continuità.

Se fai le vacanze in motocicletta le cose assumono un aspetto completamente diverso. In macchina sei sempre in un abitacolo; ci sei abituato e non ti rendi conto che tutto quello che vedi da quel finestrino non è che una dose supplementare di TV. Sei un osservatore passivo e il paesaggio ti scorre accanto noiosissimo dentro una cornice.

In moto la cornice non c'è più. Hai un contatto completo con ogni cosa. Non sei più uno spettatore, sei *nella* scena, e la sensazione di presenza è travolgente. È incredibile quel cemento che sibila a dieci centimetri dal tuo piede, lo stesso su cui cammini, ed è proprio lì, così sfuocato eppure così vicino che col piede puoi toccarlo quando vuoi — un'esperienza che non si allontana mai dalla coscienza immediata.

Chris e io stiamo andando nel Montana con due amici; forse ci spingeremo ancora più lontano. I programmi sono volutamente vaghi, abbiamo più voglia di viaggiare che non di arrivare in un posto prestabilito. Siamo in vacanza. Diamo la preferenza alle strade secondarie: il meglio sono le strade provinciali asfaltate, poi le statali, e ultime le autostrade. Ci preoccupiamo più di *come* passiamo il tempo che non di *quanto* ne impieghiamo per arrivare: l'approccio cambia completamente. Le strade che serpeggiano su per le colline sono lunghe, ma in moto sono molto più belle, in curva ti inclini senza andare a sbattere contro le pareti di un abitacolo. Le strade con poco traffico sono più gradevoli, oltre che più sicure, e anche quelle senza autogrill e cartelloni, strade dove boschetti e pascoli e frutteti si possono quasi toccare, dove i bambini ti fanno ciao con la mano e la gente guarda dalla veranda per vedere chi arriva; quando ti fermi per chiedere informazioni la risposta tende a essere più lunga del dovuto invece che più corta, e tutti ti domandano da dove vieni e da quanto tempo sei in viaggio.

È da qualche anno che mia moglie, io e i nostri amici abbiamo incominciato a entrare nello spirito di queste strade. Le imboccavamo ogni tanto per cambiare un po' o per tagliare da un'autostrada all'altra, e ogni volta il panorama era talmente bello che ne uscivamo rilassati e contenti. Ci è voluto un po' per capire una cosa che sarebbe dovuta essere evidente: e cioè che queste strade sono davvero diverse da quelle principali. Sono diversi il ritmo di vita e la personalità della gente, gente che non sta andando da nessuna parte e non è troppo indaffarata per essere cortese. Gente che sa tutto sul « qui » e sull'« ora » delle cose. Sono gli altri, quelli che si sono trasferiti nelle città anni fa, è la loro prole perduta che l'ha dimenticato. Questa scoperta fu una vera rivelazione.

Mi sono chiesto come mai abbiamo avuto per tanto tempo la verità sotto gli occhi senza vederla. Forse eravamo allenati a *non* vederla, a pensare che il cuore dell'azione e dei fatti fosse la città e che altrove non ci fosse che noioso retroterra. Era una cosa sconcertante.

Ma naturalmente, quando capimmo, niente riuscì più a tenerci lontano da queste strade: fine settimana, serate, vacanze. Siamo diventati dei veri patiti di strade secondarie e abbiamo scoperto che si imparano mille cose, viaggiando.

Per esempio, abbiamo imparato a individuare sulla carta le strade buone. Se la linea è molto mossa, è un buon segno. Vuol dire che ci sono le colline. Se invece sembra la strada principale tra un piccolo centro e uno grosso, non va. Le strade migliori non collegano mai niente con nient'altro e c'è sempre un'altra strada che ti ci porta più in fretta. Se devi andare a nord-est partendo da un grosso centro non prosegui mai dritto per molto: esci dalla città e poi pigli lemme lemme una strada che va a nord, poi una che va a est, poi un'altra che va a nord, e ben presto ti trovi su una strada secondaria che solo la gente del posto usa. L'abilità principale è non perdersi. Dal momento che le strade vengono usate solo da persone che le conoscono a memoria, nessuno si lamenta se le deviazioni non sono segnalate. E spesso non lo sono. Oppure non c'è che un piccolo cartello nascosto discretamente tra le erbacce. Gli addetti alla segnaletica delle strade provinciali si ripetono raramente. Se ti lasci sfuggire quel cartello sono fatti *tuoi*, non loro. Oltretutto, scopri che le carte autostradali sono spesso imprecise sulle strade provinciali. E qualche volta la ' strada provinciale ' va a finire in una carrareccia a due solchi, poi in un solo solco, e quindi in un pascolo, oppure nel cortile di una fattoria.

Così andiamo per lo più a naso, sulla base dei pochi indizi a nostra disposizione. Ho in tasca una bussola per i giorni in cui il cielo è coperto e non ci si può basare sul sole, e ho la carta montata su un sostegno speciale sopra il serbatoio per controllare i chilometri percorsi dall'ultimo incrocio, in modo da sapere cosa cercare.

Durante i fine settimana del Labor Day e del Memorial Day facciamo dei chilometri senza vedere nessun altro veicolo, poi, attraversando una strada federale, vediamo una fila di macchine a perdita d'occhio, l'una appiccicata all'altra. E dentro facce accigliate. Bambini che piangono sui sedili posteriori. Vorrei tanto trovare il modo di dir loro qualcosa, ma sono accigliati e sembra che abbiano fretta, non si può...

Ho visto questi acquitrini mille volte, eppure ogni volta mi sono nuovi. Definirli benigni è sbagliato, come lo è definirli crudeli e insensibili; sono tutte queste cose insieme, ma la loro *realtà* esclude qualsiasi definizione a metà. Ecco! Un grande stormo di merli si alza dai nidi tra le tife, spaventato dal rumore della moto. Do una pacca sul ginocchio di Chris per la seconda volta... Poi mi ricordo che li ha già visti.

« Cosa? » mi urla di nuovo.

« Niente ».

« Eh, *cosa?* ».

« Stavo solo controllando che ci fossi ancora » urlo, e non se ne parla più.

Se non ti diverti a urlare, su una moto in corsa non fai grandi conversazioni. Invece passi il tempo a percepire le cose e a meditarci sopra. Su quello che vedi, su quello che senti, sull'umore del tempo e i ricordi, sulla macchina che cavalchi e la campagna che ti circonda, pensando a tuo piacimento, senza nulla che t'incalzi, senza l'impressione di perdere tempo.

Mi piacerebbe usare il tempo che ho a disposizione

per parlare di alcune cose che mi sono venute in mente. Il più delle volte abbiamo tanta fretta che le occasioni per parlare sono ben poche. Il risultato è una specie di superficialità quotidiana senza fine, una monotonia che anni dopo ti porta a chiederti che ne è stato del tuo tempo e a rimpiangere che sia trascorso. Ora, invece, vorrei usare il mio per parlare un po' a fondo di cose che sembrano importanti.

Quel che ho in mente è una specie di Chautauqua — non riesco a definirlo altrimenti —, come i Chautauqua ambulanti che si rappresentavano sotto un tendone e si spostavano da un capo all'altro dell'America, l'America in cui siamo noi adesso, una serie di conversazioni popolari intese a edificare e divertire, a migliorare l'intelletto e a portare cultura e illuminazione alle orecchie e ai pensieri degli ascoltatori. I Chautauqua furono soppiantati dal ritmo più serrato della radio, del cinema e della televisione, e non mi pare che sia stato in assoluto un progresso. Forse grazie a questi cambiamenti il torrente della coscienza nazionale è più rapido e copioso, ma mi pare che scorra meno in profondità. I vecchi canali non riescono a contenerlo, e si direbbe che nella sua ricerca di sbocchi nuovi esso semini lungo le sue sponde rovina e distruzione. Con questo Chautauqua non mi propongo di aprire qualche nuovo canale di coscienza, ma semplicemente di scavare più a fondo in quelli vecchi, ormai ostruiti dalle macerie di pensieri divenuti stantii e di ovvietà troppo spesso ripetute. L'eterno « Che c'è di nuovo? » allarga gli orizzonti, ma se diventa l'unica domanda rischia di produrre solo i detriti che causeranno l'ostruzione di domani. Mi piacerebbe, invece, interessarmi alla domanda « Che c'è di meglio? », che scava in profondità invece che in ampiezza. Nella storia dell'umanità ci sono state epoche in cui i canali di pensiero avevano un corso talmente determinato che nessun cambiamento era possibile; non succedeva mai niente di nuovo, e ' il meglio ' era una questione di dogma, ma non è il nostro caso.

Adesso sembra che il torrente della nostra coscienza comune stia straripando, perdendo la sua direzione e il suo scopo centrale, senza altro scopo se non quello del rovinoso compimento del suo impulso interiore.

Più avanti gli altri due, John Sutherland e sua moglie Sylvia, si sono fermati in uno spiazzo attrezzato per i picnic. È ora di sgranchirsi le gambe. Mentre sistemo la moto accanto a loro, Sylvia si toglie il casco e si scioglie i capelli, mentre John mette la sua BMW sul cavalletto. Non ci diciamo niente. Abbiamo fatto tanti viaggi insieme che ormai ci basta un'occhiata per capire l'umore degli altri. Adesso siamo tranquilli e diamo un'occhiata in giro.

A quest'ora del mattino le panche per i picnic sono deserte. John si mette a pompare acqua potabile da una pompa di ghisa, e Chris scende tra gli alberi verso un ruscello. Io resto lì a guardarmi intorno.

Dopo un po' Sylvia si siede sulla panca e allunga le gambe, alzandole una alla volta, lentamente, senza sollevare lo sguardo. Accenno al fatto che i lunghi silenzi, nel suo caso, sono sintomo di malumore. Lei alza gli occhi e li abbassa di nuovo.

« È tutta quella gente in macchina che abbiamo incrociato » mi dice. « Il primo sembrava così triste. E quello dopo aveva esattamente la stessa espressione, e quello dopo e quello dopo ancora; erano tutti uguali ».

« Erano i pendolari che andavano al lavoro ».

Sylvia è una donna acuta, ma non c'era niente di strano in quella gente. « Be', sai, il *lavoro* » insisto. « Lunedì mattina, mezzo addormentati. Chi va a lavorare il lunedì mattina col sorriso sulle labbra? ».

« Ma sembravano così *persi* » dice lei. « Come dei morti. Un corteo funebre ». Poi posa entrambi i piedi a terra e ce li lascia.

Quel che vuol dire lo capisco, ma da un punto di vista logico che senso ha? Per vivere bisogna lavorare, e quella gente lo sta facendo. « Io guardavo le paludi » dico.

Dopo un po' Sylvia alza gli occhi e mi chiede: « Cos'hai visto? ».

« C'era un intero stormo di merli. Si sono alzati all'improvviso al nostro passaggio ».

« Oh ».

« Ero felice di rivederli. Fanno come da legame tra le cose, tra pensiero e pensiero, sai? ».

Ci pensa un momento e poi, sullo sfondo del verde intenso degli alberi, sorride. Lei capisce un linguaggio speciale che non ha niente a che vedere con quello che le stai dicendo. Una figlia.

« Sì » dice. « Sono bellissimi ».

« Non lasciarteli sfuggire » le dico.

« D'accordo ».

Arriva John e controlla il bagaglio sulla motocicletta. Allenta alcune corde, apre la sacca laterale e incomincia a frugarci dentro. Mette delle cose per terra. « Se hai bisogno di un po' di corda, non fare complimenti » mi dice. « Oh Dio, sarà cinque volte di più di quel che mi serve ».

« Per ora non ne ho bisogno » gli rispondo.

« Fiammiferi? » mi fa, continuando a frugare. « Olio solare, pettini, stringhe... *stringhe*? A cosa ci servono le stringhe? ».

« Adesso non incominciare » interviene Sylvia. Si guardano in cagnesco e poi guardano me.

« Le stringhe possono rompersi in qualsiasi momento » dico solennemente. Loro sorridono, ma non si sorridono tra di loro.

Poco dopo ricompare Chris ed è ora di andare. Mentre si prepara e monta sulla moto gli altri due partono, e Sylvia fa un cenno di saluto.

Il Chautauqua che ho in mente per questo viaggio mi fu ispirato da quei due molti mesi fa e forse, anche se non ne sono sicuro, ha qualcosa a che vedere con una sotterranea corrente di disarmonia che ho notato fra di loro.

Immagino che la disarmonia sia abbastanza comune in qualsiasi matrimonio, ma nel loro caso sembra più tragica. A me, perlomeno.

Tra loro non c'è uno scontro di personalità; è qualcosa di diverso, di cui nessuno dei due ha colpa, ma per cui nessuno dei due ha una soluzione, che del resto non ho nemmeno io; ho solo delle idee.

Le idee cominciarono a prendere forma in seguito a quella che sembrava una piccola divergenza di opinioni tra John e me su una questione di secondaria importanza: in che misura uno si debba occupare della manutenzione della propria motocicletta. A me sembra del tutto naturale usare la busta dei ferri e il libretto di istruzioni di cui è corredata ogni moto, provvedere da solo alle riparazioni e alla messa a punto. John è restio. Preferisce che se ne occupi un meccanico. Entrambi i punti di vista sono accettabili, e questa divergenza secondaria non sarebbe mai diventata così importante se non avessimo viaggiato insieme tante volte, fermandoci negli autogrill a bere birra e a chiacchierare di tutto quello che ci saltava in testa, e che di solito non è altro che ciò che abbiamo pensato nella mezz'ora o nei tre quarti d'ora trascorsi dall'ultima chiacchierata. Finché si parla di strade, del tempo, della gente, di vecchi ricordi o delle notizie sui giornali, la conversazione scorre via liscia. Ma se per caso mi è capitato di pensare alle prestazioni della moto e tiro in ballo questo argomento il discorso s'inceppa.

Per me è un po' come quando mi salta un'otturazione: non resisto alla tentazione di stuzzicare il dente. E più insisto, più John si irrita, e più io mi convinco che la sua irritazione è il sintomo di qualcosa di più profondo.

Siamo come un cattolico e un protestante che si trovano a discutere del controllo delle nascite: loro parlano di numeri, ma quel che c'è sotto è un conflitto di fedi, la fede in una pianificazione sociale empirica da una parte, quella nell'autorità di Dio secondo i dettami della Chiesa cattolica dall'altra. Il protestante dimostrerà invano la praticità della maternità pianificata, perché il suo antagonista non parte dall'ipotesi che qualcosa di socialmente pratico sia di per sé buono. Lui parte da altri princìpi, che giudica altrettanto validi, se non di più.

Con John è la stessa cosa. Potrei decantargli la validità pratica della manutenzione della motocicletta fino alla nausea senza smuoverlo di un millimetro. Dopo due frasi ha già l'occhio vitreo, cambia discorso o si limita a guardare da un'altra parte. Non vuole sentire ragioni.

Sylvia è assolutamente dalla sua. « Balle » dice. Preferiscono *non* capire. E più cerco io di capire cos'è che fa amare il lavoro meccanico a me e lo fa odiare a loro, più il problema mi sfugge.

L'incapacità da parte loro è senz'altro da escludere. Sono entrambi intelligenti quanto basta. Ciascuno dei due potrebbe imparare a mettere a punto una motocicletta in un'ora e mezza, se solo ci si mettesse, e il risparmio di denaro, di tempo e di fastidi li ripagherebbe ampiamente dello sforzo. E loro lo *sanno*. O forse no. Non glielo domando mai. È meglio cercare di andare d'accordo.

Ma ricordo che una volta, fuori da un bar di Savage, Minnesota, con un caldo da morire, stavo per perdere le staffe. Stiamo al bar per circa un'ora e quando usciamo le moto sono così roventi che non ci si può sedere sui sellini. Io avvio il motore, sono pronto a partire e vedo John che scalcia furiosamente sul pedale d'avviamento. C'è una puzza di benzina che sembra di essere vicino a una raffineria, glielo faccio notare sperando che con questo capisca che ha ingolfato il motore.

« È vero, c'è puzza » mi fa e continua a pompare. E pompa e pompa, e scalcia e scalcia — non so proprio cos'altro dirgli. Alla fine è completamente stravolto, ha la faccia coperta di sudore e non riesce più a pompare, per cui gli suggerisco di togliere le candele, asciugarle e far prendere aria ai cilindri mentre noi rientriamo a berci un'altra birra.

Oddio no! Troppa fatica.

« Ma quale fatica? ».

« Ma sì, tirare fuori i ferri e tutto il resto. Non vedo proprio perché non dovrebbe partire. È una macchina nuova di zecca e non faccio altro che seguire le istruzioni alla lettera. Vedi, ha l'aria tutta tirata come è scritto qui ».

« Ma come! L'aria tirata! ».

« È quel che dicono le istruzioni ».

« Sì, ma solo quando è *fredda*! ».

« Ma insomma, saremo stati lì dentro un'ora! » dice lui.

A questo punto perdo la pazienza. « Oggi fa caldo, John » dico. « E comunque, un motore ci metterebbe più di così a raffreddarsi anche in una giornata gelida ».

John si gratta la testa. « Be', e allora perché nelle istruzioni non lo dicono? ». Chiude l'aria e il motore si accende al secondo colpo. « Si vede che avevi ragione » conclude allegramente.

E il giorno dopo, neanche a farlo apposta, successe di nuovo. Questa volta ero fermamente deciso a non dire una parola, e quando mia moglie mi pregò di andare a dargli una mano scossi la testa. Le dissi che finché John non fosse stato convinto di averne davvero bisogno un mio intervento gli avrebbe dato fastidio, così ci andammo a sedere all'ombra e aspettammo.

Notai che, mentre continuava ad azionare il pedale, John era supergentile con Sylvia, il che voleva dire che era furioso, e lei gli lanciava occhiate del tipo « Oddio oddio! ». Se mi avesse fatto anche una sola domanda ci avrei messo un secondo a trovare la soluzione, ma niente. Passò almeno un quarto d'ora prima che riuscisse ad avviare il motore.

Più tardi, mentre bevevamo un'altra birra sul lago

Minnetonka e intorno al tavolo chiacchieravamo tutti tranne lui, mi accorsi che era tesissimo. Dopo tutto quel tempo! Alla fine, forse per scaricarsi un po', disse: « Guarda, quando mi fa questo scherzo di non partire, be', mi manda in bestia. Non posso fare a meno di diventare paranoico ». Poi aggiunse: « Avevano solo *questa qui* di motocicletta, capisci? Questa *carcassa*. E non sapevano cosa farsene; se rispedirla in fabbrica o venderla come rottame o cosa... e all'ultimo momento non vedono arrivare *me* con milleottocento dollari in tasca? E hanno capito che i loro problemi erano finiti ».

Perorai di nuovo la causa della messa a punto del motore e lui fece di tutto per ascoltare la mia tiritera. Ma poi fummo daccapo, John andò al banco a ordinare birra per tutti e non se ne parlò più.

John non è testardo, non è pigro, non è stupido, non è limitato. La spiegazione non è così semplice. Ho anche pensato di essere io l'eccezione, ma la maggior parte dei motociclisti sa come mettere a punto il proprio motore. I proprietari di automobili di solito non ci mettono mano, ma in ogni centro abitato c'è un garage dotato di ponti costosi, di attrezzi speciali e apparecchiature diagnostiche che il proprietario medio di un'autovettura non può permettersi. E poi il motore di una macchina è più complesso e inaccessibile di quello di una moto, quindi la delega è più sensata. Ma per la moto di John, una BMW R 60, scommetterei che non c'è un meccanico da qui a Salt Lake City. Se gli si bruciano le puntine o le candele è spacciato. So benissimo che non ha delle puntine di ricambio. Non sa neanche cosa sono. Se la moto lo pianta in asso nella parte occidentale del South Dakota o nel Montana, non so proprio cosa farà. Per ora sta evitando accuratamente di dedicare anche un solo pensiero all'argomento. La BMW è famosa per non dare problemi meccanici in strada e lui conta proprio su questo.

Avrei potuto pensare che questo particolare atteggiamento di John e Sylvia riguardasse solo la motocicletta, ma in seguito scoprii che si estendeva ad altre cose... Una mattina che li aspettavo nella loro cucina notai che il rubinetto del lavandino gocciolava e mi venne in mente che gocciolava anche l'ultima volta che ero stato lì; anzi, a quel che ricordavo, aveva sempre gocciolato. John disse che aveva cercato di sostituire la guarnizione, ma non aveva funzionato. Tutto qui. E con questo lasciò intendere che per lui la questione era chiusa. Dato che mi pareva che il gocciolio non gli desse nessun fastidio, mi misi il cuore in pace.

Non ricordo cosa mi fece cambiare idea... un'intuizione, una specie di folgorazione, forse un impercettibile cambiamento di umore in Sylvia quando il gocciolio era particolarmente insistente e quasi copriva le sue parole — lei parla molto piano —, al punto che una volta i bambini la interruppero e lei perse la pazienza. Ebbi l'impressione che il suo sfogo coi bambini non sarebbe stato così violento se non ci fosse stato anche il rubinetto, e quello che mi colpì fu che Sylvia *non* diede la colpa al rubinetto, e non gliela diede *di proposito*. Si limitava a rimuovere la sua rabbia, e ci mancava poco che quel dannatissimo gocciolio la facesse *impazzire*!

Poi, questo episodio si collegò alla storia della motocicletta e mi si accese una lampadina in testa. Ahhhhhhh! In realtà, quello che quei due non sopportano è la tecnologia! Così un sacco di cose incominciarono a quadrare. L'irritazione di Sylvia nei confronti di un amico che pensava che la programmazione del calcolatore fosse ' creativa '. Tutti i loro disegni, i quadri e le fotografie senza neanche un dettaglio tecnologico. Ecco perché Sylvia non diventa matta per via del rubinetto, pensai. Si rimuove sempre la rabbia momentanea verso qualcosa che si odia a fondo. Ecco perché John fa finta di niente ogni volta che il discorso cade sulla riparazione della moto, persino quando è evidente che per lui è una sofferenza. Perché si tratta di tecnologia. Ma certo, è chiaro. Se John e Sylvia hanno scelto di viaggiare in motocicletta è soprattutto per allontanarsi dalla tecnologia, per ritrovarsi in campagna, all'aria fresca e al sole. Il fatto che io li riporti proprio sul luogo e nel punto da cui credono di essere finalmente fuggiti li raggela entrambi.

Adesso quadrano anche altri particolari. Ogni tanto, sprecando il minor numero di parole possibile, John e Sylvia parlano di un'entità misteriosa da cui « non c'è scampo », contro la quale « non c'è niente da fare », e quando io domando: « Ma di cosa state parlando? » mi rispondono: « Ma, di tutto quanto », oppure « dell'organizzazione in generale », o persino « del sistema ». Una volta Sylvia, sulle difensive, mi ha detto: « Be', per *te* non è un problema », e io per l'imbarazzo non sono riuscito a domandare: « Ma *che cosa?* ». Voglio però dare una definizione più esatta, anche se un po' esagerata, della « cosa ». Si tratta di una specie di forza che dà origine alla tecnologia, qualcosa di impreciso, ma di in-umano, di meccanico, senza vita, un mostro cieco, una forza mortale. Qualcosa di orribile da cui John e Sylvia stanno cercando di scappare, pur sapendo che non le sfuggiranno mai. Qua e là c'è qualcuno che capisce e domina questa « cosa », ma si tratta di tecnocrati, che descrivono quello che fanno con un linguaggio in-umano tutto parti e rapporti che rimangono astrusi anche se te li ripetono mille e mille volte. E il mostro continua a mangiare territorio e a inquinare aria e laghi, e non c'è modo di reagire, e quasi nessuna via di scampo.

Non è difficile arrivare a un atteggiamento del genere. Basta passare attraverso una grossa zona industriale, ed eccola lì, la cosa, la tecnologia. È dietro a recinti di filo spinato, cancelli chiusi a chiave, cartelli che intimano VIETATO L'INGRESSO, e di là, attraverso l'aria fuligginosa, vedi brutte, strane forme di metallo e mattoni di cui ignori lo scopo e mai vedrai i padroni, e così finisci per sentirti alienato, estraniato, fuori luogo. Chi possiede e capisce tutto questo non ti vuole tra i piedi. La tecnologia, in qualche modo, ha fatto di te uno straniero in casa tua. La sua forma misteriosa ti dice: « Va' via ». Si sa che da qualche parte c'è una spiegazione, e che la « cosa » è indubbiamente al servizio del genere umano, anche se in modo indiretto, ma tutto questo non si vede. E ti vien fatto di pensare: anche se fossi parte di tutto questo non sarei che una formica come quelle che vedo lavorare lì dentro, al servizio di queste strane forme. E così si viene a creare un sentimento di ostilità, che in ultima analisi credo sia lo stesso che determina l'atteggiamento di John e Sylvia, altrimenti inspiegabile. Qualsiasi cosa abbia a che vedere con valvole, condotti e strumenti meccanici fa parte di *quel* mondo disumanizzato, e John e Sylvia preferiscono non averci niente a che fare.

E non sono i soli. Per loro è indubbiamente una questione di istinto, non cercano di imitare nessuno, ma questo vale per molti altri, e riguardo a questo problema i sentimenti di moltissime persone sono dello stesso tipo; così, se le consideri collettivamente, come fanno i giornalisti, hai l'illusione che esista un movimento di massa antitecnologico, tutta una sinistra politica antitecnologica che sbuca apparentemente dal nulla per dire: « Basta con la tecnologia. Portatela da qualche altra parte. Non sviluppatela qui ». Per ora questa spinta è ancora frenata da un sottile velo di logica: si sa che senza le industrie non ci sarebbe lavoro né benessere. Ma ci sono forze umane più forti della logica. Ci sono sempre state, e se si rafforzano abbastanza nel loro odio per la tecnologia, il velo può rompersi.

Si sono sempre inventati, e si continueranno a inventare, cliché e stereotipi come *beatnik* o *hippie* per designare un movimento di rifiuto della tecnologia e del sistema. Ma per trasformare gli individui in masse non basta coniare una parola di massa. John e Sylvia non sono una massa e nemmeno la maggior parte di quelli che vanno nella loro stessa direzione. Anzi, si direbbe che è proprio contro la massificazione che si stanno rivoltando; hanno la sensazione che la tecnologia c'entri molto con le forze che cercano di trasformarli in una massa, e questo non gli va giù. Per ora si tratta più che altro di resistenza passiva, di fughe nelle zone rurali quando è possibile e cose del genere, ma non è detto che la passività debba rimanere tale.

Non sono d'accordo con John e Sylvia per quanto riguarda la manutenzione della moto, ma non perché non capisca i loro sentimenti verso la tecnologia. Penso solo che la fuga dalla tecnologia e l'odio nei suoi confronti portino alla sconfitta. Il Buddha, il Divino, dimora nel circuito di un calcolatore o negli ingranaggi del cambio di una moto con lo stesso agio che in cima a una montagna o nei petali di un fiore. Pensare altrimenti equivale a sminuire il Buddha — il che equivale a sminuire se stessi. Ed è di questo che voglio discutere nel mio Chautauqua.

Abbiamo oltrepassato gli acquitrini, ormai, ma l'aria è ancora talmente umida che si può guardare il cerchio giallo del sole come se il cielo fosse offuscato dal fumo o dallo smog. Ma ora siamo nella campagna verde. Le fattorie sono pulite, bianche, fresche. E non c'è fumo, né smog.

2

La strada procede serpeggiando, curva dopo curva... ci fermiamo a riposare, a mangiare, facciamo quattro chiacchiere e ci prepariamo alla lunga tappa. La stanchezza del pomeriggio bilancia l'eccitazione del primo giorno; andiamo avanti a velocità regolare, né troppo forte né troppo piano.

Abbiamo incrociato un vento di sud-ovest, e la moto s'inclina sotto le raffiche, come di sua spontanea iniziativa, per controbilanciare il loro effetto. Da un po' ho come la sensazione che ci sia qualcosa di strano in questa strada, un'apprensione indefinita, come se qualcuno ci sorvegliasse o ci seguisse. Ma davanti non c'è neanche una macchina, e nello specchietto, molto più indietro, ci sono soltanto John e Sylvia.

Non siamo ancora nel Dakota, ma a giudicare dalla vastità delle praterie non dovremmo essere lontani. Certi prati sono blu di fiori di lino, si muovono in lunghe onde come la superficie dell'oceano. Le fattorie in lontananza sono così piccole che riusciamo a distinguerle a stento. Il panorama incomincia ad aprirsi.

Tra la fine delle Pianure Centrali e l'inizio delle Grandi Pianure non c'è un confine netto. Il cambiamento è graduale, ma non per questo meno sorprendente. Qui ci sono meno alberi e mi rendo conto all'improvviso che quelli che vedo non sono di qui, ma ce li hanno portati e piantati in lunghi filari per far barriera contro il vento. Ma dove non sono stati piantati non c'è sottobosco, né crescita recente — solo erba, a volte punteggiata da fiori selvatici e sterpaglia, ma per lo più erba. Siamo nel paese dell'erba, siamo nella prateria.

Ho l'impressione che nessuno di noi abbia un'idea di cosa possano essere quattro giorni di luglio in questi posti. I viaggi in macchina lasciano un ricordo di piattezza senza fine; vai avanti un'ora dopo l'altra, senza arrivare da nessuna parte, domandandoti quanto ci vorrà prima che arrivi una curva nel paesaggio che si estende ininterrotto fino all'orizzonte.

John temeva che Sylvia non avrebbe sopportato i disagi di questa traversata e aveva pensato di farle prendere un aereo fino a Billings, nel Montana, ma Sylvia e io siamo riusciti a dissuaderlo. Gli ho fatto notare che il disagio fisico è importante solo quando si è dell'umore sbagliato. E Sylvia, col suo carattere, non me la vedevo a lamentarsi.

E poi, arrivare sulle Montagne Rocciose in aereo equivarrebbe a vederle solo come un bel panorama. Ma arrivarci dopo giorni di duro viaggio attraverso le praterie significa vederle come la meta, come la terra promessa. Se John, io e Chris arrivassimo con questa sensazione e Sylvia arrivasse invece considerandole « deliziose » , tra di noi si creerebbe una disarmonia maggiore di quella che potrebbero provocare il caldo e la monotonia del Dakota. Comunque, chiacchierare con Sylvia mi piace, e i miei consigli non erano del tutto disinteressati.

Quando guardo questi prati, le dico tra me: « Vedi?... Vedi? ». E penso proprio che veda. Spero che, più in là, anche lei arrivi a vedere e a sentire in queste praterie una cosa di cui ho smesso di parlare con gli altri; una cosa che qui esiste perché non esiste nient'altro e che si può notare grazie all'assenza di altre cose. A volte Sylvia sembra così depressa dalla monotonia e dalla noia della sua vita cittadina che forse in questa distesa sconfinata d'erba e di vento potrebbe riuscire a vedere una cosa che ti appare certe volte quando accetti la monotonia e la noia. C'è, ma non so come definirla.

Ora, all'orizzonte, c'è qualcos'altro che non credo gli altri vedano. A sud-ovest, in lontananza — si può vederlo soltanto in cima a questa collina —, il cielo ha un orlo scuro. Temporale in vista. Probabilmente era questo che mi rendeva inquieto. Lo ignoravo di proposito, anche se sapevo benissimo che, con questa umidità e questo vento, c'era da aspettarselo. È un vero peccato, proprio il primo giorno, ma in moto i temporali fanno parte del gioco.

Se si tratta solo di cumuli temporaleschi o di groppi isolati si può cercare di aggirarli, ma in questo caso è diverso. Quella lunga striscia scura senza neanche un cirro che la preceda è un fronte freddo. I fronti freddi sono violentissimi, soprattutto quando vengono da sud-ovest. A volte si portano dentro le trombe d'aria. Quando arrivano è meglio rintanarsi da qualche parte e lasciarli passare. Non durano a lungo e l'aria fresca che li segue rende il viaggio più gradevole.

I fronti caldi sono ancora peggio. Possono durare per giorni e giorni. Ricordo che una volta, qualche anno fa, durante un viaggio in Canada con Chris, dopo circa duecento chilometri incappammo in un fronte caldo che si era già preannunciato chiaramente senza che noi lo capissimo. Fu un'esperienza piuttosto sconfortante.

Eravamo su una piccola sei cavalli e mezzo con una montagna di bagagli e neanche un briciolo di buon senso. La moto poteva fare al massimo i settanta all'ora, con un vento contrario moderato. Non era adatta a lunghi percorsi. La prima sera arrivammo a un grande lago nei North Woods e ci accampammo sotto un diluvio che durò tutta la notte. Mi dimenticai di scavare una fossa intorno alla tenda e verso le due del mattino un torrente ci inzuppò entrambi i sacchi a pelo. Il mattino dopo eravamo fradici e depressi e non avevamo dormito granché, ma io pensai che, se avessimo proseguito, prima o poi la pioggia sarebbe cessata. Neanche per sogno. Alle dieci il cielo era così scuro che tutte le macchine avevano i fari accesi. E allora si aprirono le cateratte.

Avevamo addosso i ponchos impermeabili che la notte prima c'erano serviti da tenda. Adesso erano gonfi come vele e riducevano la velocità a meno di cinquanta all'ora. L'acqua sulla strada si alzò fino a cinque centimetri. Cominciarono a cadere fulmini da tutte le parti. Mi ricordo la faccia di una donna che ci guardava allibita dal finestrino di una macchina, chiedendosi cosa diavolo ci facessimo su una motocicletta con un tempo del genere. Sono sicuro che non avrei saputo dirglielo.

La velocità scese a trentacinque all'ora, poi a trenta. Poi la moto cominciò a perdere colpi, a tossicchiare, a scoppiettare e a sputacchiare finché, facendo a malapena i dieci all'ora, ai margini di una foresta trovammo una vecchia stazione di rifornimento in pessime condizioni e ci fermammo.

A quell'epoca, come John, non mi ero dato la pena di imparare granché sulla manutenzione di una motocicletta. Ricordo che tenevo il poncho sopra la testa per non far entrare l'acqua nel serbatoio e facevo oscillare la moto bilanciandola tra le gambe. Pareva che la benzina ci fosse, stando allo sciacquio nel serbatoio. Guardai le candele, e guardai le puntine, e guardai il carburatore, e scalciai sul pedale di avviamento finché non ne potei più.

La stazione di rifornimento aveva anche un bar-ristorante dove mangiammo due bistecche carbonizzate. Poi tornai alla moto e provai di nuovo. Chris cominciava a farmi arrabbiare con tutte le sue domande, perché non si rendeva conto della gravità della situazione. Alla fine capii che stavo facendo uno sforzo inutile, lasciai perdere, e l'irritazione nei confronti di mio figlio scomparve. Gli spiegai con il maggior tatto possibile che era tutto finito. Non avremmo fatto nessuna vacanza in moto. Chris mi diede alcuni suggerimenti, come controllare la benzina, cosa che avevo già fatto, e trovare un meccanico. Ma non c'era nessun meccanico, non c'erano che pini tagliati, boscaglia e pioggia.

Ci sedemmo sull'erba, sul ciglio della strada, a fissare gli alberi; mi sentivo frustrato. Risposi pazientemente a tutte le domande di Chris, che diventavano sempre meno, finché non si rese conto che il nostro viaggio era finito sul serio e si mise a piangere. Aveva otto anni, credo.

Tornammo a casa in autostop, affittammo un rimorchio, lo attaccammo alla macchina, recuperammo la motocicletta, la riportammo in città e ricominciammo tutto daccapo in macchina. Ma non era la stessa cosa. E non ci divertimmo molto.

Due settimane dopo la fine della vacanza, una sera,

dopo il lavoro, smontai il carburatore per vedere do-
v'era il guasto, ma non riuscii a trovare niente. Per togliere il grasso prima di rimetterlo a posto, aprii il
rubinetto del serbatoio per prendere un po' di benzina. Neanche una goccia! Il serbatoio era vuoto.
Ancora oggi non riesco a crederci.

Nella mia testa mi sarò preso a calci cento volte per
la mia imbecillità, e non credo che riuscirò mai a
perdonarmela. Evidentemente il liquido che sguazzava
nel serbatoio era la benzina della riserva, che non
avevo mai aperto. Non avevo controllato bene perché
davo per scontato che fosse stata la pioggia a causare
un guasto al motore. Allora non capivo com'erano
stupide le supposizioni affrettate come quella. Adesso
viaggiamo su una ventotto cavalli, e la manutenzione
la prendo molto sul serio.

All'improvviso John mi sorpassa e mi fa segno di
fermarmi. Rallentiamo e cerco un posto per smontare
sulla banchina ghiaiosa. Il bordo del cemento è netto,
è una manovra che non mi piace per niente.

« Cosa ci fermiamo a fare? » chiede Chris.

« Credo che avremmo dovuto svoltare più indietro »
dice John.

Guardo indietro e non vedo niente. « Non ho visto
nessun cartello » gli dico.

John scuote la testa. « Era grande come una casa ».

« Davvero? ».

John e Sylvia annuiscono.

John si sporge verso di me, studia la mia carta e mi
indica la deviazione e poi, più avanti, un cavalcavia
dell'autostrada. « L'abbiamo già incrociata, quest'autostrada » mi dice. Vedo che ha ragione. Imbarazzante. « Andiamo avanti o indietro? » chiedo.

Ci pensa su. « Be', credo che non valga la pena di
tornare indietro. D'accordo, andiamo pure avanti. In
un modo o nell'altro ci arriveremo ».

Adesso, seguendoli, mi chiedo perché mi è successa
una cosa del genere. E poi mi sono dimenticato di
avvertirli del temporale. Comincio a preoccuparmi.

Il banco di nuvole temporalesche si è ingrossato, ma non si muove con la velocità che avevo previsto. Non è un buon segno. Quando arrivano in fretta, in fretta se ne vanno.

Mi tolgo un guanto coi denti e tasto la copertura laterale del motore. È alla temperatura giusta. Troppo calda per lasciarci la mano ma non tanto da bruciarmi. Lì, tutto a posto.

Con un motore raffreddato ad aria come questo, un surriscaldamento eccessivo può provocare un grippaggio. Questo motore ne ha avuto uno... tre, a dire il vero. Lo controllo di quando in quando come controllerei un paziente che ha avuto un attacco di cuore, anche se sembra guarito.

In un grippaggio i pistoni si dilatano a causa del calore eccessivo, diventano troppo grandi per le pareti dei cilindri e si bloccano; certe volte fondono e inceppano il motore e la ruota posteriore, facendo sbandare la moto. La prima volta che questa moto grippò, finii con la testa all'altezza della ruota anteriore e col mio passeggero quasi in groppa. A circa cinquanta all'ora la moto si liberò e ricominciò ad andare, ma io mi fermai fuori strada per vedere dov'era il guasto. Il mio passeggero ebbe solo la bella pensata di chiedermi: « Si può sapere cosa ti ha preso? ».

Alzai le spalle confuso quanto lui, e rimasi lì a fissare la moto con le macchine che ci sfrecciavano accanto. Il motore era talmente caldo che l'aria intorno tremolava e il calore si sentiva a distanza. Tornammo pian pianino verso casa, accompagnati da un rumore nuovo, un battito che stava a indicare che i pistoni non tenevano più ed era necessaria una revisione.

Portai la moto da un meccanico perché non mi sognavo nemmeno di occuparmene personalmente; avrei dovuto imparare tutta una serie di dettagli complicati e forse mi sarebbe toccato ordinare i pezzi di ricambio e degli attrezzi speciali; una perdita di tempo enorme, quando potevo benissimo farlo fare a qualcun altro in meno tempo — in un modo o nell'altro avevo lo stesso atteggiamento di John.

Dal meccanico tirava un'aria diversa dal solito. I meccanici, che un tempo mi erano sembrati dei vecchi veterani, adesso erano come bambini. C'era una radio accesa a tutto volume e i ragazzi facevano i pagliacci e chiacchieravano senza dar segno di notare la mia presenza. Quando finalmente uno di loro si decise a rivolgermi la parola, senza neanche notare il battito del pistone disse: « Eh sì, qui sono le punterie ».

Punterie? Avrei dovuto capire subito cosa mi aspettava.

Due settimane dopo pagai un conto di centoquaranta dollari, guidai la motocicletta con cautela a diverse velocità sempre basse per rodarla un po' e, dopo millecinquecento chilometri, la spinsi al massimo. A circa cento all'ora grippò di nuovo e si bloccò scendendo a cinquanta, esattamente come prima. Quando la riportai all'officina, i meccanici mi accusarono di non averla rodata come si deve, ma dopo una lunga discussione acconsentirono a darle un'occhiata. Revisionarono di nuovo il motore e questa volta andarono loro stessi a provarla su strada a velocità sostenuta.

Così grippò mentre la guidavano *loro*.

Dopo la terza revisione, due mesi dopo, sostituirono i cilindri, inserirono dei getti maggiorati nel carburatore, ritardarono l'accensione perché viaggiasse più fredda possibile, e mi raccomandarono di non forzare troppo il motore.

La moto era coperta di grasso e non partiva. Scoprii che le candele non erano collegate, le collegai, misi in moto, e adesso il rumore di punterie c'era davvero. Non le avevano registrate. Glielo feci notare e il ragazzo arrivò con una specie di chiave a rullino troppo aperta e prontamente smussò i coperchi in lamiera delle punterie rovinandoli entrambi.

« Spero che ce ne siano degli altri in magazzino » mi disse.

Annuii.

Il ragazzo tornò armato di un martello e di uno scalpello e incominciò ad allentare i coperchi, pestando grandi colpi. Lo scalpello perforò la lamiera d'alluminio e mi accorsi che stava picchiando direttamente sulla testata. Al colpo successivo mancò lo scalpello e colpì la testata con il martello, staccando di netto due alette di raffreddamento.

« Lasci perdere » dissi gentilmente, con la sensazione di vivere in un incubo. « Mi dia delle calotte nuove e basta. La prendo così com'è ».

Uscii di lì più in fretta che potei, con le punterie in disordine, i coperchi delle punterie sfasciati, la moto sporca di grasso, e mentre andavo sentii una brutta vibrazione sopra i trenta all'ora. Sul bordo della strada scoprii che mancavano due dei quattro perni di fissaggio del motore e al terzo mancava il dado. Tutto il motore era appeso a un solo bullone. Mancava anche la vite di regolazione della tensione della catena di distribuzione, il che significava che cercare di registrare le punterie sarebbe stato del tutto inutile. Un incubo.

Quando penso che John mette la sua BMW nelle mani di gente del genere! Non gliene ho mai parlato. Forse dovrei.

Scoprii la causa dei grippaggi qualche settimana dopo. Nel sistema di distribuzione dell'olio c'era uno spinotto (25 cents) tranciato che ad alta velocità impediva all'olio di arrivare alla testata.

Perché?, non posso fare a meno di chiedermi, ed è proprio questa domanda che mi ha spinto a tenere questo Chautauqua. Perché l'hanno martoriato in quel modo? E sì che non erano di quelli che scappano dalla tecnologia come John e Sylvia. Erano *loro* i tecnologi. Avevano imparato un mestiere e lo eseguivano come degli scimpanzé. Chissà perché si erano comportati in quel modo? Cercai di ricordare le ore passate con loro in quell'officina, quel posto da incubo, per vedere se riuscivo a trovare una spiegazione plausibile.

La radio era un indizio. Non ci si può concentrare veramente su quello ·che si sta facendo con la radio a tutto volume. Forse quei ragazzi non concepivano il loro lavoro come qualcosa che potesse implicare una certa concentrazione, ma solo come un gioco di chiavi inglesi. E con la musica gingillarsi con una chiave inglese è più divertente.

Un altro indizio era la loro velocità. Sbattevano le cose di qua e di là senza guardare dove. Si fanno più soldi, così — se non ci si ferma a pensare che sarebbe meglio metterci più tempo.

Ma l'indizio più significativo era la loro espressione. È difficile da spiegare. Un'aria bonacciona, amichevole, accomodante — e non coinvolta. Sembravano degli spettatori. Era come se fossero capitati lì per caso e qualcuno gli avesse messo in mano una chiave inglese. Non si identificavano per niente con il loro mestiere. Si capiva subito che alle cinque del pomeriggio avrebbero tagliato la corda senza più neanche un pensiero per il lavoro. Facevano già di tutto per non pensarci mentre lavoravano. A modo loro stavano ottenendo lo stesso risultato di John e Sylvia, e cioè di vivere con la tecnologia senza averci niente a che fare.

Non solo questi meccanici non avevano trovato lo spinotto, ma era stato chiaramente un loro degno compare a tranciarlo montando male la copertura laterale. Mi venne in mente che il precedente proprietario della moto mi aveva riferito che un meccanico aveva avuto dei problemi a montare questa copertura. Ecco perché. Il libretto di istruzioni avvertiva di questo particolare, ma evidentemente quello aveva troppa fretta e se n'era infischiato.

Lo stesso tipo di incuria lo verifico nei manuali per calcolatori che preparo per la stampa. Scrivere e curare manuali tecnici è quello che faccio per guadagnarmi da vivere undici mesi su dodici e so che sono pieni di errori, di ambiguità, di lacune e di informazioni talmente contorte che per capirci qualcosa bisogna leggerli e rileggerli. Allora, per la prima volta, mi saltò agli occhi la corrispondenza tra questi manuali e l'atteggiamento da spettatore che avevo notato nell'officina. Erano manuali per spettatori. E mi venne in mente che non esiste nessun manuale che parli del problema *essenziale* della manutenzione della motocicletta: *tenere* a quello che si fa. Questo è considerato di scarsa importanza, o viene dato per scontato.

Durante questo viaggio credo che dovremmo pensarci un po' sopra, per vedere se questa strana separazione tra quello che l'uomo fa e quello che l'uomo è non potrebbe aiutarci a capire che cosa diavolo è andato storto in questo ventesimo secolo. Non voglio essere frettoloso. La fretta è di per sé un atteggiamento velenoso da ventesimo secolo, che tradisce indifferenza e impazienza. Il mio approccio al problema sarà lento, ma scrupoloso: lo stesso che mi ha permesso di trovare quello spinotto tranciato.

Mi accorgo all'improvviso che qui il territorio è piatto come un piano euclideo. Neanche una collina, neanche un dosso in vista. Vuol dire che siamo entrati nella valle del Red River. Presto saremo nel Dakota.

3

Il tempo di uscire dalla valle del Red River e le nubi temporalesche sono dappertutto, le abbiamo quasi addosso.

John e io abbiamo discusso sul da farsi a Breckenridge e abbiamo deciso di andare avanti finché non saremo costretti a fermarci.

Ci siamo quasi. Il sole è scomparso, il vento soffia freddo, e intorno a noi si profila una parete di diverse sfumature di grigio.

Sembra enorme, schiacciante. Questa prateria è sconfinata, ma l'immensità della massa grigia che incombe su di noi è veramente sinistra. Ora siamo alla sua mercé. Un paese fatto di edifici piccoli e di un serbatoio dell'acqua è scomparso nel punto in cui il grigio più intenso del cielo si è congiunto con la terra. Davanti a noi non vedo nessun centro abitato: non ci resta che cercarne uno di corsa.

Mi affianco a John e gli faccio segno di accelerare. Annuisce e spinge a tutto gas. Lo lascio andare avanti un po', poi lo seguo alla sua stessa velocità. Il motore risponde magnificamente — cento... centoventi... centotrenta... Adesso il vento lo sentiamo davvero e abbasso la testa per ridurre la resistenza... centoquaranta. L'ago del tachimetro ondeggia avanti e indietro ma il contagiri rimane fermo sui novemila... centocinquanta all'ora, più o meno... e teniamo questa velocità... Allungo una mano e per sicurezza giro l'interruttore del fanale. Ma è necessario comunque. Si sta facendo molto buio.

Corriamo sul terreno aperto, neanche una macchina in giro, appena pochi alberi, ma la strada è liscia e pulita e il motore fa uno splendido rumore di alto regime. Si sta facendo sempre più buio.

Un lampo e il fragore di un tuono. Che spavento! Chris si appoggia con la testa contro la mia schiena. Qualche goccia di pioggia premonitrice... A questa velocità pungono come spilli. Un altro lampo, un altro tuono e tutto scintilla... e poi nel secondo lampo quella fattoria... quel mulino... Oh, mio Dio, lui è *stato* qui!... Rallento... Questa è la *sua* strada... una siepe, degli alberi... e la velocità scende a centodieci, poi a cento, poi a novanta e a novanta rimango.

« Perché rallentiamo? » grida Chris.

« Troppo forte! ».

« Non è vero! ».

Faccio di sì con la testa.

La fattoria e il serbatoio sono sfrecciati via, poi appare un piccolo canale di irrigazione e una strada trasversale che si spinge fino all'orizzonte. Sì... Proprio così, penso. Proprio così.

« Sono molto più avanti di noi! » grida Chris. « Accelera! ».

Faccio di no con la testa.

« Perché? » mi grida.

« È pericoloso! ».

« Ma loro sono andati! ».

« Aspetteranno ».

« Accelera! ».

« No ». Scuoto la testa. È solo un presentimento, ma in moto bisogna dar retta ai presentimenti, per cui continuiamo a novanta all'ora.

Adesso incomincia la prima pioggia, ma più avanti vedo le luci di un paese... Sapevo che ce ne sarebbe stato uno.

Quando arriviamo, John e Sylvia ci aspettano sotto il primo albero sul ciglio della strada.

« Cosa vi è successo? ».

« Abbiamo rallentato ».

« Questo lo sapevamo. Qualcosa che non va? ».

« No. Ma non stiamo qui sotto l'acqua ».

John dice che c'è un motel all'altro capo del paese, ma io gli dico che ce n'è uno migliore sulla destra, pochi isolati più in giù, dopo un filare di pioppi.

Giriamo all'altezza dei pioppi, facciamo qualche isolato ed ecco un piccolo motel. Nella hall John si guarda intorno e dice: « È davvero un bel posto. Quando ci sei stato? ».

« Non mi ricordo » rispondo.

« Allora come facevi a saperlo? ».

« Un'intuizione ».

John lancia un'occhiata a Sylvia e scuote la testa.

È da un po' che Sylvia mi osserva in silenzio. Si accorge che mentre firmo alla Réception mi tremano le mani.

« Sei tremendamente pallido » mi dice. « Ti hanno spaventato, tutti quei fulmini? ».

« No ».

« Sembri uno che ha visto un fantasma ».

John e Chris mi guardano; volto loro le spalle e vado verso la porta. Piove ancora forte, facciamo una corsa fino alle camere. Il bagaglio è coperto e per toglierlo aspettiamo che il temporale sia passato.

Il cielo si schiarisce un po', ma in compenso sta scendendo la notte. Non piove più. Andiamo a mangiare in paese, e al ritorno la fatica della giornata comincia a farsi sentire. Ci riposiamo, quasi immobili, sulle sdraio di metallo del cortile del motel, sorseggiando una pinta di whiskey. Un venticello serale fa stormire le foglie dei pioppi e le sospinge sulla strada.

« E adesso cosa si fa? » chiede Chris. È instancabile questo bambino! Tutte queste novità lo eccitano, e vuole mettersi a cantare delle canzoni come facevano al campeggio.

« Non sappiamo cantare » dice John.

« Allora raccontiamoci delle storie » dice Chris. Riflette un momento. « Non vi ricordate qualche bella storia di fantasmi? Nella nostra capanna le raccontavano tutti ».

« Raccontacele *tu* » dice John.

Le racconta. Sono piuttosto divertenti da ascoltare. Alcune non le sentivo da quando avevo la sua età. Glielo dico, e lui vuole che gliene racconti qualcuna io, ma non me ne ricordo neanche mezza.

Dopo un po' mi dice: « Tu ci credi ai fantasmi? ».

« No » rispondo.

« Perché? ».

« Perché non sono *scien-ti-fici* ».

John sorride per come lo dico. « Non hanno materia, » continuo « e non hanno energia, pertanto, secondo le leggi scientifiche, non esistono se non nella testa della gente ».

Il whiskey, la stanchezza e il vento tra gli alberi incominciano a farmi effetto. « D'altra parte, » aggiungo « neanche le leggi scientifiche hanno materia né energia, pertanto non esistono se non nella testa della gente. Tanto vale essere scientifici fino in fondo e rifiutarsi di credere sia ai fantasmi, sia alle leggi della scienza. Così non c'è pericolo di sbagliare. Non resta molto in cui credere, ma anche questo è scientifico ».

« Ma cosa stai dicendo? » domanda Chris.

« Diciamo che sono faceto ».

Chris rimane frustrato quando parlo in questo modo, ma non credo che gli faccia male.

« Uno dei bambini del campeggio diceva che lui ci credeva, ai fantasmi ».

« Ti stava solo prendendo in giro ».

« No, non è vero. Diceva che se uno non viene sepolto bene, il suo fantasma perseguita i vivi. Ci crede davvero ».

« Ti stava solo prendendo in giro » ripeto.

« Come si chiama? » chiede Sylvia.

« Tom Orso Bianco ».

John e io ci scambiamo un'occhiata.

« Oh, un *indiano*! » dice John.

Rido. « Penso che dovrò ritirare quello che ho detto. Io stavo pensando ai fantasmi europei ».

« Che differenza c'è? ».

John scoppia a ridere. « Ora sei a posto » mi fa.

Ci penso su un momento. « Be', gli indiani a volte hanno un modo diverso di vedere le cose, e non dico che sia completamente sbagliato. La scienza non fa parte delle loro tradizioni ».

« Tom Orso Bianco ha detto che sua madre e suo padre hanno cercato di convincerlo a non credere a tutte quelle storie. Ma lui ha detto che sua nonna diceva sottovoce che erano vere lo stesso, e quindi lui ci crede ».

Mi lancia uno sguardo implorante. A volte vuole sapere *davvero*. Un buon padre non può essere solo faceto. « Certo, » gli dico, contraddicendomi « anch'io credo ai fantasmi ».

Adesso John e Sylvia mi guardano in modo strano. Mi accorgo che non me la caverò tanto facilmente.

« È del tutto naturale » dico « considerare ignorante la gente che crede ai fantasmi, indiani o europei che siano. Il punto di vista scientifico ha spazzato via ogni altra concezione, facendola sembrare primitiva. È quasi impossibile immaginare un mondo in cui i fantasmi possano esistere davvero ».

John fa un cenno di approvazione e io continuo.

« La mia opinione è che l'intelletto dell'uomo moderno non è poi così superiore. I quozienti d'intelligenza non sono tanto diversi. Quegli indiani e gli uomini del medioevo erano intelligenti quanto noi, ma il contesto in cui prendeva forma il loro pensiero era completamente diverso dal nostro. In *quel* contesto fantasmi e spiriti erano reali quasi quanto lo sono per l'uomo moderno atomi, particelle, fotoni e quanti. In *questo* senso posso credere ai fantasmi. Anche l'uomo moderno ha i suoi ».

« Quali? ».

« Be', le leggi della fisica e della logica... i numeri... il principio di sostituzione in algebra. Questi sono fantasmi, ma ci crediamo con tanta convinzione che ci sembrano reali ».

« A me lo sembrano » dice John.

« Io non capisco » dice Chris.

E io continuo. « Per esempio, sembra del tutto naturale presumere che la gravità e la legge di gravità esistessero prima di Newton. Sembrerebbe una cosa da pazzi pensare che fino al diciassettesimo secolo non ci fosse la gravità ».

« Certo ».

« E allora, quando è entrata in vigore questa legge? È sempre esistita? ».

John mi ascolta corrugando la fronte.

« Quello a cui voglio arrivare » continuo « è l'idea che la legge di gravità esistesse prima dell'inizio della terra, prima che si formassero il sole e le stelle, prima della generazione primigenia di qualsiasi cosa ».

« Be', certo ».

« Piazzata lì, senza una massa propria, senza un'energia propria, senza essere nella testa di nessuno perché non c'era nessuno, senza essere nello spazio perché non c'era neanche lo spazio, senza essere da nessuna parte — questa legge di gravità esisteva lo stesso? ».

Adesso John non sembra più tanto sicuro.

« Se quella legge di gravità esisteva, » dico « onestamente non riesco a immaginare cosa si dovrebbe fare per *non* esistere. Mi sembra che la legge di gravità abbia superato tutte le prove di inesistenza possibili, e che non ci fosse un solo attributo scientifico di esistenza che la potesse caratterizzare. Eppure credere che esistesse continua a essere considerato ' buon senso ' ».

« Credo che dovrò pensarci su » dice John.

« Bene, posso dirti fin da ora che se ci pensi abbastanza a lungo ti ritroverai a girare in tondo finché arriverai alla sola conclusione possibile, razionale e intelligente. La legge di gravità e la gravità stessa *non esistevano* prima di Newton. Non c'è nessun'altra conclusione sensata.

« E questo significa » dico prima che John possa interrompermi « che la legge di gravità esiste *soltanto* nelle nostre teste! È un fantasma! ».

« E allora perché ci crediamo tutti? ».

« Ipnosi di massa, in una forma molto ortodossa, nota come istruzione ».

« Vuoi dire che l'insegnante convince i bambini a credere alla legge di gravità ipnotizzandoli? ».

« Certo ».

« Ma è assurdo! ».

« Avete mai sentito parlare dell'importanza del contatto visivo in una classe? Tutti i pedagoghi insistono su questo punto, ma nessuno lo spiega ».

John scuote la testa e mi versa un altro bicchiere. Si mette una mano davanti alla bocca e finge di dire sottovoce a Sylvia: « E pensare che il più delle volte sembra un ragazzo normale ».

« Ma se è la prima cosa normale che dico da settimane! » controbatto. « Per il resto simulo una follia da ventesimo secolo come voi. Solo per non dare troppo nell'occhio. Comunque ricomincerò daccapo a vostro beneficio! Noi siamo convinti che le parole scorporate di Newton fossero piazzate lì nel bel mezzo del nulla miliardi di anni prima che lui nascesse e le *scoprisse* come per incanto. C'erano sempre state, anche quando non potevano essere applicate a niente. Poi, piano piano, venne alla luce il mondo ed ecco che quelle parole si applicarono a quel mondo. Anzi, furono proprio loro a plasmarlo. Questo, John, è assolutamente ridicolo.

« Il problema sul quale si bloccano gli scienziati è quello del *pensiero*. Il pensiero non possiede né materia né energia, eppure questi uomini di scienza non possono sfuggire al ruolo predominante che esso svolge in qualsiasi loro attività. La logica esiste nel pensiero. I numeri esistono soltanto nel pensiero. Io non mi arrabbio quando gli scienziati dicono che i fantasmi esistono nel pensiero. È quel " soltanto " che mi manda in bestia. Anche la scienza esiste *soltanto* nel pensiero ».

Vado avanti, perché John e Sylvia mi guardano senza dire una parola. « Le leggi della natura sono *invenzioni* umane, come i fantasmi. E così le leggi della logica e della matematica. Tutte queste benedette cose sono un'invenzione dell'uomo, compresa l'idea che *non lo sono*. Al di fuori dell'immaginazione umana il mondo non esiste, è un fantasma, e nell'antichità era riconosciuto come tale. È governato da fantasmi. Vediamo quello che vediamo perché ce lo fanno vedere i fantasmi di Mosè e di Cristo e del Buddha, e di Platone, e di Cartesio, e di Rousseau e di Jefferson e di Lincoln. Newton è un fantasma molto bravo, uno dei migliori. Il vostro buon senso non è altro che il miscuglio delle voci di migliaia e migliaia di questi fantasmi del passato. Fantasmi che cercano di trovare il loro posto tra i vivi ».

John sembra troppo assorto nei suoi pensieri per parlare. Ma Sylvia è eccitata. « Dove le vai a pescare tutte queste idee? » mi chiede.

Sto per rispondere ma poi ci ripenso. Ho l'impressione di aver già spinto la discussione troppo in là, ed è ora di lasciar perdere.

Dopo un po' John dice: « Sarà bello rivedere le montagne ».

« Davvero » concordo. « Un ultimo brindisi alle montagne ».

Finiamo di bere e ci ritiriamo nelle nostre stanze.

Controllo che Chris si lavi i denti con la promessa che farà la doccia domani mattina. Faccio valere il diritto di anzianità e mi prendo il letto vicino alla finestra. Appena spenta la luce Chris mi dice: « Adesso raccontami una storia di fantasmi ».

« L'ho appena raccontata, là fuori ».

« Ma io dico una *vera* storia di fantasmi ».

« Quella era la storia di fantasmi più vera che ti riuscirà mai di sentire ».

« Voglio dire una delle altre, lo sai! ».

« Ne sapevo tante da bambino, Chris, ma le ho dimenticate tutte » gli dico. « È ora di dormire. Domani dobbiamo alzarci presto ».

Si sente solo il vento che batte contro le vetrate del motel. Il pensiero di tutto quel vento che ci viene incontro dai campi aperti delle praterie è tranquillizzante; è come se mi cullasse.

« Hai mai conosciuto un fantasma? » domanda Chris.

Gli rispondo mezzo addormentato: « Chris, una volta conoscevo un tipo che passò la vita a dar la caccia a un fantasma, e non fu che una perdita di tempo. Quindi dormi ».

Mi accorgo dell'errore troppo tardi.

« E poi l'ha trovato? ».

« Sì, Chris, l'ha trovato ».

Continuo a sperare che ascolti il vento e la smetta di fare domande.

« E allora che cosa ha fatto? ».

« Gliele ha suonate di santa ragione ».

« E poi? ».

« E poi è diventato un fantasma anche lui ». Chissà

perché ero convinto che con questo Chris si sarebbe addormentato. Invece sta riuscendo a svegliare me.

« Come si chiama? ».

« Non lo conosci ».

« Ma come si *chiama*? ».

« Non ha importanza ».

« Va bene, ma dimmelo lo stesso ».

« Visto che non ha importanza, si chiama Fedro. Non è un nome che conosci ».

« L'hai visto mentre guidavi sotto il temporale? ».

« Che cosa te lo fa pensare? ».

« Sylvia ha detto che sembravi uno che ha visto un fantasma ».

« È solo un modo di dire ».

« Papà? ».

« È meglio che questa domanda sia l'ultima, Chris, altrimenti mi arrabbio ».

« Stavo solo dicendo che tu non parli proprio come nessun altro ».

« Sì, Chris, lo so » gli dico. « È un problema. E adesso dormi ».

« Buonanotte, papà ».

« Buonanotte ».

Mezz'ora dopo Chris respira profondamente nel sonno, il vento è più forte che mai e io sono sveglio come un'allodola. Nel buio il vento freddo spazza la strada per gettarsi tra gli alberi, le foglie luccicano di bagliori lunari. Tutto questo, senza dubbio, Fedro l'ha visto. Probabilmente non saprò mai perché fece questa strada, ma è stato qui, ci ha guidato in questa direzione sconosciuta, è stato con noi fin dall'inizio. Non c'è scampo.

Vorrei poter dire che non so perché è qui, ma temo di dover confessare che lo so. Le idee, le cose che stavo dicendo sulla scienza e i fantasmi, e anche quell'idea di oggi pomeriggio sul tenere a quello che si fa e sulla tecnologia — non sono mie. Sono anni che non ho un'idea nuova. Le ho rubate a lui. E lui era lì a guardare, e per questo è qui.

Spero che con questa confessione ora mi concederà un po' di sonno.

Povero Chris. « Non vi ricordate qualche storia di fantasmi? » aveva chiesto. Avrei potuto raccontargliene una, ma ho paura solo a pensarci.

Devo proprio dormire.

4

Prima di impegnarsi in un Chautauqua bisognerebbe fare una lista di cose importanti da ricordare e tenerla al sicuro per i momenti di bisogno e per ispirazione. Dettagli. E adesso, mentre gli altri se la dormono ancora sprecando questa bella mattina di sole... be'... per ammazzare il tempo, come si suol dire...

Quella che ho qui è la mia lista di cose utili da portare nel vostro prossimo giro in motocicletta nel Dakota.

Sono sveglio dall'alba. Chris dorme ancora. Ho cercato di dormire ancora un po', ma sentendo cantare un gallo mi sono reso conto che siamo in vacanza, e quindi dormire non ha senso. Attraverso la parete divisoria del motel sento John che russa. A meno che non sia Sylvia... No, fa troppo baccano, maledizione...

Ero talmente stufo di dimenticarmi tutto che ho fatto questa lista e l'ho messa in uno schedario per spuntarla prima di ogni partenza.

La maggior parte delle voci non ha bisogno di commento. Alcune si riferiscono specificamente ai viaggi in motocicletta e richiedono un minimo di spiegazione. Altre sono decisamente curiose e bisognerà che le spieghi in dettaglio. L'elenco è diviso in quattro parti: Abbigliamento, Effetti personali, Equipaggiamento da cucina e campeggio, Equipaggiamento per la motocicletta.

La prima parte, Abbigliamento, è semplice:

1. Due cambi di biancheria.
2. Mutandoni lunghi.
3. Una camicia e un paio di pantaloni di ricambio per ciascuno. Io uso uniformi militari da fatica. Costano poco, sono resistenti e tengono lo sporco. Prima c'era anche la voce « vestiti eleganti » ma John ci ha scritto sotto « smoking ». Io pensavo solo che fuori da una stazione di rifornimento certe volte si può aver voglia di cambiarsi.
4. Un pullover e una giacca ciascuno.
5. Guanti. I guanti di pelle scamosciata sono i migliori, perché prevengono le scottature solari, assorbono il sudore e tengono le mani fresche. Quando si viaggia solo per un'ora non ha molta importanza, ma se sei in ballo tutti i giorni dodici ore al giorno diventa una questione essenziale.
6. Stivali da motociclista.
7. Equipaggiamento per la pioggia.
8. Casco e visiera.
9. Casco integrale. Di solito mi dà la claustrofobia, per cui lo uso soltanto per la pioggia, altrimenti ad alta velocità le gocce pungono la faccia come spilli.
10. Occhialoni. Il parabrezza non mi piace perché mi fa sentire al chiuso anche lui. Io uso degli occhiali inglesi di vetro laminato che funzionano bene. Gli occhiali da sole normali lasciano passare il vento e gli occhialoni di plastica si graffiano e distorcono l'immagine.

Ora viene la lista degli Effetti personali:

Pettine. Portafoglio. Temperino. Agendina. Penna. Sigarette e fiammiferi. Pila. Sapone e portasapone di plastica. Spazzolino da denti e dentifricio. Forbici. Aspirine per il mal di testa. Repellente per insetti. Deodorante (dopo una giornata calda su una moto, il tuo migliore amico può anche fare a meno di dirtelo). Crema solare. (In moto non ti accorgi delle scottature finché non ti fermi, e allora è troppo tardi. Meglio metterla prima). Cerotti. Carta igienica. Un guanto di spugna per lavarsi (è meglio tenerlo in un involucro di plastica per evitare di bagnare l'altra roba). Un asciugamano.

Libri. Non conosco nessun altro motociclista che si porta dietro dei libri. Occupano molto spazio, ma io me ne porto dietro tre, con dentro dei fogli di carta volanti per gli appunti. Sono:

a. Il libretto di istruzioni per questa motocicletta.
b. Un testo generale che contiene tutte le informazioni tecniche che non riesco a tenere a mente. Si tratta della *Chilton's Motorcycle Troubleshooting Guide* scritta da Ocee Rich e in vendita da Sears, Roebuck.
c. Una copia del *Walden* di Thoreau... di cui Chris non ha mai sentito parlare e che si può leggere cento volte senza stancarsi. Cerco sempre di scegliere un libro molto al di sopra delle sue possibilità intellettuali; leggo una frase o due, aspetto che lui se ne esca col suo solito fuoco di fila di domande, gli rispondo e poi leggo un'altra frase o due. I classici si leggono bene, così. Si vede che è così che sono stati scritti. Certe volte ci accorgiamo di aver letto soltanto due o tre pagine in una sera. È un modo di leggere piacevolissimo che appartiene a un secolo fa... quando i Chautauqua erano popolari. Provare per credere.

Vedo che Chris dorme senza nessuna traccia della sua solita tensione. Non voglio ancora svegliarlo.

L'Equipaggiamento da cucina e campeggio comprende:

1. Due sacchi a pelo.
2. Due ponchos impermeabili e un'incerata da mettere per terra, che in viaggio proteggono il bagaglio dalla pioggia e fanno anche da tenda.

3. Corda.
4. Mappe (genere cartine militari) di una zona che vogliamo esplorare a piedi.
5. Un machete.
6. Una bussola.
7. Una borraccia. Quando siamo partiti non sono riuscito a trovarla da nessuna parte. Chissà i bambini dove l'hanno ficcata.
8. Stoviglie militari per due: coltello, forchetta e cucchiaio.
9. Un fornello pieghevole con una scorta media di tavolette Meta. L'ho comprato per prova e non l'ho ancora usato. Se piove o si sale al di sopra della zona boschiva non è facile trovare legna secca per il fuoco.
10. Qualche barattolo di alluminio col coperchio avvitabile per lardo, sale, burro, farina, zucchero. Li abbiamo comprati anni fa in un magazzino di articoli per alpinismo.
11. Detersivo.
12. Due zaini col telaio di alluminio.

Equipaggiamento per la motocicletta. Una busta coi ferri la vendono con la moto ed è sotto la sella. Ho aggiunto:
Una chiave a rullino grande. Un martello da meccanico. Uno scalpello. Un punzone conico. Ferri per smontaggio gomme. Completo per riparazione forature. Una pompa da bicicletta. Una bomboletta spray al bisolfuro di molibdeno per la catena. (Ha un'eccezionale capacità di penetrazione nei rulli, cosa importantissima, e la superiorità della lubrificazione col bisolfuro di molibdeno è ben nota. Comunque, una volta asciutto, si deve completare con un buon vecchio olio da motore SAE-30). Un cacciavite a percussione. Un calibro. Uno spessimetro. Un provacircuiti.

Pezzi di ricambio:

Candele. Cavi per il gas, la frizione e i freni. Puntine, fusibili, lampadine per il faro anteriore e il fanalino posteriore, maglia di giunzione della catena con fermo, coppiglie, filo metallico per imballaggio, una catena di ricambio (è una catena vecchia, quasi a pezzi, tanto per tirare fino a un garage se si rompe l'altra).

Più o meno, questo è tutto. Niente stringhe.

Probabilmente a questo punto vi chiederete se la mia è una moto o una roulotte, ma il bagaglio non è voluminoso come sembra, ve lo assicuro.

Temo che se non li sveglio io quelli là dormiranno tutto il giorno. C'è un sole stupendo, è un peccato sprecarlo così.

Alla fine mi decido e do uno scossone a Chris. Lui spalanca gli occhi e si rizza a sedere di scatto con un'aria istupidita.

« È ora di fare la doccia » gli annuncio.

Esco. L'aria è corroborante. Però — Cristo! — fa un freddo! Busso alla porta dei Sutherland.

« Sìì » mugola la voce assonnata di John. « Uhmmmm. Sìì ».

Sembra *autunno*. Le moto sono bagnate di rugiada. Niente pioggia, oggi. Ma che *freddo*! Ci saranno quattro gradi.

Mentre aspetto, controllo il livello dell'olio e le gomme, i bulloni e la tensione della catena. È un po' molle; prendo la busta dei ferri e la tendo. Sono sempre più impaziente di mettermi in strada.

Mi assicuro che Chris si copra bene e in un lampo siamo in viaggio; fa un freddo cane. Nel giro di pochi minuti tutto il calore degli indumenti pesanti viene annullato dal vento e sono scosso dai brividi. Tonificante.

Tra mezz'ora arriveremo a Ellendale, dove ci fermeremo per la colazione. Poi il sole sarà più alto e farà meno freddo. Ora il paesaggio è una meraviglia: nella luce obliqua dell'alba l'erba è luccicante di rugiada (o di brina?) e un po' brumosa. Le ombre allungate fanno sembrare il paesaggio meno piatto di ieri. Il mio orologio fa le sei e mezza. Il vecchio guanto che lo ricopre è ancora umido, dopo la doccia di ieri sera. Cari vecchi guanti malconci. Adesso il freddo li ha talmente irrigiditi che faccio fatica a muovere la mano.

Ieri ho parlato di come sia importante tenere alle cose, be', io a questi vecchi guanti ammuffiti ci tengo. Li guardo e sorrido, perché sono così vecchi, stanchi e laceri da sfiorare il ridicolo, e quando li appoggio sul tavolo, anche quando non sono freddi, non c'è verso di farli stare piatti. Sono dotati di una memoria propria. Mi sono costati solo tre dollari e me li cucio e ricucio con gran spreco di tempo e di fatica, perché non riesco neanche a immaginare di poterli sostituire. Non è pratico, ma la praticità non è tutto in fatto di guanti, non è tutto mai.

Sono un po' gli stessi sentimenti che provo per la moto. Con i suoi quarantamila chilometri è quasi una veterana; e con l'andar del tempo le sensazioni che una particolare moto ti dà si individualizzano sempre più, tanto che quando ne provai una identica alla mia — stessa marca, stesso modello e persino stesso anno di fabbricazione — che un amico mi aveva portato a riparare, sembrava impossibile che fosse uscita dalla stessa fabbrica. Si vedeva benissimo che da molto tempo aveva trovato il suo ritmo, la sua andatura e il suo rumore, che erano completamente diversi da quelli della mia.

Immagino che questa si possa chiamare personalità. Ogni macchina ha la sua, che probabilmente potrebbe definirsi la somma percepibile di tutto ciò che di essa si sa e si sente. Questa personalità cambia costantemente, di solito in peggio, ma a volte sorprendentemente in meglio, ed è questa personalità l'oggetto vero della manutenzione della motocicletta. Le macchine nuove, all'inizio, si presentano come belle sconosciute che, a seconda di come vengono trattate, degenerano rapidamente in musone screanzate o addirittura storpie, oppure si trasformano in amiche bonaccione, sane e durature. Questa qui, nonostante il trattamento omicida di quei sedicenti meccanici, richiede sempre meno riparazioni.

Ecco Ellendale!

Un serbatoio, qualche filare di alberi, gruppi di edifici nel sole mattutino. Ho appena smesso di tremare per il freddo che mi ha attanagliato per tutto il tragitto. L'orologio fa le sette e un quarto.

Pochi minuti dopo parcheggiamo accanto a dei vecchi edifici di mattoni. Mi volto verso John e Sylvia.

« Che freddo! » dico.

Mi lanciano uno sguardo gelido e non rispondono.

« Tonificante, no? » dico. Silenzio.

Aspetto che smontino, e vedo che John sta cercando di slegare tutto il bagaglio. Ha dei problemi col nodo, si arrende e ci incamminiamo tutti verso il ristorante.

Ci riprovo. Cammino all'indietro, guardandoli in faccia, un po' esaltato dalla corsa, mi frego le mani e rido. « Sylvia! Dimmi qualcosa! ». Neanche un sorriso.

Devono aver avuto freddo davvero.

Ordinano la colazione senza alzare gli occhi.

Mangiamo in silenzio e quando abbiamo finito dico: « Be'? ».

John, scandendo le sillabe, risponde: « Adesso non partiremo di qui finché non farà più caldo ». Ha un tono da mezzogiorno di fuoco, che immagino renda la decisione inappellabile.

Così John, Sylvia e Chris si siedono al caldo nell'atrio dell'albergo di fianco al ristorante, mentre io esco a fare una passeggiata.

Penso che ce l'abbiano con me perché li ho svegliati così presto per poi viaggiare in quelle condizioni. Quando si è costretti a stare gomito a gomito tutto il tempo, qualche piccolo attrito è inevitabile. Adesso che ci penso, mi viene in mente che con loro non sono mai andato in motocicletta prima dell'una o delle due del pomeriggio, benché per me l'alba e il **mattino** presto siano sempre i momenti più belli per guidare.

Il paese è pulito e fresco e decisamente diverso da quello in cui ci siamo svegliati stamattina. La gente per strada apre i negozi e saluta e chiacchiera facendo commenti sul freddo. Due termometri sul lato in ombra della strada segnano cinque gradi. Uno al sole segna diciotto gradi.

Dopo qualche isolato la strada principale si trasforma in due solchi di fango duro che costeggiano i prati e poi, superato un capanno pieno di attrezzi e macchinari agricoli, vanno a finire in un campo. Un uomo nel campo mi guarda con sospetto mentre sbircio nel capanno. Torno sui miei passi, trovo una panchina gelata e me ne sto lì a guardare la moto. Non ho niente da fare.

D'accordo, faceva freddo, ma quante storie! Come fanno allora a sopravvivere all'inverno del Minnesota? È fin troppo ovvio che qualcosa non quadra: se sono così poco resistenti e non possono soffrire la tecnologia, dovranno pur piegarsi a qualche compromesso. Hanno bisogno della tecnologia e allo stesso tempo la condannano. Sono sicuro che se ne rendono conto e questo non fa che accrescere la loro insofferenza. Loro non hanno una tesi logica, si limitano a descrivere uno stato di cose. Ma ecco che arrivano in paese tre contadini, girano l'angolo su un camion nuovo di zecca. Scommetto che per loro è tutto il contrario, che sono fierissimi di quel camion e del trattore e della lavatrice nuova e hanno gli strumenti per aggiustarli se si rompono e sanno come usarli. Per loro la tecnologia è una gran cosa, eppure sono quelli che ne hanno *meno* bisogno. Se la tecnologia finisse tutta domani, questa gente saprebbe come cavarsela. Sarebbe duro, ma sopravvivrebbero. John, Sylvia, Chris e io moriremmo nel giro di una settimana. Questa condanna della tecnologia è ingratitudine, ecco cos'è, anche se dare etichette non serve a niente.

Mezz'ora dopo, il termometro vicino alla porta dell'albergo segna 11 gradi. Trovo gli altri nella sala da pranzo vuota, con l'aria impaziente. Comunque l'umore dev'essere migliorato, e John dice ottimisticamente: « Mi metterò addosso tutto quello che ho e andrà tutto benissimo ». Dice che al gabinetto degli uomini si gela, e visto che nella sala da pranzo non c'è nessun altro si barrica dietro a un tavolo alle nostre spalle; io mi fermo a parlare con Sylvia, e quando mi giro vedo John in un completino celeste — mutandoni e maglietta — che sorride tutto compiaciuto per il suo aspetto idiota. Lancio un'occhiata ai suoi occhiali sul tavolo e dico a Sylvia:

« Ma tu pensa, solo un momento fa eravamo qui seduti a parlare con Clark Kent... Guarda lì i suoi occhiali... e all'improvviso... Lois, pensi che?... ».

« Ecco SUPERPOLLO! » ulula John.

Scivola sul pavimento lucido come un pattinatore, fa una capriola e torna indietro. Tende un braccio e poi si accoscia come se stesse prendendo la via del cielo. « Sono pronto, vado! ». Scuote la testa tristemente. « È un gran peccato fare a pezzi quel bel soffitto, ma la mia ultravista mi dice che c'è qualcuno nei guai ». Chris ridacchia.

« Nei guai ci finiremo tutti quanti se non ti metti addosso qualcosa » fa Sylvia.

Quando ci rimettiamo in strada fa ancora freddo, ma non come prima. Attraversiamo alcuni paesi e a poco a poco il sole ci riscalda.

C'è una leggera salita e il rombo del motore diventa più forte. Arriviamo in cima, di fronte a noi c'è una nuova distesa verde, fresca, la strada scende e il rombo del motore cala di nuovo. Praterie. Tranquille e distaccate.

Più tardi, quando ci fermiamo, Sylvia ha le lacrime agli occhi per il vento, e allunga le braccia dicendo: « Com'è bello. Così deserto! ».

Faccio vedere a Chris come mettere la giacca per terra e usare una camicia di ricambio per cuscino. Non ha affatto sonno ma gli dico di sdraiarsi lo stesso, avrà bisogno di un riposino. Mi apro la giacca per immagazzinare il calore. John tira fuori la macchina fotografica.

Dopo un po' mi fa: « Questa è una delle cose più difficili da fotografare. Ci vuole un obiettivo a trecentosessanta gradi, o roba del genere. Il paesaggio è lì, ma quando guardi nel mirino non c'è niente. Appena lo delimiti, scompare ».

« È quello che in macchina sfugge, immagino » dico io.

« Una volta, » racconta Sylvia « quando avevo circa dieci anni, ci siamo fermati come adesso e io ho fatto un mezzo rullino di foto. E quando le ho viste sviluppate mi sono messa a piangere. Non c'era niente ».

« Quand'è che ripartiamo? » dice Chris.

« Che fretta hai? » gli chiedo.

« Voglio soltanto partire ».

« Più avanti non c'è proprio niente di meglio che qui ».

Abbassa gli occhi in silenzio, corrugando la fronte. « Stanotte ci accampiamo all'aperto? » chiede. I Sutherland mi lanciano un'occhiata apprensiva.

« Allora? » insiste Chris.

« Vedremo » gli dico.

« Perché vedremo? ».

« Perché adesso non lo so ».

« Perché adesso non lo sai? ».

« Be', adesso non so proprio perché non lo so ».

John scrolla le spalle e mi fa capire che per lui è lo stesso.

« Non è una zona ideale per il campeggio » ribatto. « Non c'è un riparo e non c'è acqua ». Ma aggiungo di punto in bianco: « D'accordo, questa notte ci accampiamo all'aperto ». Ne avevamo già parlato.

E andiamo e andiamo nella strada vuota. Queste praterie non ho voglia di fotografarle, né vorrei che fossero diverse, e nemmeno vorrei che fossero mie. Non voglio né fermarmi né proseguire. Andiamo nella strada vuota e basta.

5

L'uniformità della prateria scompare per lasciar posto a un'accentuata ondulazione del terreno. Le staccionate sono più rade, e il verde si è fatto più pallido... tutti segni che ci stiamo avvicinando agli Altipiani.

Ci fermiamo a Hague a far benzina e chiediamo se c'è modo di attraversare il Missouri tra Bismarck e Mobridge. Il benzinaio non ne ha idea. Adesso fa caldo, e John e Sylvia vanno da qualche parte a togliersi i mutandoni. Io cambio l'olio e lubrifico la catena. Chris osserva tutto quello che faccio, ma con una certa impazienza. Non è un buon segno.

« Mi fanno male gli occhi » dice.

« Come mai? ».

« Per il vento ».

« Cercheremo degli occhialoni ».

Entriamo in un bar a prendere il caffè e dei panini. Tutto è diverso, salvo noi stessi, per cui invece di parlare ci guardiamo intorno, afferrando frammenti di conversazione tra gente che sembra conoscersi e che ci guarda perché per loro la novità siamo noi. Più tardi, lungo la strada, compro un termometro da tenere nelle sacche e degli occhialoni di plastica per Chris.

Neanche l'uomo del negozio conosce una scorciatoia per l'altra sponda del Missouri. John e io studiamo la carta. Evidentemente sull'altra sponda non c'è granché. È tutta riserva indiana. Decidiamo di andare a sud, verso Mobridge, e di attraversare là.

La strada è orribile. Stretta, di cemento irregolare, con il vento contrario, il sole in faccia e una quantità di camion che vengono nel senso opposto. Su queste colline da otto volante accelerano in discesa e rallentano in salita, e siccome non possiamo vedere abbastanza lontano diventiamo isterici a ogni sorpasso.

A Herreid John si imbosca per bere qualcosa mentre Sylvia, Chris e io troviamo un po' d'ombra in un parco e cerchiamo di riposare. Ma non è riposante. È cambiato qualcosa, e non capisco cosa. Le strade qui sono grandi, molto più grandi del dovuto, e l'aria è bianca di polvere. Tutto ha un'aria più deteriorata e meccanica e sembra costruito a casaccio. Piano piano scopro che cos'è: nessuno si preoccupa più di risparmiare terreno. La terra non ha più valore. Siamo in un paese del West.

A Mobridge mangiamo un hamburger col latte di malto, scendiamo piano per un corso pieno di traffico, ed eccolo, in fondo alla discesa — il Missouri. È strana tutta quell'acqua che si muove tra colline erbose che ne ricevono a malapena una goccia. Mi guardo in giro e do un'occhiata a Chris; non sembra particolarmente interessato.

Scendiamo giù per la discesa in folle, traversiamo il ponte e poi saliamo e saliamo su per un interminabile pendio che dà su un paesaggio tutto nuovo.

Adesso le staccionate sono sparite proprio tutte. Niente sottobosco, niente alberi. Tutto sembra disposto secondo un ordine naturale o, più semplicemente, ha l'aria di non essere mai stato messo in disordine. Siamo nella riserva. Al di là di queste rocce non c'è nessun cordiale meccanico ad aspettarci, e mi domando se sappiamo davvero quello che stiamo facendo. Se ci succede qualcosa siamo nei guai.

Allungo una mano per controllare la temperatura del motore. È di un fresco rassicurante. Tolgo la marcia per un secondo per sentire il rumore del motore in folle. È un rumore strano, e ripeto l'operazione. Mi ci vuole un po' per capire che non si tratta affatto del motore. C'è un'eco che arriva dalla scarpata di fronte e che rimane nell'aria dopo che ho tolto il gas. Strano. Lo faccio due o tre volte. Chris chiede cos'è che non va e io gli faccio ascoltare l'eco.

Questo vecchio motore fa un rumore come di monetine, ma non è che il normale sbattimento delle valvole sulle sedi. Una volta che ci si abitua al rumore e si impara ad aspettarselo, si nota automaticamente qualsiasi differenza.

Una volta cercai di suscitare l'interesse di John per questo rumore, ma lui non sentì altro che fracasso e non vide che la moto e me con in mano degli aggeggi sporchi di grasso. Non gli interessava abbastanza. Per lui quello che le cose *significano* non ha importanza; si preoccupa soltanto di come le cose *sono*.

Per risvegliare il suo interesse pensai di aspettare che avesse un guasto alla moto; allora l'avrei aiutato ad aggiustarla cercando di coinvolgerlo, ma mi lasciai sfuggire scioccamente l'occasione perché non avevo ancora capito la differenza dei nostri punti di vista.

Le manopole della sua moto avevano cominciato ad allentarsi. Non troppo, aveva detto, solo un po' quando faceva troppa pressione. Lo avvertii di non usare la sua chiave sui dadi di serraggio. È facile danneggiare il cromo e provocare piccole formazioni di ruggine. Così acconsentì a usare la mia chiave a tubo regolabile.

Quando mi portò la motocicletta tirai fuori le mie chiavi, ma mi accorsi che non c'era verso di fissare le manopole, perché i dadi erano stretti al massimo.

« Bisognerà metterci uno spessore » dissi.

« E cioè? ».

« Uno spessore. Una strisccetta piatta di metallo. La inserisci intorno al manubrio sotto il colletto per aprirlo di più e far lavorare di nuovo i dadi di serraggio. Gli spessori si usano in ogni tipo di macchina ».

« Ah » fece John. La cosa cominciava a interessargli. « Bene. Dov'è che si comprano? ».

« Ne ho giusto qui qualcuno » dissi tutto giulivo mostrandogli la lattina di birra che avevo in mano.

Per un momento non capì. Poi disse: « *Cosa*, con la *lattina*? ».

« Certo, » dissi « è lo spessore migliore del mondo! ».

A me sembrava un bel colpo. Gli facevo risparmiare tempo e denaro, ma mi accorsi con sorpresa che lui non apprezzava affatto. Cominciò a storcere il naso e a fare un sacco di storie e, prima ancora che mi rendessi conto di cosa gli passava per la testa, avevamo già deciso che tutto sommato il manubrio non l'avremmo aggiustato per niente.

Per quel che ne so io le manopole sono ancora allentate. E mi sono convinto che quella volta John si è veramente offeso. Avevo avuto il *coraggio* di proporre una riparazione della sua BMW nuova di zecca con un pezzo di lattina di *birra*!

Da allora abbiamo parlato pochissimo di manutenzione della motocicletta. Anzi, mai, adesso che ci penso.

Dovrei aggiungere, a mo' di spiegazione, che l'alluminio delle lattine di birra è particolarmente flessibile, tiene bene e non si ossida con l'umidità — o, più precisamente, ha sempre un leggero strato di ossido che impedisce un'ulteriore ossidazione. Insomma, l'ideale anche agli occhi di un meccanico tedesco con mezzo secolo di raffinatezza meccanica alle spalle.

Ecco cosa avrei dovuto fare, pensai: sgattaiolare dietro il bancone, tagliare uno spessore dalla lattina, togliere le scritte e dirgli che eravamo fortunati, era l'ultimo che avevo, importato appositamente dalla Germania.

A volte, comunque, se ti ci metti d'impegno, da questi piccoli dissapori puoi risalire a rivelazioni sbalorditive. Ricorsi alla mia abitudine di considerare le cause e gli effetti, e quello che emerse dapprima in forma vaga, poi con contorni più marcati, fu che io avevo visto quello spessore in un modo intellettuale, razionale e cerebrale che teneva conto di tutte le proprietà scientifiche del metallo. L'approccio di John, invece, era immediato e intuitivo, come quello che ha con la musica. Io vedevo cosa quello spessore *significava*. Lui vedeva cos'*era*. È così che arrivai a capire quella diversità. E in questo caso, vedere che cos'*è* uno spessore è deprimente. A chi può andar bene l'idea di una splendida macchina di precisione aggiustata con un rottame?

Penso di aver dimenticato di dire che John è un musicista, un batterista, che suona con dei complessi in giro per la città e fa un bel po' di soldi. Immagino che pensi a tutto come pensa alla batteria quando suona — vale a dire che non ci *pensa* affatto. Suona e basta. Ci è dentro. All'idea di riparare la moto con una lattina di birra reagisce come quando qualcuno sbaglia il tempo. Gli dà ai nervi, nient'altro.

Sulle prime questa differenza tra noi sembrava abbastanza secondaria, ma poi prese a crescere... crescere... crescere... finché incominciai a capire perché mi era sfuggita. Alcune cose ci sfuggono perché sono così impercettibili che le trascuriamo. Ma altre non le vediamo proprio perché sono enormi. John e io partiamo da presupposti totalmente diversi; la sua è la dimensione emotiva, ' creativa ', e io mi comporto proprio come uno *square* [1] a tirare sempre in ballo la meccanica, che lo attrae ma lo respinge subito perché non è accordata sul suo *la*. Per lui è sconcertante che esista qualcosa che prescinde in questo modo dai suoi canoni esistenziali. E sono proprio questi suoi canoni che hanno determinato buona parte dei mutamenti culturali degli Anni Sessanta, e che ancora oggi stanno rimodellando tutta la nostra prospettiva nazionale sulle cose. Uno dei risultati è stato il ' gap generazionale '. Da lì sono nati i termini *beat* e *hip*. Ormai è evidente che questa dimensione non è una moda, ma rappresenta un modo molto serio e importante di concepire le cose che *sembra* incompatibile con la ragione, l'ordine e la responsabilità, ma in effetti non lo è. Adesso siamo arrivati alla radice del problema.

---

1. Termine di *slang* molto usato per indicare un conformista un po' ottuso. Il suo opposto è *hip* [*N.d.T.*].

Qui ci troviamo di fronte a due tipi di *visione della realtà*. Il mondo come lo vediamo *è realtà*, indipendentemente da quello che dicono gli scienziati. Ed è così che la vede John. Ma anche il mondo come ci viene rivelato dalle scoperte scientifiche è realtà, indipendentemente dalla sua apparenza, e chi appartiene all'universo di John non potrà limitarsi a ignorarlo, se ci tiene a conservare la sua visione della realtà. John lo scoprirà quando gli si bruceranno le puntine.

Ecco perché si era arrabbiato tanto il giorno in cui non riusciva ad avviare il motore. *Era un'intrusione nella sua realtà.* Qualcosa che faceva traballare tutte le sue costruzioni, il suo modo di vedere le cose, e lui non voleva affrontarlo perché gli sembrava una minaccia al suo stesso stile di vita. In un certo modo stava sperimentando lo stesso tipo di rabbia che talvolta provano, o quantomeno provavano, le persone di mentalità scientifica nei confronti dell'arte astratta.

Ancora una volta ci troviamo di fronte a due realtà: quella dell'apparenza artistica immediata e quella della spiegazione scientifica soggiacente, e queste due realtà hanno ben poco a che vedere l'una con l'altra. Brutto affare.

Ora c'è un lungo rettilineo deserto e vediamo un negozio di alimentari isolato. Ci sediamo su delle casse nel retrobottega e beviamo birra in lattina.

Adesso la fatica e il mal di schiena si fanno sentire. Spingo la cassa contro un palo e mi ci appoggio.

Chris ha un'espressione che non promette nulla di buono. È stata una giornata lunga e dura. L'avevo detto a Sylvia, quando eravamo ancora nel Minnesota, che avremmo dovuto aspettarci un calo d'umore il secondo o il terzo giorno. E infatti... Il Minnesota — come sembra lontano!

Una donna, ubriaca fradicia, entra a comprare della birra per l'uomo che l'aspetta in macchina. Non riesce a decidere che marca vuole e fa spazientire la moglie del proprietario, ma a un certo punto ci vede, ci si avvicina camminando a zig zag e ci domanda se le moto sono nostre. Rispondiamo di sì e allora ci chiede di farle fare un giro. Io me la batto e lascio che se la veda con John.

Lui cerca gentilmente di dissuaderla, ma lei continua a insistere e gli offre persino un dollaro. Io cerco di buttarla sul ridere, ma senza successo e la depressione aumenta. Usciamo e ci rituffiamo nelle colline brune e nel caldo.

Quando arriviamo a Lemmon siamo stanchi morti. In un bar sentiamo parlare di un campeggio più a sud. John vuole accamparsi in un parco nel bel mezzo di Lemmon, cosa piuttosto strana, e allora Chris si infuria.

Sono stanco come non mai, e anche gli altri, ma ci trasciniamo in un supermarket, compriamo della roba a casaccio e con una certa difficoltà la sistemiamo sulle moto. Il sole è così basso che stiamo per rimanere senza luce.

« Dài, Chris, muoviamoci ».

« Non prendertela con me. *Io* sono pronto ».

Prendiamo una strada provinciale, esausti, e guidiamo per un'eternità, ma è solo un'impressione, perché il sole è ancora sopra l'orizzonte. Il campeggio è deserto. Bene. Ma adesso arriva il peggio.

Cerco di disfare il bagaglio più in fretta che posso, ma sono talmente intontito che lo sistemo in un posto che si rivela troppo esposto al vento. È il vento degli Altipiani. Qui il territorio è semideserto, tutto bruciato e secco, ma sotto di noi c'è un grosso bacino idrico. Il vento ci sferza con folate pungenti. Fa già freddo. Più indietro, verso la strada, ci sono dei pini ispidi, e chiedo a Chris di spostare la roba laggiù.

Chris non mi dà retta e va verso il bacino. Devo portare tutto da solo.

Tra un viaggio e l'altro vedo che Sylvia si sta dando un gran da fare per preparare la roba per cucinare, ma è stanca quanto me.

Il sole tramonta.

John ha raccolto la legna ma i ceppi sono troppo grossi e il vento è così forte che accendere il fuoco è difficile. Bisogna spaccarli. Ritorno sotto i pini e cerco a tentoni il machete, ma non riesco a trovarlo. Ci vuole la pila. La cerco, ma è troppo buio.

Vado a prendere la moto, punto il fanale sui bagagli e ricomincio a cercare la pila facendo passare gli oggetti a uno a uno. Ci metto un sacco di tempo a rendermi conto che non è la pila che mi serve, ma il machete, e ce l'ho sotto il naso. Quando finalmente torno dagli altri, John ha già acceso il fuoco. Uso il machete per tagliare alcuni dei ceppi più grossi.

Ricompare Chris. La pila ce l'aveva lui!

« Quand'è che mangiamo? » mugugna.

« Stiamo cercando di preparare il più in fretta possibile » gli dico. « Lasciala qui, la pila ».

Scompare di nuovo. Con la pila.

Il vento è così forte che la fiamma non riesce ad alzarsi abbastanza da cuocere le bistecche. Cerchiamo di riparare il fuoco con delle grosse pietre; è troppo buio, andiamo a prendere la moto e incrociamo i fanali sul fuoco. Strana luce. Le particelle di cenere nell'aria brillano improvvisamente bianche nel fascio di luce, poi scompaiono nel vento.

BANG! Uno scoppio dietro di noi. Poi sento la risata di Chris.

Sylvia si è spaventata.

« Ho trovato dei petardi! » dice Chris.

Riesco a frenare la rabbia in tempo e gli dico freddamente: « È ora di mangiare, adesso ».

« Mi servono dei fiammiferi » fa lui.

« Siediti e mangia ».

« Prima dammi dei fiammiferi ».

« Siediti e mangia, ti ho detto ».

Chris si siede e io cerco di tagliare la bistecca col coltello dell'esercito, ma è troppo dura, così tiro fuori un coltello da caccia e uso quello.

Chris dice che neanche lui riesce a tagliare la sua

carne e gli passo il mio coltello. Allunga una mano per prenderlo e rovescia tutto sulla tela cerata.

Nessuno dice una parola.

Che abbia rovesciato la cena non m'importa, ma sono furioso per la tela, che rimarrà unta per il resto del viaggio.

« C'è un'altra bistecca? » chiede Chris.

« Mangiati *quella* » faccio io. « È solo caduta sulla tela cerata ».

« Ma è sporca » risponde.

« Be', non c'è altro ».

Un'ondata di depressione ci sommerge. Vorrei solo andare a dormire, ma Chris è arrabbiato e ho il sospetto che ci toccherà subire qualcuna delle sue bizze.

« Non mi piace questa roba » dice.

« Sì, è dura, Chris ».

« Non mi piace *niente* qui. Questo campeggio mi fa schifo ».

« È stata un'idea *tua* » dice Sylvia. « Sei stato tu a voler venire qui ».

Non avrebbe dovuto dirlo, ma ormai è troppo tardi. Se abbocchi lui ti provoca finché non gliele dài, che è quello che desidera veramente.

« Non me ne frega niente » continua Chris.

« Be', dovrebbe fregartene qualcosa, invece » dice Sylvia.

« E invece no ».

La deflagrazione è molto vicina. Sylvia e John mi guardano ma io rimango impassibile. Mi dispiace, ma non posso farci nulla.

« Non ho fame » dice Chris.

Nessuno risponde.

« Ho mal di pancia ».

La deflagrazione ci viene risparmiata perché Chris si alza e si allontana nel buio.

Finiamo di mangiare. Aiuto Sylvia a mettere in ordine e poi restiamo intorno al fuoco per un po'. Spegniamo i fanali per non scaricare la batteria, e comunque fanno una brutta luce. Il vento è un po'

calato e il fuoco emana una luce fioca. Dopo un po'
gli occhi si abituano. La cena e la rabbia mi hanno
fatto passare il sonno. Chris non torna.

« Pensi che ci stia *punendo*? » chiede Sylvia.

« Credo di sì, » faccio io « anche se detto così non
mi suona bene ». Ci ripenso un attimo e aggiungo:
« È un'espressione da psicologia infantile, è un linguaggio che non mi piace. Diciamo piuttosto che ci
sta rompendo le scatole ».

John fa una risatina.

« Peccato, » dico « la cena era buona. Mi dispiace
che si sia comportato così ».

« Non ha importanza » dice John. « A me spiace
solo che non abbia mangiato niente ».

« Non gli farà male ».

« Non si perderà mica? ».

« No, se gli succede si metterà a gridare ».

« Pensi che abbia davvero mal di pancia? » chiede
Sylvia.

« Sì » rispondo, un po' dogmatico. Ma Sylvia meri-
ta una spiegazione migliore. « Sono sicuro che ce l'ha
davvero, il mal di pancia » mi decido a dire. « L'hanno visitato una mezza dozzina di volte. Una volta ha
avuto dei dolori così forti che pensavamo fosse ap-
pendicite... Ricordo che eravamo in vacanza su al
nord. Avevo appena finito di completare un progetto
tecnico per un contratto da cinque milioni di dollari
ed ero a pezzi. Avevo la testa ancora piena di dati
tecnici e Chris non faceva che gridare. Non potevamo
neanche toccarlo, e alla fine mi resi conto che era meglio portarlo di corsa all'ospedale, ma non gli trovarono niente ».

« Niente? ».

« No. Ma è successo altre volte ».

« Ma non hanno idea di cosa possa essere? » chiede
Sylvia.

« Questa primavera hanno detto che sono i primi
sintomi di una malattia mentale ».

« Cosa? » fa John.

Adesso è troppo buio per vedere Sylvia e John e persino i contorni delle colline. Tendo l'orecchio per sentire i rumori in lontananza, ma non sento niente. Non so cosa rispondere e sto zitto.

« Non lo sapevo » dice la voce di Sylvia. Ogni traccia di rabbia è scomparsa. « C'eravamo chiesti come mai avessi portato lui invece di tua moglie » continua. « Sono contenta che tu ce l'abbia detto ».

John spinge nel fuoco l'estremità dei ciocchi ancora intatti.

« Secondo te quale può essere la causa? » mi chiede Sylvia.

John si schiarisce la voce, come per chiudere la conversazione, ma io rispondo: « Non so. Una spiegazione basata su causa e effetto non mi pare sufficiente. Cause e effetti sono un risultato del pensiero, e io sono propenso a pensare che la malattia mentale venga prima del pensiero ». Per loro quest'affermazione è incomprensibile, ne sono sicuro. Non ha molto senso neanche per me, ma sono troppo stanco per cercare di riflettere e lascio perdere.

« Cosa ne pensano gli psichiatri? » chiede John.

« Niente. Ho smesso di interpellarli ».

« Hai smesso? ».

« Sì ».

« Ma è giusto? ».

« Non lo so. Non riesco a pensare a un motivo razionale per dire che *non* lo è. È solo un blocco mentale tutto mio. Talvolta, ripensandoci, mi convinco che dovrei farlo visitare, faccio progetti per prendere un appuntamento, cerco persino il numero di telefono, e poi arriva il blocco. È come una porta che sbatte ».

« Non mi sembra una buona spiegazione ».

« Infatti, non lo sembra a nessuno. Non credo che riuscirò a tener duro per sempre ».

« Ma perché dovresti? » chiede Sylvia.

« Non *so* perché... è solo che... non so... loro non fanno parte della sua *gente* ». Sorprendente parola, mi viene in mente che non l'ho mai usata in questo senso. La sua *gente*... Mi sembra di essere un indiano. Di un altro *genere*, di un'altra *gente*, stessa radice... e anche *gentilezza*... Non possono mostrare una vera *gentilezza* nei suoi confronti, non sono della sua *gente*...

Una vecchissima parola. Adesso chiunque può essere gentile. E ci si aspetta che lo siano tutti. Un tempo *gentili* si nasceva e non ci si poteva far niente. Adesso non è altro che un atteggiamento, come quello degli insegnanti il primo giorno di lezione. Ma cosa ne sanno loro della *gentilezza*, loro che non sono della stessa *gente*?

Continua a frullarmi in testa... *mein Kind.*[1] Eccola lì, la parola, in un'altra lingua. *Meine Kinder...* « *Wer reitet so spät durch Nacht und Wind? | Es ist der Vater mit seinem Kind* ».

Fa un effetto strano.

« A che pensi? » chiede Sylvia.

« A una vecchia poesia di Goethe. Ho dovuto impararla molto tempo fa. Non so proprio perché mi venga in mente adesso, a meno che... ». La strana sensazione ritorna.

« Cosa dice? » chiede Sylvia.

Cerco di ricordarmela. « Un uomo cavalca su una spiaggia, di notte, nel vento. È un padre, con il figlio stretto tra le braccia. Chiede al figlio perché è così pallido, e il figlio risponde: " Padre, non vedi il fantasma? ". Il padre cerca di rassicurarlo dicendogli che è solo un banco di nebbia, ed è solo lo stormire delle foglie e del vento, ma il figlio continua a dire che è il fantasma e il padre cavalca più in fretta, sempre più in fretta nella notte ».

« Come finisce? ».

---

1. « Il mio bambino », in tedesco. In inglese « gente » (nel senso di « stirpe »), « genere », « gentile » e « gentilezza » si traducono rispettivamente con *kin, kind, kind* e *kindness*. La traduzione dei versi dell'*Erlkoenig* di Goethe è: « Chi cavalca così tardi nella notte e nel vento? È il padre col suo bambino » [*N.d.T.*].

« Con una sconfitta... La morte del bambino. Il fantasma vince ».

Il vento solleva un po' di luce dalla cenere e vedo che Sylvia mi guarda spaventata.

« Ma è un'altra terra e un'altra epoca » dico. « Qui la morte è la fine di tutto e i fantasmi non hanno senso. Io lo credo. Credo anche in tutto questo, » dico guardando la prateria senza luce « anche se non so ancora che cosa signifíchi... Di questi tempi non sono sicuro di niente. Forse per questo parlo tanto ».

John tace prudentemente, e tace anche Sylvia, e all'improvviso siamo tutti separati, tutti soli nei nostri universi privati, e tra noi non c'è comunicazione. Spegniamo il fuoco e andiamo a dormire.

Scopro che questo piccolo rifugio sotto i pini serve da riparo dal vento anche per milioni di zanzare che arrivano dal bacino idrico. Il repellente non le repelle affatto. Mi raggomitolo dentro il sacco a pelo lasciando solo un buchino per respirare. Sono quasi addormentato quando finalmente spunta Chris.

« C'è un grosso mucchio di sabbia laggiù » dice facendo scricchiolare gli aghi di pino.

« Sì, ma adesso dormi ».

« Devi vederlo. Vieni a vederlo domani? ».

« Non ci sarà tempo ».

« Domattina posso andarci a giocare? ».

« Sì ».

Chris ci mette un'eternità a svestirsi e a infilarsi il più rumorosamente possibile nel sacco a pelo. Si gira e si rigira, sta calmo un momento, poi ricomincia e alla fine mi chiama: « Papà? ».

« Che c'è? ».

« Com'era quando eri bambino? ».

« Vuoi dormire o no, Chris! ». Tutto ha un limite.

Dopo un po' sento che tira su col naso, e capisco che ha pianto e nonostante la stanchezza non riesco a dormire. Qualche parola di consolazione non gli avrebbe fatto male. Voleva fare la pace, ma, per una ragione o per l'altra, non mi venivano le parole. Le parole di consolazione vanno meglio per gli estranei, per gli ospiti, non per la tua gente. Non sono che cerotti emotivi. Non è di questo che ha bisogno Chris. Non è questo che si desidera in questi casi... ma che cosa si desidera, invece?

Lentamente la luna piena si leva all'orizzonte, e osservando nel dormiveglia il lento arco paziente che descrive in cielo misuro un'ora dopo l'altra. Troppa stanchezza. La luna, sogni strani, ronzii di zanzare e bizzarri frammenti di ricordi si mescolano alla rinfusa in un perduto paesaggio irreale: la luna brilla e tuttavia c'è un banco di nebbia e io galoppo su un cavallo e Chris è con me e il cavallo salta un ruscelletto che scorre nella sabbia verso l'oceano. Poi questa visione si interrompe... e poi riappare.

E nella nebbia ecco comparire una figura confusa. Quando la guardo sparisce, ma quando distolgo lo sguardo vedo con la coda dell'occhio la sua sagoma. Sto per dire qualcosa, per chiamarla, per riconoscerla, ma poi mi freno, perché so che riconoscerla equivarrebbe a darle una realtà che non deve avere. Ma è una figura che riconosco, anche se non voglio ammetterlo. È Fedro.

Spirito del male. Spirito della follia, venuto da un mondo senza vita e senza morte.

Il fantasma sta svanendo... panico... no... tieni duro... sta' calmo... lascia che affondi in te... senza credere, senza non credere... Ma i capelli mi si drizzano lentamente sulla nuca... Sta chiamando Chris, vero?... Sì?...

6

Il mio orologio fa le nove in punto, e fa già troppo caldo per dormire. Fuori dal sacco a pelo il sole è alto nel cielo. L'aria è chiara e asciutta.

Mi alzo, artritico e con gli occhi gonfi.

Ho già la bocca secca e screpolata e la faccia e le mani coperte di punture di zanzara. Una scottatura di ieri mattina mi fa male.

Oltre i pini c'è erba bruciata e macchie di terra e di sabbia così chiare che si fa fatica a guardarle. Il caldo, il silenzio, le colline aride, il cielo senza una nube danno una sensazione di spazio grande, intenso.

Neanche un po' di umidità nell'aria. Oggi sarà una giornata rovente.

Ho deciso che oggi incomincerò a esplorare il mondo di Fedro. Prima lo scopo di questo Chautauqua era semplicemente quello di ribadire alcune delle sue idee sulla tecnologia e i valori umani senza che lui venisse menzionato, ma l'insieme di pensieri e di ricordi che mi hanno assalito la notte scorsa mi ha fatto capire che non era quello il modo giusto. Non parlare di lui, ormai, sarebbe fuggire qualcosa che non dovrei fuggire affatto.

Nel primo grigiore del mattino mi è tornato in mente quello che Chris diceva sulla nonna del suo amico indiano: un particolare che chiarisce molte cose. Secondo la vecchia, il fantasma compare quando il morto non è stato seppellito bene. È vero. Fedro non è *mai* stato seppellito bene. Questo è il problema.

Vedo che John è alzato e mi guarda stupito. Non è ancora del tutto sveglio, e adesso cammina in cerchio per schiarirsi le idee. Presto si alza anche Sylvia con l'occhio sinistro tutto gonfio per colpa di una zanzara. Incomincio a raccogliere le nostre cose per risistemarle sulla moto. John fa lo stesso.

Una volta messo a posto il bagaglio accendiamo un fuoco, e Sylvia apre dei pacchetti con la pancetta affumicata, le uova e il pane per la colazione.

Quando è pronto vado a svegliare Chris. Non vuole alzarsi. Lo chiamo di nuovo ma lui si ostina a restare sdraiato. Afferro il fondo del sacco a pelo, lo scrollo come fosse una tovaglia e lui schizza fuori sbattendo gli occhi in mezzo agli aghi di pino. Gli ci vuole un po' per capire cos'è successo. Intanto io arrotolo il sacco a pelo.

Viene a far colazione con aria offesa, assaggia un boccone, dice che non ha fame e che ha mal di pancia. Non gli do retta e anche John e Sylvia lo ignorano. Sono molto contento di avergli raccontato di Chris.

Finiamo la colazione in silenzio, e io sono stranamente tranquillo. Forse la decisione che ho preso su Fedro c'entra qualcosa.

Mentre carico il resto della roba sul portabagagli vedo con sorpresa che il copertone posteriore è molto consumato. Devono essere stati la velocità e il carico pesante e il fondo stradale rovente. Anche la catena è lenta e tiro fuori gli attrezzi per sistemarla, poi mi lascio sfuggire un lamento.

« Che c'è? » chiede John.

« La filettatura del tendicatena è spanata ».

Tolgo il bullone ed esamino la filettatura. « È colpa mia, perché una volta ho cercato di regolarlo senza allentare il dado dell'assale. Il bullone è a posto ». Glielo faccio vedere. « Sembra che sia la filettatura interna del telaio che è spanata ».

John guarda il copertone a lungo. « Credi che ce la farai a arrivare in città? ».

« Ma sì, certo. Si può andare finché si vuole, solo che diventa difficile registrare la catena ».

Mi osserva attentamente mentre avvito il dado di regolazione dell'assale posteriore finché tiene appena, gli do dei colpetti di lato con un martello finché la catena è tesa al punto giusto, stringo il dado dell'assale con tutte le mie forze in modo che poi l'assale non scivoli in avanti, e rimetto la coppiglia. A differenza che in una macchina, questo dado non influisce sui cuscinetti.

« Come facevi a sapere come si fa? » mi domanda John.

« Bisogna cercare di immaginarselo ».

« Io non saprei neanche da che parte incominciare » fa lui.

Appunto, penso tra me.

Sulla strada l'aria asciutta mi rinfresca, dopo la su-
data per il lavoro alla catena, e per un po' mi sento
bene. Appena il sudore si asciuga, però, fa di nuovo
caldo. Saremo già sui trenta gradi.

Voglio incominciare a adempiere a un certo obbligo affermando che ci fu una persona, che non è più
qui, che aveva qualcosa da dire e lo disse, ma nessuno gli credette né lo capì. Dimenticata. Per ragioni
che diverranno evidenti avrei preferito lasciarla nel-
l'oblio, ma ormai non ho scelta: devo riaprire il suo
caso.

Non conosco tutta la sua storia. Non la saprà mai
nessuno, eccetto Fedro stesso, e lui non può più parlare. Ma da quello che lui ha scritto, da quello che
altri hanno detto e dai frammenti dei miei ricordi
dovrebbe essere possibile ricostruire con una certa
approssimazione quello di cui parlava. Dato che le
idee fondamentali che ispirano questo Chautauqua
le ho prese da lui, cercherò di attenermici, amplian-
dole solo un po' per rendere il Chautauqua meno
astratto e quindi più comprensibile. Non ho intenzione di difendere Fedro, né tantomeno di intessere le
sue lodi. Il mio solo fine è quello di seppellirlo —
per sempre.

Nel Minnesota, quando viaggiavamo attraverso un
paese paludoso, ho parlato un po' delle « forme »
della tecnologia, della « forza mortale » dalla quale
sembra che i Sutherland stiano fuggendo. Adesso voglio procedere nella direzione opposta, *verso* quella
forza, dentro il suo centro. Così facendo entreremo
nel mondo di Fedro, il solo mondo che egli abbia mai
conosciuto, nel quale ogni comprensione si pone in
termini di forma soggiacente.

Il mondo della forma soggiacente è un oggetto di
discussione insolito perché, in realtà, esso è una *mo-*

dalità della discussione stessa. Si può discutere in termini di apparenza immediata oppure in termini di forma soggiacente, e quando si cerca di analizzare queste modalità di discussione ci si trova di fronte a quello che si potrebbe definire un problema di piattaforma. L'unica piattaforma da cui si può partire sono le modalità stesse.

Finora ho discusso del mondo della forma soggiacente di Fedro, o per lo meno del suo aspetto chiamato tecnologia, da un punto di vista esterno. Adesso penso che sia giunto il momento di adottare il punto di vista della forma soggiacente stessa. Voglio parlare della forma soggiacente del mondo delle forme soggiacenti.

Per fare questo è necessario, prima di tutto, operare una dicotomia, ma per poterla usare onestamente dovrei tornare indietro e spiegare cos'è e cosa significa, e questa è già di per sé una storia lunga. Per ora, comunque, mi limiterò a usare una dicotomia che spiegherò più tardi. Voglio dividere l'intelligenza umana in due tipi — intelligenza classica e intelligenza romantica. In termini di verità ultima una dicotomia del genere non ha un grande significato, ma all'interno della modalità classica usata per scoprire o creare un mondo di forme soggiacenti è legittima. I termini *classico* e *romantico*, come li usava Fedro, significano quanto segue: un'intelligenza classica vede il mondo innanzitutto in quanto forma soggiacente. Un'intelligenza romantica lo vede innanzitutto in termini di apparenza immediata. È improbabile che un romantico trovi interessante un disegno tecnico o meccanico o uno schema elettronico: per lui queste cose non hanno nessun fascino, perché non ne coglie che la realtà superficiale. Complessi e noiosi elenchi di nomi, linee e numeri. Niente di interessante. Ma lo stesso progetto, lo stesso schema, la stessa descrizione, affascineranno uno spirito classico, perché egli vedrà nelle linee, nelle forme e nei simboli un'incredibile ricchezza di forme soggiacenti.

La modalità romantica si affida soprattutto all'ispirazione, all'immaginazione, alla creatività e all'intuizione. I sentimenti predominano sui fatti. Sono i romantici che amano opporre l'« Arte » alla « Scienza ». Non procedono secondo ragione o in base a leggi precise. Si lasciano guidare dal sentimento, dall'intuizione, dalla sensibilità estetica. Di solito nella cultura nord-europea la modalità romantica è associata alla femminilità, ma non si vede perché debba essere necessariamente così!

La modalità classica, invece, procede secondo ragione e sulla base di leggi — che sono esse stesse la forma soggiacente del pensiero e del comportamento. Nella cultura europea è un modo di pensare squisitamente maschile, il che rende le discipline scientifiche, la giurisprudenza e la medicina poco allettanti per le donne. Benché guidare una motocicletta sia romantico, occuparsi della sua manutenzione è decisamente classico. Lo sporco, il grasso, la padronanza della forma soggiacente sono così dissonanti per una sensibilità romantica che le donne si guardano bene dall'occuparsene.

Benché lo spirito classico comporti spesso una certa bruttezza superficiale, questa bruttezza non gli è intrinseca. C'è un'estetica classica così sottile che spesso ai romantici sfugge. Lo stile classico è diretto, disadorno, non-emotivo, economico e accuratamente proporzionato. Il suo scopo non è quello di ispirare emozioni, ma di creare l'ordine dal caos e svelare l'ignoto. Esteticamente non è né libero né naturale, ma contenuto. Tutto è sotto controllo. Il suo valore si misura in base alla continuità di questo controllo.

A un romantico lo stile classico sembra spesso banale, goffo e brutto, esattamente come la manutenzione meccanica. È tutta una questione di pezzi, di parti, di componenti e di rapporti. Non si riesce a capire niente finché non si è interpellato il calcolatore una dozzina di volte. Tutto deve essere misurato e dimostrato. È opprimente, pesante. Di un grigiore senza fine. La forza mortale.

A uno spirito classico, d'altra parte, il romantico non fa un'impressione migliore: frivolo, irrazionale, imprevedibile, indegno di fiducia, interessato solo alla ricerca del piacere. Superficiale. Inconsistente. Spesso un parassita che non può o non vuole responsabilizzarsi. Un peso per la società.

Il problema è che la gente ha la tendenza a schierarsi su una sola di queste due posizioni, rifiutandosi di capire l'altra. Nessuno si sogna di vedere la realtà in un modo diverso dal proprio, e a quanto ne so io nessuno dei nostri contemporanei è arrivato a una soluzione che possa conciliare questi due tipi di verità. Tra queste due visioni della realtà non c'è un solo punto d'incontro.

E così, negli ultimi tempi, abbiamo assistito allo sviluppo di un'enorme spaccatura tra cultura classica e controcultura romantica — due mondi sempre più estranei e ostili mentre tutti si chiedono se sarà sempre così: una famiglia divisa al suo interno. È una contrapposizione che nessuno vuole — a dispetto di quello che ogni appartenente all'uno o all'altro dei due campi potrebbe pensare dei propri antagonisti.

All'interno di questo contesto quello che Fedro pensò e disse è importante, ma allora *nessuno* lo ascoltava. Prima lo considerarono eccentrico, poi indesiderabile, poi un po' tocco, e alla fine matto da legare. Matto lo era senz'altro, ma da ciò che scrisse allora si capisce che quello che lo spingeva alla follia era proprio l'ostilità di cui era fatto oggetto. Un comportamento insolito provoca l'allontanamento degli altri, il che a sua volta esaspera la stranezza del comportamento e così via, finché non accade qualche fatto risolutivo. Nel caso di Fedro il fatto risolutivo fu un arresto ordinato dal tribunale e l'allontanamento permanente dalla società.

77

Vedo che siamo arrivati alla svolta sulla statale 12 e John si è fermato a far benzina. Mi fermo accanto a lui.

Il termometro sulla porta della stazione di rifornimento segna 35 gradi. « Un'altra giornataccia » dico a John.

Facciamo il pieno e andiamo a bere un caffè in un ristorante dall'altra parte della strada. Chris, ovviamente, ha fame. Lo aspettavo al varco, e glielo dico. Adesso o mangia con tutti noi o niente. Lui mi guarda con riprovazione ma, anche se non sono arrabbiato, vede che dovrà ubbidire.

Sul viso di Sylvia colgo una fugace espressione di sollievo. Evidentemente pensava che questa storia sarebbe andata avanti all'infinito.

Questa US 12 è una statale vecchia e malandata. Su entrambi i lati si vedono di tanto in tanto capannoni e baracche e chioschi cadenti che si sono accumulati nel corso degli anni. Adesso il traffico è intenso. Ma va bene lo stesso, dato che sto pensando al mondo razionale, analitico, classico di Fedro.

L'atteggiamento mentale di Fedro viene usato fin dall'antichità per sfuggire al tedio e all'avvilimento del mondo circostante, ma ora, per quanto strano possa sembrare, esso è così diffuso da costituire precisamente ciò a cui i romantici cercano di sfuggire. Se il mondo di Fedro è tanto difficile da capire non è a causa della sua stranezza, ma della sua familiarità.

Il suo modo di guardare le cose produce un tipo di descrizione che può essere definito 'analitico': un altro nome della piattaforma classica, in base alla quale le cose si discutono nei termini della loro forma soggiacente. Fedro aveva un temperamento assolutamente classico. Per essere più esauriente applicherò l'approccio analitico a se stesso — e analizzerò l'analisi. Lo farò dando prima di tutto un esempio dettagliato di questo metodo analitico per poi esaminarlo minuziosamente. La motocicletta è un ottimo esempio, perché è stata inventata da menti classiche. Ascoltate:

Ai fini dell'analisi razionale classica una motocicletta si può scomporre in base alle sue parti o in base alle sue funzioni.

Se la si scompone in base alle sue parti, la distinzione fondamentale è quella tra apparato propulsore e apparato di marcia.

A sua volta l'apparato propulsore si suddivide in motore e sistema di trasmissione.

Il motore è una struttura chiusa che contiene una macchina termica, un sistema di alimentazione aria-carburante, un sistema d'accensione, un sistema retroattivo di distribuzione e un sistema di lubrificazione.

La macchina termica è composta di cilindri, pistoni, bielle, albero a gomito e volano.

Le componenti del sistema di alimentazione, che fanno parte del motore, consistono in serbatoio del carburante e filtro, filtro dell'aria, carburatore, valvole e tubi di scappamento.

Il sistema di accensione consiste in alternatore, raddrizzatore, batteria, bobina e candele.

Il sistema di distribuzione è composto da: catena della distribuzione, albero a camme, punterie e spinterogeno.

Il sistema di lubrificazione consiste in: pompa dell'olio e canali di distribuzione dell'olio nel corpo motore.

Il secondo, il sistema di trasmissione, consiste in una frizione, un cambio e una catena.

L'apparato strutturale che accompagna l'apparato propulsore consiste in un telaio che include i pedalini, il sedile e i parafanghi; lo sterzo; gli ammortizzatori anteriori e posteriori; le ruote; le leve e i cavi di controllo; le luci e il clacson; il tachimetro e il contachilometri.

E così abbiamo una motocicletta scomposta secondo le sue parti. Per sapere a cosa servono le parti è necessaria una suddivisione in base alle funzioni tra cui si distinguono le funzioni di marcia normali e le funzioni speciali controllate dal guidatore.

Tra le funzioni di marcia normali si possono distinguere quelle che si svolgono durante i quattro tempi: aspirazione, compressione, scoppio e scarico.

E così via. Potrei continuare descrivendo una per una le funzioni che si verificano durante ciascuno dei quattro tempi, e poi passare alle funzioni controllate dal guidatore: sarebbe una descrizione molto sommaria, come lo sono tutte le descrizioni del genere, della forma soggiacente di una motocicletta. L'analisi di quasi tutte le parti che ho citato potrebbe essere ampliata all'infinito. Ho letto un intero volume tecnico sulle sole puntine platinate, che sono una parte piccola ma vitale dello spinterogeno. Ci sono altri tipi di motore oltre al motore a un cilindro a ciclo otto descritto qui: motori a due tempi, motori a più cilindri, motori diesel, motori Wankel — ma questo esempio può bastare.

La descrizione delle componenti della motocicletta risponde alla domanda « che cosa? », e quella delle funzioni alla domanda « come? ». Ci sarebbe un gran bisogno anche di un'analisi del « dove » sotto forma di illustrazione, e anche di un'analisi del « perché » sotto forma dei princìpi meccanici che hanno portato a questa particolare conformazione dei pezzi, ma il mio intento non si esaurisce nell'analisi della motocicletta. Voglio fornire l'esempio di una modalità dell'intelligenza delle cose che diventerà essa stessa oggetto d'analisi.

A tutta prima questa descrizione non sembra affatto straordinaria. Sembra presa da un manuale per principianti, o forse suona come una prima lezione di avviamento professionale. Diventa invece insolita quando cessa di essere una modalità di discorso per diventare l'oggetto del discorso stesso. Allora si possono fare alcune osservazioni.

La prima è talmente evidente che sarà meglio metterle la sordina prima che spazzi via le altre. E cioè:

tutto ciò è di una noia mortale, goffo e brutto come lo è lo stile classico visto dai romantici.

Ma altre osservazioni non sono così evidenti.

La prima è che la motocicletta, descritta in questo modo, è un oggetto quasi impossibile da capire, a meno che non si sappia già come funziona. Le impressioni immediate, che sono essenziali per una comprensione elementare, sono sparite. Rimane solo la forma soggiacente.

La seconda è che non si tiene affatto conto dell'osservatore. La descrizione non dice che per vedere il pistone bisogna togliere la testa del cilindro. Persino « il guidatore » è una specie di robot che esercita sulla macchina delle funzioni puramente meccaniche.

La terza osservazione è che le parole « buono » e « cattivo » e tutti i loro sinonimi sono del tutto assenti. Non son stati mai espressi giudizi di valore, solo fatti.

Quarta osservazione: in tutta questa descrizione si sente un lavoro di coltello, e un coltello particolarmente affilato, uno scalpello intellettuale così rapido e acuto che a volte non si riesce neanche a vederlo. Si direbbe che la natura e la disposizione delle varie parti non siano nemmeno in discussione, ma in realtà entrambe dipendono radicalmente da come si muove il coltello.

Per esempio, il sistema retroattivo, che include l'albero a camme, la catena di distribuzione, le punterie e lo spinterogeno, esiste soltanto grazie a una particolare resezione di questo coltello analitico. Se vi capitasse di andare in un negozio a chiedere un sistema retroattivo i commessi rimarrebbero a bocca aperta. Loro non dividono la motocicletta così, e non esistono due fabbriche che la dividano nello stesso modo. Ogni meccanico sa quanto sia difficile procurarsi dei pezzi di ricambio, perché la fabbrica li considera sempre parte di qualcos'altro.

È importante vedere questo coltello per quello che è, per non lasciarsi indurre a credere che le motociclette, o qualsiasi altra cosa, siano come sono solo perché il coltello, per puro caso, le ha tagliate in quel modo. Più tardi dimostrerò che l'abilità nell'usare questo coltello in modo creativo ed efficace può portare soluzioni al problema della spaccatura tra classico e romantico.

Fedro era un artista del coltello, e lo usava con destrezza e senso del potere. Con un sol colpo di pensiero analitico riuscì a spaccare il mondo intero in pezzi di sua scelta, e poi i pezzi in frammenti sempre più piccoli, fino a fare del mondo quello che voleva. Persino l'uso particolare dei termini « classico » e « romantico » è un esempio della sua abilità nel maneggiare il coltello.

Ma se Fedro non avesse avuto nient'altro che questa abilità analitica, lo lascerei perdere più che volentieri. Se non lo faccio è perché egli usò quest'abilità in un modo estremamente bizzarro e tuttavia significativo. Nessuno se n'è mai reso conto, neanche lui, credo; potrebbe anche essere tutta una mia invenzione, ma il suo coltello era più quello di un chirurgo sfortunato che quello di un assassino. Forse non fa nessuna differenza, ma Fedro aveva individuato un processo morboso e doloroso e incominciò a incidere a fondo, sempre più a fondo, per raggiungerne le radici. Cercava qualcosa. Questo è importante. Cercava qualcosa e usò il coltello perché era l'unico strumento che aveva. Ma si impegnò a tal punto e si spinse così lontano che alla fine la vera vittima fu lui stesso.

7

Adesso il caldo è insopportabile. Più in là, sulla strada, un corvo beccheta qualcosa e quando ci avviciniamo vola via senza fretta. Il qualcosa era una lucertola spiaccicata.

All'orizzonte, tremolanti nel caldo, si intravvedono

gruppi di edifici. Dalla carta si direbbe che è Bowman. Sogno acqua ghiacciata e aria condizionata.

Per strada e sui marciapiedi di Bowman non vediamo quasi nessuno, anche se dalle molte macchine parcheggiate si vede che la gente c'è. Tutti dentro. Ci fiondiamo ad angolo in un parcheggio, lasciando le moto con lo sterzo girato, pronte a ripartire. Un vecchio solitario con un cappello a tesa larga ci guarda mentre sistemiamo il cavalletto e ci togliamo casco e occhialoni.

« Bel caldo, eh? » dice con aria assente.

John scuote la testa ed esclama: « Caspita! ».

L'aria assente, all'ombra del cappello, si trasforma quasi in un sorriso.

« Quanti gradi? » chiede John.

« Trentotto, » risponde l'altro « l'ultima volta che ho controllato. Salirà fino a quaranta ».

Ci chiede quanti chilometri abbiamo fatto e quando glielo diciamo annuisce con una specie di approvazione. « Un bel po' di strada » dice. Poi ci chiede delle moto.

La birra e l'aria condizionata ci chiamano, ma non ce ne andiamo subito. Restiamo lì impalati sotto un sole da trentotto gradi a parlare con questo tipo. È un allevatore di bestiame in pensione, ci dice che qui intorno è zona di ranch e che anni fa aveva una motocicletta Henderson. Mi fa piacere che abbia voglia di parlare della sua Henderson sotto questo sole a picco. Andiamo avanti per un po' con crescente impazienza da parte di John e Sylvia e Chris, e quando finalmente lo salutiamo dice di essere contento di averci incontrato; anche se ha ancora l'aria assente si capisce che parla sul serio. Si allontana con una sorta di lenta dignità.

Nel ristorante cerco di parlarne, ma non interessa a nessuno. John e Sylvia mi sembrano veramente lontani, occupati come sono a assorbire aria condizionata immobili come due statue. Arriva la cameriera, si riscuotono appena appena ma non sono in grado di dire cosa vogliono e la ragazza se ne torna via.

« Non credo che mi alzerò mai di qui » dice Silvia.

Mi torna in mente un'immagine del vecchio là fuori. « Pensa cosa doveva essere questo posto prima dell'aria condizionata » le dico.

« Ci stavo giusto pensando » fa lei.

« Con le strade così calde e la mia ruota posteriore non dovremmo andare a più di cento ».

Nessun commento.

Chris invece è vispo e attento a ogni cosa. Quando arriva da mangiare ci si getta sopra come un lupo e fa un'altra ordinazione che noi siamo ancora a metà. Aspettiamo che finisca.

Ci rimettiamo in strada. Per questo riverbero ci vorrebbero degli occhiali da saldatore. Gli Altipiani si stemperano in colline ripide e slavate. Neanche un filo d'erba, solo cespugli disseccati, rocce e sabbia. Guardare il nero della strada è un sollievo, e così, con la coda dell'occhio, vedo che il tubo di scappamento ha un colore più bluastro che mai. Sputo sulla punta del guanto, lo tocco e vedo che sfrigola. Brutto segno.

L'importante è accettare questo stato di cose senza combatterlo... controllo mentale...

A questo punto dovrei parlare del coltello di Fedro e chiarire alcune delle cose di cui ho parlato.

Tutti percepiamo a ogni istante milioni di cose intorno a noi — queste forme che cambiano, queste colline brucianti, il rumore del motore —, le registriamo automaticamente, ma non ne prendiamo veramente coscienza, a meno che non ci sia un particolare insolito o il riflesso di qualcosa che siamo preparati a vedere. Non potremmo mai prendere coscienza di tutto e ricordare tutto perché la nostra mente si riempirebbe di tanti di quei dettagli inutili che non riusciremmo più a pensare. Dobbiamo scegliere, e il risultato di tale scelta, che chiamiamo ' coscienza ', non è mai identico alle percezioni, perché il processo di selezione le cambia. Noi prendiamo una manciata di sabbia dal panorama infinito delle percezioni e la chiamiamo mondo.

Una volta di fronte a questo mondo, operiamo su di esso un processo di discriminazione: entra in azione il coltello. Dividiamo la sabbia in mucchi. Questo e quello. Qui e là. Bianco e nero. Adesso e allora.

In un primo momento la manciata di sabbia sembra uniforme, ma più la guardiamo più la scopriamo varia. Non ci sono due granelli uguali. Alcuni sono simili per un verso, altri per un altro, e possiamo dividerli in mucchi sulla base di queste somiglianze e diversità. Si potrebbe pensare che a un certo punto il processo di suddivisione e di classificazione si interrompa, ma non è così. Continua all'infinito.

All'intelligenza classica interessano i princìpi che determinano la separazione e l'interrelazione dei mucchi. L'intelligenza romantica si rivolge alla manciata di sabbia ancora intatta. Sono entrambi modi validi di considerare il mondo, ma sono inconciliabili.

Urge a questo punto un modo di concepire il mondo che li unifichi senza far loro violenza. Un'intelligenza del genere non scarterà né la selezione dei granelli né la contemplazione della sabbia fine a se stessa, ma cercherà di rivolgere l'attenzione al paesaggio infinito dal quale è stata presa la sabbia. Questo è ciò che Fedro, lo sfortunato chirurgo, stava cercando di fare.

E per capire cosa stesse cercando di fare è necessario vedere che nel bel mezzo del paesaggio, come sua *parte integrante* che *deve* essere capita, *qualcuno* divide la sabbia in mucchi. Guardare il paesaggio senza vedere quel qualcuno è come non guardarlo affatto. Se si rifiuta quella parte del Buddha che presiede all'analisi della motocicletta si rifiuta il Buddha tutto intero.

Una delle domande tradizionali che lo spirito classico si pone è: quale pezzo della motocicletta, quale granello di sabbia di quale mucchio è il Buddha? Questa domanda va nella direzione sbagliata, perché il Buddha è dappertutto. Ma va anche nella direzione *giusta*, perché il Buddha è dappertutto. Sul Buddha che esiste indipendentemente da qualsiasi pensiero analitico è già stato detto molto — anche *troppo*, secondo qualcuno. Ma sul Buddha che esiste all'interno del pensiero analitico, e *gli dà la direzione*, virtualmente non è stato detto niente, e questo ha i suoi motivi storici.

Quando il pensiero analitico, il coltello, viene applicato all'esperienza, qualcosa resta sempre ucciso. Questo è un fatto generalmente riconosciuto, almeno per quanto riguarda le arti. Viene in mente l'esperienza di Mark Twain: una volta acquisite le conoscenze analitiche necessarie per condurre un'imbarcazione lungo il Mississippi, scoprì che il fiume aveva perso la sua bellezza. Ma, ciò che è meno evidente, nelle arti qualcosa viene anche creato, ed è questa la cosa più importante. È come un ciclo continuo di morte e nascita che non è né buono né cattivo, ma semplicemente *è*.

Attraversiamo Marmarth ma John non si ferma a riposarsi neanche un po'. Fa sempre un caldo asfissiante. Un cartello ci annuncia che stiamo attraversando il confine del Montana.

Sylvia mi fa dei gran segnali con le braccia e io le rispondo strombazzando, ma non provo affatto un senso di giubilo; quello che provo è un'improvvisa tensione interna che per loro non ha ragione di essere. Non possono sapere che ora siamo nel paese dove visse *lui*.

Tutti questi discorsi sull'intelligenza classica e romantica sembreranno un modo piuttosto indiretto di descrivere Fedro, ma questa è la sola via per arrivare fino a lui. Descrivere il suo aspetto fisico o i dati della sua vita vorrebbe dire soffermarsi su fuorvianti dettagli. E affrontarlo di petto vorrebbe dire spianare la strada alla catastrofe.

Fedro era pazzo. E quando guardi un pazzo senza mediazioni non vedi che il riflesso della tua consapevolezza che è pazzo, il che equivale a non vederlo affatto. Per vederlo devi guardare la realtà con i suoi occhi, e l'approccio indiretto è l'unico modo per arrivarci. Altrimenti le tue opinioni ti sbarrano la strada. Vedo una sola via di accesso fino a lui, e abbiamo ancora un bel cammino da fare.

Tutta questa faccenda di analisi e definizioni e gerarchie non è fine a se stessa; se mi ci sono imbarcato è per meglio chiarire la direzione in cui andò Fedro.

L'altra sera dicevo a Chris che Fedro passò la vita a inseguire un fantasma. Ed è vero. Il fantasma che inseguiva sta ancor oggi alla base di tutta la tecnologia, di tutta la scienza moderna, di tutto il pensiero occidentale. È il fantasma della razionalità stessa. E dicevo a Chris che alla fine Fedro lo trovò e gliele suonò di santa ragione. Allora quel fantasma non lo vedeva nessuno, ma ora credo che siano sempre di più a vederlo, o almeno a intravvederlo nei momenti di crisi. È un fantasma che si riveste del nome di ' razionalità ', ma le sue sembianze sono quelle della confusione e dell'insensatezza, un fantasma che fa sembrare un po' folli le più normali azioni quotidiane perché ciascuna di esse non ha nulla a che vedere con tutto il resto. È il fantasma delle convinzioni su cui si fonda la nostra vita quotidiana, lo stesso che dichiara che lo scopo ultimo della vita, che è quello di conservarsi vivi, è impossibile, ma è comunque lo scopo ultimo della vita, e così grandi menti lottano per curare le malattie perché la gente possa vivere più a lungo, ma solo i pazzi si domandano il perché. Si vive più a lungo per poter vivere più a lungo. Senza altro scopo. Questo dice il fantasma.

A Baker, dove ci fermiamo, i termometri segnano 42 all'ombra. Il motore fa un sinistro tic-tic da surriscaldamento. Pessimo segno. Il battistrada della ruota posteriore si è consumato tremendamente, e tastandolo senza guanti sento che è caldo quasi come il serbatoio.

« Bisognerà che rallentiamo » dico.

« Cosa? ».

« Credo che non dovremmo andare a più di ottanta » insisto.

John e Sylvia si scambiano un'occhiata. Evidentemente si sono già detti qualcosa a proposito della mia lentezza. Hanno l'aria di averne abbastanza.

« Vorremmo soltanto non metterci un'eternità » dice John, e si dirigono entrambi verso il ristorante.

Anche la catena è troppo calda, e secca. Metto in moto e spruzzo la catena con lo spray lubrificante; è ancora così calda che il solvente evapora quasi all'istante. Poi schizzo un po' d'olio, la lascio girare per un minuto e spengo il motore. Chris aspetta pazientemente, poi mi segue nel ristorante.

« Non dicevi che il crollo lo si ha il secondo giorno? » mi fa Sylvia mentre ci avviciniamo al loro tavolo.

« Secondo o terzo » rispondo.

« Oppure quarto o quinto? ».

« Forse ».

Lei e John si scambiano un'altra occhiata con la stessa espressione di prima, sembra che pensino: « Tre è un brutto numero ». Forse preferirebbero precederci e aspettarci in qualche paese. Glielo proporrei io stesso, se non fosse che se si mettono a viaggiare a tutto gas non sarà in un paese che mi aspetteranno, ma sul bordo della strada.

« Non so come faccia la gente a vivere qui » dice Sylvia.

« Be', è un paese duro » ribatto un po' irritato. « La gente lo sa prima di venirci e c'è preparata ».

Poi aggiungo: « Se uno si lamenta non fa che renderlo ancora più duro per gli altri. Questa gente ha *grinta*. Sa come si tira avanti ».

John e Sylvia non replicano granché. John finisce presto la sua Coca-cola e va in un bar a bere un bicchierino. Io esco a controllare di nuovo il bagaglio.

Chris mi indica un termometro esposto al sole e vediamo che la colonnina ha superato il massimo: oltre 50 gradi.

Ancor prima di uscire dalla città sono di nuovo tutto sudato. La sensazione di freschezza del sudore che si asciuga al vento non dura neanche mezzo minuto.

Il caldo ci cala addosso come un macigno. Anche con gli occhiali da sole devo strizzare gli occhi fino a ridurli a due fessure, e intorno solo sabbia bruciante e cielo pallido. Un vero inferno.

John va sempre più forte. Lo lascio andare e scendo a novanta all'ora. Probabilmente hanno preso la mia frase per un rimprovero, ma non era quella la mia intenzione. Io non mi sento meglio di loro con questo caldo, però per tutto il giorno ho pensato a Fedro e ho parlato di lui, mentre John e Sylvia non avranno fatto che pensare a quanto è insopportabile questo caldo. Ed è proprio questo che li spossa.

Di Fedro come individuo si possono dire alcune cose:

Era un conoscitore della logica, il classico sistema-dei-sistemi che descrive le regole e le procedure del pensiero sistematico mediante il quale la conoscenza analitica può essere strutturata e interrelata. Le sue capacità logiche erano così spiccate che il suo quoziente d'intelligenza secondo il Test Stanford-Binet, che valuta essenzialmente la capacità di manipolazione analitica, era di 170, un valore che ricorre soltanto in un caso su cinquantamila. Fedro aveva una mente sistematica, una mente la cui attività evoca l'immagine di un raggio laser; un fascio di luce di un'energia terrificante e di una concentrazione estrema. Fedro non cercò di usare il fulgore della sua intelligenza per un'illuminazione generale. Mirò un bersaglio specifico, distante, lo colpì. Si direbbe che il compito dell'illuminazione generale del suo bersaglio spetti a me.

Fedro era molto isolato. Non mi risulta che avesse amici intimi. Viaggiava da solo. Sempre. Era solo anche in mezzo agli altri. La gente a volte se ne accorgeva e si sentiva respinta, per cui non provava simpatia per lui, ma questo non lo toccava.

I suoi familiari furono i primi a soffrire per il suo carattere. Sua moglie dice che chi cercasse di vincere il suo riserbo si trovava di fronte un muro. La mia impressione è che la sua famiglia fosse assetata di un tipo di affetto che Fedro non diede mai a nessuno.

Nessuno lo conobbe mai veramente. Probabilmente lui voleva che fosse così. Forse la sua solitudine era il risultato della sua intelligenza, o forse ne era la causa; comunque l'una era inscindibile dall'altra. Una misteriosa intelligenza solitaria.

Ma ancora non ci siamo. Sia questo sia l'immagine del raggio laser possono dare l'idea di un uomo freddo, mentre nella sua ricerca di quello che ho chiamato il fantasma della razionalità Fedro era un cacciatore fanatico.

Un frammento si affaccia vivido alla mia mente: sulle montagne un crepuscolo precoce aveva trasformato gli alberi e le rocce in annerite sfumature di grigio, di bruno e di blu. Fedro non mangiava da tre giorni. Aveva finito le scorte, ma stava riflettendo intensamente e capiva molte cose, ed era restio ad andarsene. Sapeva di non essere lontano dalla strada e non aveva fretta.

Nella penombra che calava sul sentiero intravvide una sagoma che gli parve quella di un cane eschimese o di un pastore molto grosso, e si chiese che cosa lo avesse spinto fin lì a quell'ora. I cani non gli piacevano, ma questo si muoveva in un modo strano. Pareva che lo osservasse, che lo giudicasse. Fedro lo guardò negli occhi a lungo, e per un momento ebbe come l'impressione di riconoscerlo. Poi il cane scomparve.

Solo molto più tardi Fedro si rese conto che si trattava di un lupo, e il ricordo di quest'incontro gli rimase impresso a lungo, perché, io credo, aveva visto in quel lupo come il riflesso di se stesso. Era un'immagine che non aveva nulla di fisico e non esisteva affatto nel tempo, e io la ricordo con tanta vivezza perché mi è riapparsa ieri notte con le sembianze dello stesso Fedro.

Come quel lupo sulla montagna, Fedro aveva una specie di coraggio animale. Andava dritto per la sua strada senza preoccuparsi delle conseguenze, tanto da lasciare spesso gli altri sbalorditi. Questo coraggio non nasceva da un idealistico concetto di abnegazione, ma solo dall'intensità della sua ricerca, e non aveva niente di nobile.

Penso che Fedro si sia dato alla ricerca del fantasma della razionalità perché voleva *vendicarsi* di lui, tanto se ne sentiva, lui per primo, plasmato. Voleva liberarsi della sua propria immagine, perché il fantasma era ciò che *lui* era, e Fedro voleva essere libero dai vincoli della sua stessa identità. In uno strano modo, riuscì a spuntarla. Il mio ritratto di Fedro può sembrare inquietante, ma la parte più inquietante ha ancora da venire, ed è il mio rapporto con lui. Finora sono riuscito a rimandare il problema, ma ora devo affrontarlo.

Scoprii Fedro con un procedimento deduttivo, riflettendo su una strana serie di avvenimenti che risalgono a molti anni fa. Era un venerdì e avevo sbrigato tutto il lavoro della settimana. Ero soddisfatto, e più tardi andai in macchina a una festa; dopo aver parlato troppo a lungo e troppo forte e dopo aver bevuto come una spugna, mi buttai su un letto in una stanza appartata.

Quando mi svegliai mi resi conto di aver dormito tutta la notte, e pensai: «Dio mio, non so neanche il nome dei padroni di casa!». La mia presenza poteva essere imbarazzante. La stanza non sembrava la stessa, ma quando ero entrato era buio e comunque ero ubriaco fradicio.

Mi alzai e vidi che i miei vestiti non erano quelli della sera prima. Uscii dalla porta, ma questa, con mia sorpresa, non dava sulle stanze di una casa ma su un lungo corridoio.

Mentre lo percorrevo ebbi l'impressione che tutti mi guardassero. Tre sconosciuti mi fermarono per chiedermi come stavo. Pensando che si riferissero alla mia sbornia risposi che l'avevo smaltita completamente, e a quest'affermazione a uno scappò da ridere, ma si trattenne.

In fondo al corridoio c'era una stanza dove della gente faceva qualcosa intorno a un tavolo. Mi sedetti lì vicino, sperando di passare inosservato finché fossi riuscito a capire che cosa succedeva, ma una donna vestita di bianco mi si avvicinò e mi chiese se sapevo come si chiamava. Io lessi il suo nome sul distintivo che aveva sulla camicetta. La donna non se ne accorse e, stupefatta, si allontanò in fretta e furia.

Tornò con un uomo che mi guardava fisso. Mi si sedette accanto e mi chiese anche lui se sapevo come si chiamava. Glielo dissi, e rimasi sorpreso quanto loro nel constatare che lo sapevo.

« Non mi aspettavo che succedesse così presto » disse l'uomo.

« Sembra un ospedale » dissi io.

Loro dissero che avevo ragione.

« Come mai sono finito qui? » chiesi, pensando ancora alla sbornia della festa. L'uomo non disse niente e la donna abbassò gli occhi. Mi venne spiegato ben poco.

Mi ci volle più di una settimana per dedurre dall'evidenza dei fatti che tutto ciò che aveva preceduto il mio risveglio era un sogno e tutto ciò che l'aveva seguìto era la realtà. Non avevo elementi per distinguere le due cose se non il crescente accumularsi di nuovi avvenimenti che sembravano negare l'esperienza della sbronza. Emersero dei particolari, come la porta chiusa a chiave di cui non riuscivo a ricordare di aver visto il battente esterno. E una nota ufficiale emessa dal tribunale che mi informava che qualcuno era stato arrestato in quanto pazzo. Quel qualcuno ero forse *io*?

Alla fine mi fu spiegato che adesso « avevo una nuova personalità ». Ma quest'affermazione non era affatto una spiegazione. Mi lasciava tanto più sconcertato, in quanto non avevo nessuna consapevolezza di una personalità ' vecchia '. Se avessero detto: « Tu *sei* una nuova personalità » sarebbe stato molto più chiaro. Avevano fatto l'errore di considerare la personalità come una specie di avere, come un vestito. Ma se si prescinde dalla personalità che cosa resta? Un po' di ossa e di carne. Qualche documento, forse, ma certamente non una persona. La carne e le ossa e i documenti sono i vestiti della personalità, e non viceversa.

Ma chi era la *vecchia* personalità che loro avevano conosciuto e della quale presumevano io fossi una continuazione?

Questa fu la prima volta che ebbi sentore dell'esistenza di Fedro, molti anni fa. Nei giorni, nelle settimane e negli anni che seguirono, ho avuto modo di saperne molto di più.

Fedro era morto. Cancellato da una sentenza del tribunale che ordinava il passaggio di corrente alternata ad alta tensione attraverso i lobi del suo cervello. Circa 800 milliampère, per una durata variabile da 0,5 a 1,5 secondi, gli erano stati applicati in ventotto occasioni consecutive secondo un processo chiamato tecnicamente « ESK di annientamento ». Un'intera personalità era stata liquidata senza lasciar traccia mediante un procedimento tecnicamente ineccepibile che da allora determina il mio rapporto con lui. Io non ho mai conosciuto Fedro. Non lo conoscerò mai.

E tuttavia strani lembi della sua memoria combaciano all'improvviso con queste scarpate deserte e con la sabbia incandescente che ci circonda, creando una bizzarra coincidenza di immagini. E io *so* che Fedro ha visto questo paesaggio, altrimenti non lo riconoscerei. E quando mi capitano queste repentine fusioni visive e rievoco qualche strano frammento di pensiero la cui origine mi è totalmente sconosciuta, sono come un medium che riceve messaggi da un altro mondo. Vedo le cose coi miei occhi, e le vedo anche coi suoi.

Questi OCCHI! Ecco che cosa mi terrorizza. Queste mani guantate che ora guidano la motocicletta una volta erano le *sue*! E se riuscite a capire che cosa provo, allora potete anche capire cos'è la vera paura — la paura di quando sai che non c'è un luogo dove fuggire.

Ci infiliamo in un canyon e poco dopo ecco un parcheggio. Mi aspettavo di vederlo. Qualche panchina e alberelli verdi irrigati da pompe di plastica. John — che Dio mi aiuti — è già all'uscita dall'altra parte, pronto a rimettersi in strada.

Faccio finta di non vederlo e mi fermo. Chris smonta e mettiamo la moto sul cavalletto. Il motore sembra in fiamme. Con la coda dell'occhio vedo l'altra moto che ritorna. John e Sylvia mi guardano con aria truce. « Siamo... furiosi! » dice Sylvia.

Mi incammino verso la fontanella scrollando le spalle. « È questa qui la tua grinta? » mi grida John.

Lo guardo per un attimo e vedo che è arrabbiato *davvero*. « Lo sapevo che mi avreste pigliato troppo sul serio » gli faccio, e mi allontano. Assaggio l'acqua; è alcalina, sa quasi di sapone, ma la bevo lo stesso.

John si bagna la camicia, io controllo il livello dell'olio. Il tappo del bocchettone è talmente caldo che mi brucia le dita anche attraverso i guanti. Il motore non ha perso molto olio. Il battistrada della ruota posteriore è più sottile di prima, ma è ancora utilizzabile. La catena è abbastanza tesa ma un po' secca;

la lubrifico di nuovo per sicurezza. I bulloni critici sono abbastanza stretti.

John mi si avvicina grondante. « Questa volta vai avanti tu » mi annuncia.

« Non andrò forte » lo avverto.

« Va bene » fa lui. « Arriveremo lo stesso ».

Così vado avanti e ce la prendiamo comoda. La strada oltre il canyon non è dritta e piatta come mi aspettavo, ma in salita e piena di curve.

Incominciano a vedersi dei cespugli, poi degli alberelli. La strada sale ancora tra l'erba, e infine tra prati cintati.

Nel cielo compare una nuvola. Che porti un po' di pioggia? Speriamo. I prati sono disseminati di fiori, e la coscienza dei ricordi è scomparsa. Fedro non dev'essere passato di qui. Ma non c'era altra strada. Strano. E si sale sempre più su.

Il sole sfiora la nube, che adesso si è allungata fino all'orizzonte punteggiato di pini che profumano il vento. I fiori ondeggiano e la moto s'inclina leggermente. Tutt'a un tratto fa fresco.

Guardo Chris e vedo che sorride. Sorrido anch'io.

Poi la pioggia cade fitta sulla strada sollevando un odore di terra bagnata dalla polvere che l'ha attesa troppo a lungo. Ogni goccia crea un piccolo cratere.

Finalmente! Mi si bagnano i vestiti e incomincio a sentire un freddo delizioso. La nuvola scivola via e i pini e i prati luccicano al sole.

Arriviamo in cima alla salita e ci fermiamo sopra una vallata traversata da un fiume.

« Penso che siamo arrivati » dice John.

Sylvia e Chris si spingono fin sotto i pini. Mi sento un pioniere che guarda la terra promessa.

PARTE SECONDA

8

Sono le dieci del mattino e sono seduto di fianco alla moto sul retro di un albergo che abbiamo trovato a Miles City, Montana. Sylvia è andata con Chris in una lavanderia a gettoni a fare il bucato per tutti noi, e John è in giro a cercare un piumetto per il suo casco.

Adesso si sta bene. Siamo arrivati qui nel pomeriggio e abbiamo recuperato un sacco di sonno. Quando John ha firmato alla Réception non riusciva neanche a ricordarsi il mio nome.

E il bagno! In una bella vasca vecchia di ferro smaltato con quattro zampe di leone, pronta per noi. L'acqua era così dolce che sembrava impossibile potesse sciacquarci il sapone di dosso. Più tardi abbiamo passeggiato per la strada principale sentendoci una famiglia...

Ho messo a punto tante volte il motore di questa moto che ormai è un rituale, e lo faccio quasi senza pensarci. Guardo più che altro se c'è qualcosa di insolito. Il motore ha incominciato a fare uno strano rumore come se ci fosse un'asta delle punterie allentata, ma potrebbe essere qualcosa di peggio, per cui ora registrerò tutto per vedere se scompare. La registrazione delle punterie dev'essere fatta a motore freddo, il che significa che la sera bisogna parcheggiare la motocicletta nel posto in cui ci si lavorerà il mattino dopo. È importante non registrarla sotto il sole diretto o a pomeriggio inoltrato, quando il cervello s'impasta, perché anche se si è fatta quest'operazione cento volte bisogna essere svegli e pronti a cogliere ogni dettaglio.

Non tutti capiscono l'assoluta razionalità della manutenzione di una motocicletta. Molti pensano che ci voglia una specie di ' fiuto ' o una certa ' affinità con le macchine '. Hanno ragione, ma il fiuto è quasi sempre frutto di un processo razionale, e i contrattempi sono causati spessissimo dall'incapacità di usare la testa in modo appropriato. Una motocicletta funziona in totale accordo con le leggi della ragione, e uno studio dell'arte della manutenzione della motocicletta è veramente uno studio in miniatura dell'arte della razionalità stessa. Ho detto ieri che il fantasma della razionalità era ciò che Fedro inseguiva, ciò che lo condusse alla follia, ma per addentrarci in questo argomento è vitale attenersi a esempi di razionalità terra terra, in modo da non perdersi in generalizzazioni che nessuno può capire.

Ora siamo alla barriera tra classicismo e romanticismo: da una parte vediamo una moto in base alla sua apparenza immediata — e questo è un modo importante di vederla —, mentre dall'altra possiamo incominciare a vederla come la vede un meccanico, in termini di forma soggiacente — e anche questo è un modo importante. Questi attrezzi, per esempio — questa chiave inglese ha in sé una certa bellezza romantica, ma il suo fine è sempre puramente classico. È stata ideata per cambiare la forma soggiacente della macchina.

La porcellana di questa prima candela è molto annerita, il che è brutto sia dal punto di vista classico sia da quello romantico, perché significa che il cilindro riceve troppa benzina e troppo poca aria. Le molecole di carbonio della benzina non trovano abbastanza ossigeno con cui combinarsi, per cui si fermano qui, sporcando la candela. Arrivando in città, ieri, il minimo era irregolare; altro sintomo dello stesso inconveniente.

Per vedere se è solo il primo cilindro che riceve una miscela troppo ricca, controllo anche l'altro. Sono uguali. Prendo il temperino, raccolgo uno stecco e lo appuntisco per ripulire le candele, domandandomi quale potrebbe essere la causa di questa ricchezza della miscela. Non dovrebbe aver niente a che fare con le bielle e le valvole. Raramente i carburatori perdono la registrazione. È vero che i getti principali sono stati maggiorati, il che provoca un eccesso di benzina ad alta velocità, ma le candele sono sempre state molto più pulite, e i getti erano gli stessi. Mistero. Non c'è una risposta immediata per cui lascio la questione in sospeso.

La prima punteria è a posto, non c'è bisogno di registrarla; controllo la seconda. Passerà un bel po' di tempo prima che il sole salga sopra quegli alberi... Ho sempre la sensazione di essere in chiesa, quando faccio quest'operazione... Lo spessimetro è una specie di icona e io celebro un rito sacro. È uno strumento che fa parte di una categoria chiamata « strumenti di precisione » che in senso classico ha un profondo significato.

Con una motocicletta non è per motivi romantici o perfezionistici che si rispetta la precisione. L'enorme forza del calore e la pressione esplosiva dentro questo motore possono essere controllate unicamente grazie all'estrema precisione di questi strumenti. A ogni esplosione la biella cala sull'albero a gomito con una pressione di molte centinaia di chili per centimetro quadrato. Se l'aderenza della biella all'albero a gomito è precisa, la forza dell'esplosione verrà trasferita senza scosse e il metallo sarà in grado di sopportarla. Ma se l'aderenza non è perfetta e c'è un gioco anche di pochi centesimi di millimetro la forza dell'esplosione avrà la violenza di un colpo di martello, e la biella e la superficie del cuscinetto e dell'albero a gomito verranno presto appiattite, con un rumore sulle prime molto simile a quello delle punterie lasche. Ecco perché adesso sto facendo un controllo. Se c'è *veramente* gioco nel piede della biella e cerco di tirare fino alle montagne senza una revisione, il rumore diventerà sempre più forte, finché la biella non si staccherà, batterà contro l'albero a gomito e distruggerà il motore. A volte le bielle rotte perforano addirittura il carter e l'olio cola tutto sulla strada.

Ma tutto questo può essere evitato con una regolazione al centesimo di millimetro resa possibile dagli strumenti di precisione. Questa è la loro bellezza classica, che non risiede nel loro aspetto ma nelle loro funzioni.

La seconda punteria va bene. Passo dall'altra parte della moto e incomincio a controllare l'altro cilindro.

Gli strumenti di precisione hanno come fine la realizzazione di un'*idea*, l'esattezza delle dimensioni, la cui perfezione è impossibile da raggiungere. Non c'è pezzo della motocicletta che abbia una forma perfetta, ma quando, grazie a questi strumenti, ci si avvicina alla perfezione, succedono cose notevoli. Si sfreccia per la campagna grazie a un potere che potrebbe definirsi magico se non fosse così totalmente razionale. La cosa fondamentale è capire questa *idea* razionale. Quando John guarda la motocicletta, non vede che pezzi di acciaio che gli ispirano sentimenti negativi, e così ' spegne '. Io sto guardando gli stessi pezzi d'acciaio e vedo *idee*. John pensa che io stia lavorando su *pezzi* del motore, invece sto lavorando su dei *concetti*.

Ieri parlavo proprio di questi concetti, quando dicevo che una motocicletta può essere divisa in base ai suoi componenti e in base alle sue funzioni. Mentre lo dicevo, ho creato tutto d'un tratto un insieme di scatole disposte nel modo seguente:

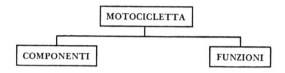

E mentre dicevo che i componenti possono essere suddivisi in apparato propulsore e apparato di marcia, ecco apparire all'improvviso altre scatolette:

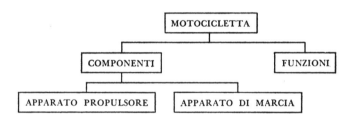

È evidente che a ogni nuova divisione aggiungevo altre scatole, finché mi trovai ad averne un'enorme piramide. E finalmente capirete che mentre dividevo la moto in pezzi sempre più piccoli, costruivo anche una struttura.

Questa struttura di concetti si chiama formalmente gerarchia, e fin dai tempi antichi è stata una delle strutture fondamentali di tutto il pensiero occidentale. Reami, imperi, chiese, eserciti sono sempre stati strutturati gerarchicamente. E così le grandi imprese moderne. Le schede del materiale di consultazione, i montaggi meccanici, i programmi dei calcolatori, in breve tutto il sapere scientifico e tecnico è organizzato secondo queste gerarchie — al punto che in alcuni campi, quali la biologia, la gerarchia tipo-ordine-classe-genere-specie è quasi un'icona.

Ci sono molti altri tipi di strutture prodotti da altre determinanti, quali le «cause», che producono lunghe strutture a catena della forma: «A causa B che causa C che causa D» e così via. Una descrizione funzionale della motocicletta si vale di questa struttura. I vari «esiste», «è uguale a», «implica» producono altre strutture ancora, che sono normalmente interrelate secondo modelli così complessi che nessuno, nel corso della propria vita, può capirne più di una piccola parte. Il nome generico di queste strutture interrelate, il genere nel quale la gerarchia — da contenente a contenuto — e la struttura causale sono soltanto specie, è '*sistema*'. La motocicletta è un sistema. Un sistema *reale*.

Parlare di certe istituzioni pubbliche e sociali come del «sistema» è corretto, perché esse sono fondate sugli stessi rapporti concettuali e strutturali di una motocicletta. Sono sorrette da rapporti strutturali persino quando hanno perso ogni altro significato e ogni altro scopo. La gente va in fabbrica e dalle otto alle cinque si dedica senza fiatare a mansioni assolutamente prive di senso, perché la struttura esige che sia così. Non c'è nessun 'cattivo' che li vuol costringere a vivere delle vite senza senso, è solo che la struttura, il sistema, lo esige, e nessuno è disposto ad assumersi l'arduo compito di cambiare la struttura solo perché non ha senso.

Ma smantellare una fabbrica, o ribellarsi contro un governo, o rifiutarsi di riparare una motocicletta solo perché essa è un sistema, è attaccare gli effetti invece delle cause. Il sistema vero è la nostra costruzione del pensiero sistematico, la razionalità stessa, e se si smantella una fabbrica lasciando in piedi il sistema di pensiero che l'ha prodotta, questo non farà che dare origine a un'altra fabbrica.

La motocicletta non è altro che questo: un sistema di concetti realizzato in acciaio. In essa non c'è pezzo, non c'è forma che non sia uscita dalla mente di qualcuno... Anche la terza punteria è a posto. Ancora una da controllare. E speriamo che sia quella... Ho notato che la gente che non ha mai lavorato l'acciaio fa fatica a capire che la motocicletta è essenzialmente un fenomeno mentale. Molti associano il metallo a forme pre-esistenti: tubi, verghe, chiavi, attrezzi, pezzi di ricambio, tutte quante determinate e immutabili, e lo concepiscono come qualcosa di essenzialmente fisico. Ma per chi lavori al tornio, o in fonderia, o in fucina, o alla saldatura, l'" acciaio ' non ha nessunissima forma. La forma gliela si *dà*, e tutte le forme escono dalla mente di qualcuno; è importante rendersene conto. Quanto all'*acciaio*, accidenti, persino quello è uscito dalla mente di qualcuno. In natura l'acciaio esiste al massimo *in potenza*. Ma cosa vuol dire ' in potenza '? Anche questo è nella mente di qualcuno... Fantasmi.

Ecco quello che intendeva Fedro quando diceva che tutto è nella mente.

La quarta punteria ha troppo gioco, come avevo sperato. La registro, controllo la messa in fase e vedo che è a posto: le puntine non sono bruciate, per cui le lascio stare, avvito i coperchi delle valvole, rimetto le candele e metto in moto.

Il rumore di punterie è scomparso, ma questo non vuol dire, finché l'olio è ancora freddo. Lascio girare il motore a vuoto mentre rimetto a posto gli attrezzi, poi monto in sella e vado da un meccanico di cui mi ha parlato ieri sera un motociclista; lì forse hanno una falsamaglia e dei rivestimenti di gomma per i pedalini. Chris deve avere i piedi nervosi, continua a consumarli.

Faccio un paio di isolati e non sento nessun battito di punterie. Il motore incomincia a fare un bel rumore, penso che sia a posto. Comunque non tirerò delle conclusioni azzardate finché non avremo fatto almeno venti chilometri. Intanto splende il sole, l'aria è fresca, la mia mente è lucida... siamo quasi arrivati alle montagne, è una bella giornata per essere al mondo. È l'aria più rarefatta che fa questo effetto. Ci si sente sempre così quando si incomincia a salire.

L'altitudine! Ecco perché la miscela è troppo ricca! Eh sì, dev'essere proprio questo. Ora siamo a settecento metri d'altezza, e sarebbe meglio che mettessi dei getti standard. Ci vogliono solo pochi minuti per cambiarli. Dovrei anche registrare un po' il minimo. C'è da salire ancora parecchio.

Sotto dei grossi alberi trovo il Bill's Cycle Shop, ma di Bill neanche l'ombra. Un passante dice che « forse è andato a pescare da qualche parte », lasciando l'officina spalancata. Siamo proprio nel West. A Chicago o a New York nessuno lascerebbe aperto un posto così.

Entrando vedo che Bill è un meccanico che appartiene alla scuola della « memoria fotografica ». È tutto sparpagliato in giro. Chiavi inglesi, cacciaviti, pezzi di ricambio vecchi, motociclette vecchie, pezzi di ricambio nuovi, motociclette nuove, cataloghi, camere d'aria, il tutto ammonticchiato in una confusione tale che sotto non si vedono neanche i banconi. Io non riuscirei a lavorare in queste condizioni, ma solo perché non sono della sua scuola. In questa baraonda, probabilmente Bill non ha che da girarsi e allungare una mano per trovare l'attrezzo che gli occorre. Ho già conosciuto meccanici di questo tipo. C'è da diventar matti a guardarli, ma fanno il lavoro altrettanto bene e a volte più in fretta degli altri. Però se gli sposti uno strumento di dieci centimetri, ci mettono dei giorni a trovarlo.

Bill arriva sorridendo tra sé. Certo che ha i getti per il mio motore, e sa benissimo dove sono. Però dovrò aspettare un momento. Ha un affare da concludere. Esco con lui sul retro dove c'è una rimessa e vedo che sta vendendo i pezzi di un'intera Harley usata, salvo il telaio che il cliente ha già. Il tutto per 125 dollari. Niente male, come prezzo.

« Il suo cliente ne avrà imparate di cose sulle motociclette, quando avrà rimesso insieme quel po' po' di roba! ».

« È il modo migliore, per imparare » mi fa Bill ridendo.

Ha i getti e le gomme per i pedalini, ma niente falsamaglia. Faccio montare le gomme e i getti, sistemo il minimo e torno in albergo.

Sylvia, John e Chris stanno giusto scendendo le scale con la loro roba. Dalle loro facce vedo che sono di buonumore come me. Facciamo la strada principale, troviamo un ristorante e ordiniamo delle bistecche.

« Sai che è un posto eccezionale? » mi fa John. « Davvero *eccezionale*. Non immaginavo che ci fossero ancora dei posti così. Ci sono dei bar pieni di allevatori con gli speroni, i Levi's, i cappelli da cowboy, tutto insomma... e qui è *autentico*, mica una messa in scena dell'azienda di soggiorno... Stamattina al bar all'angolo si sono messi a parlarmi come se vivessi qui da una vita ».

Ordiniamo birra per tutti. « Devono aver pensato che venissi da un ranch o qualcosa di simile, » continua John « e c'era questo vecchietto che raccontava a tutti che a quei fottuti ragazzi non avrebbe lasciato un bel niente, e io me la godevo un mondo. Il ranch sarebbe andato alle ragazze, perché i ragazzi, quei fottuti, spendevano fino all'ultimo centesimo giù da Suzie ». John scoppia a ridere. « Quando mai li aveva messi al mondo e via dicendo. Mi pareva di essere tornato indietro di trent'anni ».

Arriva la cameriera con le bistecche, che attacchiamo senza esitazione. Il lavoro alla motocicletta mi ha messo un certo appetito.

« Ah, sta' a sentire questa, » fa John « giù al bar parlavano di Bozeman, dove siamo diretti noi. Dicevano che il governatore del Montana, che aveva una lista di cinquanta professori di sinistra del College da licenziare, è morto in un disastro aereo ».

« Ma è successo molto tempo fa » gli rispondo. Queste bistecche sono proprio buone.

« Non sapevo che ci fosse tanta gente di sinistra in questo Stato ».

« C'è gente di ogni tipo, in questo Stato » faccio io. « Ma quella era proprio politica di destra ».

John mette un altro po' di sale e dice: « Il cronista di un giornale di Washington è venuto a saperlo e l'ha messo nel suo pezzo di ieri. Per questo ne parlavano tutti. L'ha confermato anche il rettore del College ».

« Hanno pubblicato i nomi? ».

« Non lo so. Tu li conoscevi, tutti questi professori? ».

« Se c'erano cinquanta nomi, » gli dico « uno doveva essere il mio ».

Mi guardano entrambi con una certa sorpresa. Non è che ne sappia molto, in verità. Si tratta di *lui*, naturalmente, ed è quindi con un certo disagio, con l'impressione di mentire, che spiego che essere di sinistra nella provincia di Gallatin, Montana, è un po' diverso che esserlo in qualche altro posto.

« E poi, » racconto « quello di Bozeman era il College che bandì né più né meno che la moglie del presidente degli Stati Uniti perché era ' troppo polemica ' ».

« Chi? ».

« Eleanor Roosevelt ».

« Oddio, » esclama John ridendo « dev'essere stato un bel numero! ».

Vorrebbero saperne di più, ma per me è difficile parlarne. Poi mi viene in mente una cosa: « In una situazione come quella, un *vero* uomo di sinistra è in una botte di ferro. Può dire più o meno tutto quello che vuole, e con ogni probabilità riesce a farla franca, perché i suoi oppositori fanno sempre la figura dei cretini. Il suo successo è assicurato proprio da loro ».

Uscendo dall'abitato passiamo per un parco che ho notato ieri sera e che ha risvegliato in me una convergenza di ricordi. Il cielo visto attraverso i rami degli alberi. Una notte *lui* aveva dormito su quella panchina nel parco, mentre era in viaggio per Bozeman. Ecco perché ieri non avevo riconosciuto quella foresta. Lui ci era passato di notte, in viaggio verso il College di Bozeman.

9

Adesso traversiamo il Montana lungo la valle dello Yellowstone. Il paesaggio varia dalla boscaglia del West ai campi di grano del Midwest, che si alternano a seconda dell'irrigazione. Passiamo accanto a una pietra miliare su cui c'è una scritta su Lewis e Clark. Uno di loro prese questa strada per fare un'esplorazione collaterale nel corso della ricerca del Passaggio a Nord-Ovest.

Bello. Ottimo per il Chautauqua. Anche noi siamo su una specie di Passaggio a Nord-Ovest. Attraversiamo altri campi e altre steppe e si fa tardi.

Ora voglio continuare l'inseguimento del fantasma della razionalità, questo fantasma classico, noioso e complesso della forma soggiacente.

Stamattina ho parlato delle gerarchie del pensiero — del sistema. Adesso parlerò dei metodi per aprirsi un varco attraverso queste gerarchie: parlerò della logica.

Si usano due tipi di logica: la logica induttiva e la logica deduttiva. La prima parte dall'osservazione della macchina per arrivare a conclusioni generali. Per esempio: la moto supera una serie di cunette e ogni volta il motore perde colpi. Su un tratto di strada liscio corre senza perdere colpi, poi supera un'altra cunetta e il motore perde di nuovo colpi. Qui si può concludere logicamente che la perdita di colpi è causata dalle cunette.

La deduzione segue il processo inverso, ovvero parte da un conoscenza generale per prevedere un'osservazione specifica. Per esempio, se chi lavora sulla moto ha letto la descrizione gerarchica della struttura della moto stessa e sa che il clacson è alimentato esclusivamente dalla batteria, può dedurre logicamente che se la batteria è scarica il clacson non funzionerà. Questa è una deduzione.

Certi problemi, troppo complicati per il senso comune, possono essere risolti solo grazie a una lunga catena di ragionamenti, tanto induttivi che deduttivi, che fanno la spola tra la macchina osservata e la gerarchia mentale della macchina descritta nei manuali. L'uso corretto di questi ragionamenti è codificato dal metodo scientifico.

A dire il vero non ho mai visto un problema di manutenzione della motocicletta abbastanza complesso da richiedere un vero e proprio metodo scientifico formale. I problemi di riparazione non sono tanto difficili. Quando penso al metodo scientifico formale a volte mi si presenta alla mente l'immagine di un enorme bulldozer — lento, tedioso, ingombrante, laborioso, ma invincibile. Ci vuole il doppio del tempo che non applicando le tecniche empiriche di un meccanico, ma puoi star sicuro che alla fine ce la farai.

Per seguire il metodo scientifico si tiene un quaderno di lavoro. Bisogna scriverci tutto con precisione, in modo da avere sempre il quadro della situazione. A volte basta annotare i problemi per chiarirsi le idee.

Gli enunciati logici da annotare sul quaderno sono da dividere in sei categorie: 1. Enunciato del problema. 2. Ipotesi sulle cause del problema. 3. Esperimenti destinati a verificare ciascuna ipotesi. 4. Risultati probabili degli esperimenti. 5. Risultati effettivi degli esperimenti. 6. Conclusioni sulla base dei risultati degli esperimenti. Questa elaborazione non è diversa da quella delle esercitazioni di laboratorio di molte scuole e università, ma qui lo scopo non è solo quello di fare esercizi astratti. Lo scopo qui è di orientare il pensiero in modo preciso.

Il vero scopo del metodo scientifico è quello di accertare che la natura non ti abbia indotto a credere di sapere quello che non sai. Non esiste un solo meccanico, scienziato o tecnico che non sia stato soggetto a quest'illusione tanto da stare istintivamente in guardia. È soprattutto per questo che i trattati scientifici e le istruzioni meccaniche sembrano così noiosi e pedanti. Le negligenze e le fantasie romantiche in campo scientifico fanno dei brutti scherzi, e la natura imbroglia già abbastanza da sola senza che gliene diamo noi l'occasione. Alla prima deduzione falsa riguardo al motore, ci si ritrova irrimediabilmente bloccati. Per quanto riguarda il punto 1 (Enunciato del problema), l'abilità principale consiste nel non dire assolutamente più di quanto non si sia sicuri di sapere. È molto meglio un'annotazione del tipo: « Problema: perché la motocicletta non funziona? », che sembra poco furba ma è corretta, che scrivere: « Problema: Cos'è che non va nell'impianto elettrico? » se non si è assolutamente sicuri che il guasto sia nell'impianto elettrico. La cosa giusta da scrivere è: « Problema: Cos'è che non va nella moto? », e *poi* mettere al primo posto al punto 2: « Ipotesi Numero 1: Il guasto è nell'impianto elettrico ». Si pensa al maggior numero di ipotesi possibile, poi si progettano gli esperimenti per verificarle e vedere quali sono vere e quali sono false.

Questo cauto approccio alle domande iniziali vi impedirà di imboccare la strada sbagliata risparmiandovi una settimana di lavoro o addirittura una impasse totale. Spesso le domande scientifiche sembrano a tutta prima poco furbe proprio per questa ragione, ma si formulano al fine di evitare errori poco furbi in seguito.

La sperimentazione (il punto 3) viene vista a volte dai romantici come la scienza nel suo complesso, perché è la più appariscente: loro si immaginano un mucchio di provette, attrezzature bizzarre e gente affaccendata a far scoperte. Non vedono l'esperimento come parte di un più vasto processo intellettuale, e confondono spesso esperimenti e dimostrazioni, i quali, in effetti, si somigliano. Uno scienziato da baraccone che, con una attrezzatura alla Frankenstein, faccia sensazionali ' esperimenti scientifici ', sa in anticipo i risultati dei suoi tramestii e quindi non fa affatto un lavoro scientifico. In compenso, un meccanico che suona il clacson della moto per vedere se la batteria è carica, fa, in modo informale, un vero e proprio esperimento scientifico, poiché verifica un'ipotesi facendo la domanda direttamente alla natura. Lo scienziato televisivo che borbotta tristemente: « L'esperimento è un fiasco; non siamo riusciti a ottenere quello che speravamo » è vittima di un copione scadente. Un esperimento che non ottenga i risultati previsti non è un fiasco. Lo è solo quando non fornisce alcuna conclusione valida, in un senso o nell'altro, rispetto alle ipotesi di partenza.

A questo punto l'abilità sta nel valersi di esperimenti che verifichino solo le ipotesi formulate, niente di meno e niente di più. Se il clacson suona, e il meccanico conclude che tutto l'impianto elettrico funziona, trae una conclusione illogica. Il suono del clacson dimostra solo che funzionano la batteria e il clacson. Per programmare un esperimento in modo adeguato, il meccanico deve porsi, in modo estremamente preciso, il problema delle cause: cioè di cosa provoca direttamente qualcos'altro. E questo lo può stabilire in base alle gerarchie. È nelle candele che l'impianto elettrico causa *direttamente* l'accensione del motore, e se non si fa una verifica in quel punto non si potrà mai sapere veramente se il guasto è di origine elettrica o no.

Per una verifica precisa il meccanico toglie le candele e le appoggia al motore in modo da stabilire un contatto elettrico, preme la leva dell'avviamento e guarda la candela in attesa di una scintilla azzurra. Se la scintilla non scocca, ci sono due possibilità: a) c'è un guasto elettrico; oppure b) il suo esperimento è mal fatto. Un meccanico esperto lo ripeterà ancora un paio di volte, verificherà i contatti e cercherà in tutti i modi di far scoccare la scintilla. Se non ci riesce, arriverà alla conclusione che *a* è corretto, cioè che c'è un guasto elettrico, e l'esperimento è concluso: egli ha verificato la sua ipotesi.

Per quanto riguarda il punto finale, le conclusioni, l'abilità sta nel non affermare più di quanto l'esperimento non abbia dimostrato. In questo caso, ad esempio, esso non ha dimostrato che, una volta riparato l'impianto elettrico, la motocicletta partirà. Ci può essere qualcos'altro che non funziona. Ma il meccanico sa per certo che la motocicletta non funzionerà finché non funzioni l'impianto elettrico, per cui formulerà la seguente domanda formale: « Problema: Cos'è che non va nell'impianto elettrico? ».

Poi formulerà delle ipotesi in base a questa domanda e le verificherà. Facendo le domande giuste, scegliendo le verifiche giuste e traendo le giuste conclusioni il meccanico si farà strada attraverso i vari gradi della gerarchia della motocicletta fin quando non troverà la causa o le cause specifiche del guasto al motore, e poi le sopprimerà in modo che non causino più il guasto.

Un osservatore inesperto vedrà solo il lavoro fisico, ma questo non è che l'aspetto più banale. La parte di gran lunga più impegnativa è l'attenta osservazione e il rigore operativo. Questo è il motivo per cui i meccanici al lavoro hanno un'aria così scostante: non vogliono essere distratti perché si stanno concentrando su immagini mentali, su gerarchie, e non sulla motocicletta nella sua materialità. Stanno usando gli esperimenti per allargare la gerarchia della loro conoscenza della motocicletta guasta e paragonarla alla gerarchia corretta che hanno in testa. Stanno guardando la forma soggiacente.

Ci viene incontro una macchina con roulotte, sta sorpassando e fa fatica a rientrare nella sua corsia. Per sicurezza lampeggio. Ci vede ma non riesce a rientrare. La banchina di fianco alla strada è stretta e sconnessa, se la imbocchiamo caschiamo dalla moto. Freno, strombazzo, lampeggio. Cristo santissimo, quello perde la testa e punta dritto su di noi! Sto appiccicato al bordo della strada. CI SIAMO! All'ultimo momento rientra e ci manca per un pelo.

Ora comincio a tremare per lo spavento. Se fossimo stati in macchina sarebbe stato uno scontro frontale. O una caduta nel fosso.

Ci fermiamo in un paese che potrebbe essere nel bel mezzo dello Iowa. Il grano cresce alto e nell'aria c'è un odore greve di concime. Lasciamo giù le moto e entriamo in un vecchio, enorme locale coi soffitti alti. Questa volta insieme alla birra ordino tutto quello che hanno da mangiare, e ci portano noccioline, pop corn, biscotti salati, patatine, acciughe sotto sale, pesce secco affumicato, salsicciotti, peperoni, paté di prosciutto, cotiche di maiale fritte e crackers al sesamo con un sapore in più — ma non riesco a capire che cos'è.

10

Il cielo rimpicciolisce tra le ripide scarpate ai due lati del fiume. La valle si stringe man mano che ci avviciniamo alla sorgente.

Anche i miei pensieri si stanno avvicinando sempre più alla loro sorgente, al punto cruciale in cui posso almeno incominciare a parlare di quando Fedro si allontanò dalla corrente tradizionale del pensiero razionale per inseguire il fantasma della razionalità stessa.

C'è un passo che egli aveva letto e ripetuto a memoria tante volte che sopravvive ancora intatto. Comincia così:

« Nel tempio della scienza ci sono molte dimore... e diversi davvero sono coloro che le abitano e i motivi che ve li hanno condotti.

« Molti cercano nella scienza l'esaltante sensazione di superiore capacità intellettuale; la scienza è lo sport da cui trarre un'esperienza vivida e il soddisfacimento delle ambizioni; nel tempio ci saranno anche i molti che hanno immolato i prodotti del loro cervello a fini puramente utilitaristici. Se venisse un angelo del Signore a cacciare tutta la gente che appartiene a queste due categorie, il tempio si svuoterebbe di molti fedeli, ma qualcuno rimarrebbe: uomini sia dell'epoca presente sia di quella passata... Se le categorie che abbiamo appena espulso fossero le sole a popolare quel luogo, il tempio non sarebbe mai esistito, così come non può esistere un bosco fatto di soli rampicanti. Coloro che troveranno favore presso l'angelo [...] sono tipi insoliti, poco comunicativi, solitari, in realtà molto meno simili tra loro degli appartenenti alla schiera dei cacciati.

« Quel che li ha portati al tempio [...] non c'è un'unica risposta per spiegarlo, [...] l'evasione dalla vita quotidiana, dalla sua penosa crudezza, da una disperata monotonia, la fuga dalla schiavitù dei propri desideri. Una natura nobile desidera con tutte le sue forze di sfuggire al suo ambiente affollato e rumoroso per rifugiarsi nel silenzio delle vette più alte, dove l'occhio spazia liberamente nell'aria ancora pura e segue con sguardo amorevole i placidi contorni che paiono costruiti per l'eternità ».

Il passo è preso da un discorso pronunciato nel 1918 da un giovane scienziato tedesco di nome Albert Einstein.

A quindici anni Fedro aveva già terminato il suo primo anno di studi superiori. Aveva scelto la biochimica, e intendeva specializzarsi nel campo ora noto come biologia molecolare, che è il punto d'incontro tra il mondo organico e quello inorganico. Non lo faceva ai fini della carriera. Era molto giovane e tutto questo rappresentava un nobile ideale.

« Lo stato mentale che permette a un uomo di fare un lavoro del genere è quello del credente o dell'amante. Lo sforzo quotidiano non è sostenuto da un'intenzione o da un programma prestabilito, ma sgorga dritto dal cuore ».

Se Fedro si fosse dedicato alla scienza per ambizione o per scopi utilitaristici forse non gli sarebbe mai venuto in mente di porsi delle domande sulla natura di un'ipotesi scientifica in quanto entità a sé stante. Invece lo fece, e non rimase soddisfatto delle risposte.

La formulazione delle ipotesi è la più misteriosa di tutte le categorie del metodo scientifico. Nessuno sa da dove vengano. Uno se ne sta lì seduto e all'improvviso ha come una folgorazione. Ma finché non è verificata, l'ipotesi non è verità, perché la sua origine non sono gli esperimenti. La sua origine è altrove.

Einstein aveva detto:

« L'uomo cerca di fabbricare, a suo uso e consumo, un quadro del mondo semplificato e intelligibile. Poi cerca di sostituire questo suo cosmo al mondo dell'esperienza, per riuscire così a sopraffarlo. [...] Egli fa di questo cosmo e delle sue costruzioni il cardine della sua vita emotiva per trovare così la pace e la serenità che gli sono negate dal vortice angusto dell'esperienza personale... Il fine ultimo [...] è arrivare a quelle leggi universali ed elementari a partire dalle quali si può costruire il cosmo per pura deduzione. Non c'è un cammino logico che conduca a queste leggi; le può raggiungere soltanto l'intuizione, sorretta da una intelligenza del mondo in profonda risonanza con l'esperienza... ».

Intuizione? Profonda risonanza? che parole strane per definire l'origine del sapere scientifico!

Uno scienziato meno grande di Einstein avrebbe potuto dire: « Ma il sapere scientifico viene dalla *natura*. È la *natura* che fornisce le ipotesi ». Ma Einstein sapeva che non è così. La natura fornisce solo dati sperimentali.

Una mente meno grande avrebbe potuto obiettare: « Be', allora è l'*uomo* che fornisce le ipotesi ». Ma Einstein negò anche questo. Egli disse: « Nessuno di coloro che si siano addentrati a fondo nella materia potrà negare che in pratica solo il mondo dei fenomeni determina il sistema teorico, a dispetto del fatto che non esiste alcun collegamento teorico tra i fenomeni e i loro princìpi teorici ».

Il mutamento si verificò in Fedro quando, in seguito alla sua esperienza di laboratorio, incominciò a interessarsi alle ipotesi in quanto entità a se stanti. Aveva avuto più volte occasione di notare che la formulazione delle ipotesi, che potrebbe sembrare la parte più difficile del lavoro scientifico, era invariabilmente la più facile. L'atto stesso di annotare ordinatamente tutti gli elementi sembrava suggerirle di per sé. Mentre verificava l'ipotesi numero uno col metodo sperimentale gli veniva in mente un'altra fiumana di ipotesi, e così verificando queste ultime. Alla fine gli parve fin troppo evidente che, col proseguire delle verifiche, il numero delle ipotesi non diminuiva, anzi andava via via aumentando.

All'inizio Fedro trovò la cosa divertente e formulò persino una legge nello spirito di quella di Parkinson: « Il numero delle ipotesi razionali che possono spiegare un fenomeno dato è infinito ». Gli faceva piacere non essere mai a corto di ipotesi. Anche quando il suo lavoro sperimentale sembrava giunto a un punto morto, Fedro sapeva che se si fosse messo a tavolino, sarebbe emersa un'altra ipotesi. E così era. Fu solo alcuni mesi dopo aver formulato la legge che incominciò a domandarsi se fosse poi davvero una gran trovata e soprattutto quali benefici se ne potessero trarre.

Se la legge è vera, si tratta di una pecca non da poco, nella struttura del ragionamento scientifico. È una legge assolutamente nichilista, annientatrice, una catastrofica confutazione logica della validità generale di tutto il metodo scientifico!

Se lo scopo del metodo scientifico è scegliere tra una moltitudine di ipotesi, e se il numero delle ipotesi cresce troppo in fretta in rapporto alle possibilità del metodo sperimentale, è evidente che verificarle tutte è impossibile, e quindi qualsiasi esperimento darà risultati incompleti e l'intero metodo scientifico verrà meno al suo fine di stabilire un sapere dimostrato.

A questo proposito Einstein aveva detto: « L'evoluzione ha provato che, in ogni momento dato, tra tutti i costrutti concepibili uno solo si è sempre dimostrato assolutamente superiore agli altri », senza dare ulteriori spiegazioni. Ma per Fedro questa era una risposta incredibilmente fiacca. L'espressione « in ogni momento » lo lasciava di sasso. Einstein voleva davvero affermare che la verità è una funzione del tempo? Affermare una cosa simile significava distruggere i fondamenti stessi della scienza!

Ma eccola lì, l'intera storia della scienza: una nitida storia di spiegazioni sempre nuove e mutevoli di fatti vecchi. La continuità nel tempo di queste spiegazioni sembrava del tutto casuale. La verità scientifica non era un dogma valido per l'eternità, ma una entità quantitativa temporale che poteva essere studiata come un qualsiasi fenomeno.

Fedro studiò le verità scientifiche e rimase ancora più sconvolto da quella che pareva la causa della loro caducità. Sembrava che la longevità delle verità scientifiche fosse inversamente proporzionale all'intensità dello sforzo scientifico: le verità scientifiche del ventesimo secolo, a quanto pare, durano molto meno di quelle del secolo scorso, perché l'attività scientifica ora è molto maggiore. Se nel corso del prossimo secolo essa sarà decuplicata, si può prevedere che la durata di qualsiasi verità scientifica sarà un decimo di quella attuale. Quello che abbrevia la vita di una verità scientifica è la quantità delle ipotesi offerte per rimpiazzarla, e la causa della crescita del numero delle ipotesi negli anni più recenti è, a quanto sembra, il metodo scientifico stesso. Invece di scegliere una verità tra molte, non si fa che *accrescere la rosa*. E dal punto di vista logico questo significa che mentre cerchiamo di progredire verso la verità immutabile grazie all'applicazione del metodo scientifico, in realtà non andiamo affatto nella sua direzione.

Quello che Fedro osservò personalmente è un fenomeno caratteristico della storia della scienza che era nel dimenticatoio da anni. Che i risultati previsti della ricerca scientifica e quelli ottenuti dalla medesima siano diametralmente opposti sembra passare del tutto inosservato. Lo scopo del metodo scientifico è scegliere una singola verità fra molte verità ipotetiche. Invece, moltiplicando i fatti, le informazioni, le teorie e le ipotesi, la scienza stessa conduce l'umanità, da singole verità assolute, a verità relative, molteplici e indeterminate e diventa la causa principale del caos sociale, dell'indeterminatezza, della confusione del pensiero e dei valori che una conoscenza razionale dovrebbe avere il compito di eliminare. E quello che Fedro scoprì anni fa nell'isolamento del suo laboratorio è ora universalmente riconosciuto nel mondo tecnologico contemporaneo. L'antiscientifico prodotto scientificamente − il caos.

Adesso posso fare un passo indietro e spiegare perché è importante dare a Fedro una collocazione rispetto alla divisione tra realtà classica e realtà romantica. A differenza degli innumerevoli romantici, che si lasciano turbare dai cambiamenti caotici che la scienza e la tecnologia impongono allo spirito umano e non sanno offrire soluzioni, Fedro, con la sua mente classica educata al metodo scientifico, era in grado di fare qualcosa di più.

La causa delle nostre crisi sociali attuali, avrebbe detto Fedro, è da ricercarsi in un'aberrazione genetica insita nella natura stessa della ragione. La razionalità di cui ci valiamo al giorno d'oggi non fa avanzare affatto la società verso un mondo migliore; essa è all'opera fin dal rinascimento e lo sarà finché il bisogno di cibo, di abiti e di un tetto sarà predominante. Ma adesso che per vaste masse di persone questi bisogni non sopraffanno più tutti gli altri essa non è più adeguata. Incomincia a rivelarsi per quello che è in realtà — emotivamente superficiale, esteticamente insensata e spiritualmente vuota.

Ho la visione di una crisi sociale furibonda e ininterrotta di cui nessuno intuisce la vera portata, né tantomeno le soluzioni. Vedo persone come John e Sylvia che vivono sperdute e alienate rispetto all'intera struttura razionale della vita civile, che cercano soluzioni fuori da quella struttura senza trovarne una sola che le soddisfi a lungo. E poi vedo Fedro perso nelle sue astrazioni solitarie, nell'isolamento del laboratorio — un Fedro alle prese con la stessa crisi, ma che parte da un altro punto di vista, e va nella direzione opposta. E ora tento di trovare una mediazione. È un problema così colossale che a volte sembra che divaghi.

Nessuno degli interlocutori di Fedro sembrava davvero coinvolto dal problema che lo lasciava tanto perplesso. « Sappiamo che il metodo scientifico è valido, quindi a che pro indagare sull'argomento? » sembravano dire. Fedro non capiva il loro atteggiamento, non sapeva come reagire, e dato che non si era consacrato alla scienza per motivi personali o utilitaristici, rimase bloccato. Era come se, mentre contemplava quel sereno paesaggio montano descritto da Einstein, si fosse aperta improvvisamente tra le montagne una crepa, un baratro di puro niente. E lentamente, e dolorosamente, per spiegare questo baratro, egli dovette ammettere che quelle montagne, apparentemente costruite per l'eternità, magari erano qualcosa d'altro... solo frammenti della sua immaginazione, forse.

E così Fedro, che all'età di quindici anni aveva terminato il suo primo anno di studi scientifici superiori, a diciassette fu espulso dall'università per voti insufficienti. Ragioni ufficiali: immaturità e scarsa applicazione.

Nessuno poteva impedire o modificare una decisione del genere. L'università non poteva accettare Fedro, se non a costo di cambiare completamente il proprio sistema di valori.

Disorientato, Fedro ebbe una lunga serie di sbandamenti che lo immisero in un'orbita mentale remotissima, ma alla fine, per la via che ora stiamo seguendo, tornò alla porta dell'università. Domani cercherò di ripercorrere quella via.

A Laurel, finalmente in vista delle montagne, ci fermiamo per la notte. Ora la brezza è fresca. Viene dalla neve.

Sylvia, John, Chris e io passeggiamo per la lunga strada principale nel crepuscolo che si addensa e sentiamo la presenza dei monti anche se parliamo d'altro. Sono insieme contento e triste di essere qui. A volte è quasi meglio viaggiare che arrivare.

11

Mi sveglio chiedendomi se ho la percezione delle montagne grazie ai ricordi o per qualcosa che c'è nell'aria. Siamo in una vecchia, bella stanza d'albergo rivestita in legno. È fresca, umida, quasi fragrante. Il sole brilla sul legno scuro; salto giù dal letto e apro le tende per lasciar entrare tutta quella luce — fresca, limpida e pungente.

Mi vien voglia di dare qualche scossone a Chris perché si svegli e goda di questa meraviglia, ma per gentilezza, o per rispetto forse, gli concedo di dormire ancora un po' mentre con rasoio e sapone mi avvio verso il bagno in fondo al corridoio. L'assito scricchiola, le pareti sono rivestite di legno scuro anche qui.

Dalla finestra di fianco allo specchio vedo che c'è una veranda, e quando ho finito ci vado. Presto si alza anche Chris, e Sylvia esce dalla sua stanza dicendo che loro due hanno già fatto colazione; John se n'è andato a zonzo, ma lei ci farà compagnia.

Tutto ci incanta questa mattina; ci avviamo verso il ristorante parlando di belle cose su una strada illuminata dal sole mattutino. Le uova, le paste calde e il caffè sono celestiali. Ascolto Chris che fa delle confidenze a Sylvia sui suoi compagni di scuola e i suoi amici e guardo le montagne e i campi di neve oltre il negozio di là della strada.

Sylvia dice che giù in città hanno parlato a John di un'altra strada per Bozeman che traversa il Parco dello Yellowstone verso sud.

« A sud? » domando. « Dici Red Lodge? ».

« Penso di sì ».

Mi sfiora un ricordo di campi di neve in giugno. « È una strada che sale molto, oltre il limite della foresta ».

« Non va bene? » chiede Sylvia.

« Farà freddo ». Mi vedo già sulla moto in mezzo alla neve. « Stupendo, però ».

Dopo un sottopassaggio della ferrovia ci troviamo su una strada che serpeggia tra i prati e va verso le montagne. Fedro la usava sempre, e i suoi ricordi coincidono sempre col paesaggio. La catena alta e scura dell'Absaroka si profila netta all'orizzonte.

Seguiamo un ruscello verso la sua sorgente. Probabilmente un'ora fa la sua acqua era neve. È tutto così nitido in questo sole! E il cielo è blu.

Giochiamo a rincorrerci con una piccola Porsche azzurra, sorpassandola con un bip e facendoci sorpassare con un altro bip mentre attraversiamo boschi di tremuli pioppi verdi interrotti da distese verde chiaro. Tutto questo riemerge nei ricordi.

Fedro usava questa strada per salire in montagna, dove rimaneva con una provvista di cibo per tre o quattro giorni; poi andava a prendere altre scorte e risaliva lassù, spinto da un bisogno quasi fisiologico. Il concatenamento delle sue astrazioni si era fatto così lungo e complesso che per poterlo dominare aveva bisogno di questo silenzio e di questo spazio. Ormai, ore e ore di elucubrazioni potevano essere annientate dalla minima distrazione, dalla più piccola sollecitazione esterna. Fedro non pensava come gli altri neanche allora, prima della sua follia. Egli si trovava a un livello nel quale tutto scivola e cambia; i valori e le verità istituzionali scompaiono e si continua solo sulla base del proprio spirito. La sua precoce sconfitta lo aveva esonerato dall'obbligo di incanalare il suo pensiero in schemi tradizionali ed egli aveva acquisito un'indipendenza intellettuale che ben pochi conoscono. Intuiva che istituzioni quali le scuole, le chiese, i governi e le organizzazioni politiche di ogni sorta tendevano a orientare il pensiero verso fini diversi dalla verità, a utilizzarlo per la perpetuazione delle proprie funzioni, e per il controllo degli individui al servizio di tali funzioni. Arrivò a vedere la propria sconfitta come una fortunata rottura, una fuga accidentale da una trappola che gli avevano tesa, e da allora fu sempre molto attento a sfuggire alle trappole tese dalle verità stabilite. Ma a questo modo di vedere le cose Fedro arrivò solo molto più tardi.

All'inizio le verità che egli inseguiva erano verità collaterali; non più le verità cui la scienza punta frontalmente, ma quelle che si vedono con la coda dell'occhio. In laboratorio, quando tutte le ipotesi si sfasciano e risultati inattesi ti impediscono di andare sia avanti sia indietro, incominci a guardare *ai lati*. In seguito Fedro usò l'espressione ' collaterale ' per descrivere una crescita del sapere che non procede in avanti come una freccia in volo, ma si espande lateralmente, come una freccia che si allargasse in volo. O come l'arciere che ha colpito il bersaglio e vinto il premio, ma scopre di avere la testa su un cuscino e il sole entra dalla finestra. La conoscenza collaterale è di quelle che arrivano da una direzione del tutto inaspettata, da una direzione che non è neanche riconosciuta come tale finché la conoscenza non s'impone a forza al ricercatore. Le verità collaterali mettono in luce la falsità di assiomi e postulati che soggiacciono al sistema di cui ci si vale per arrivare alla verità.

Stando alle apparenze Fedro stava andando alla deriva. Non poteva seguire nessun metodo, perché erano proprio i metodi a essere sbagliati in partenza. Quindi si lasciò trascinare dalla corrente. Non poteva fare altro.

La corrente lo trascinò nell'esercito, che lo spedì in Corea. Nella sua memoria emerge un ricordo: l'immagine di un muro visto dalla prua di una nave, radioso di luce come un cancello del paradiso al di là di un porto brumoso. Fedro deve aver attribuito un grande valore a questo ricordo, perché spesso si ripresenta intensissimo anche a me. Deve simbolizzare qualcosa di molto importante, una svolta.

Le sue lettere dalla Corea sono radicalmente diverse da qualsiasi cosa avesse mai scritto prima e sono anch'esse indicative di una svolta. Traboccano di emozioni. Ci sono pagine e pagine di dettagli minuti: mercati, negozi con porte a vetri scorrevoli, tetti obliqui, strade, capanne col tetto di paglia. Di volta in volta piene di un entusiasmo irrefrenabile, tristi, furiose, perfino spiritose, queste lettere dipingono Fedro come una creatura fuggita da una gabbia nella quale non sapeva neanche di essere rinchiusa, un essere che finalmente vaga libero nella campagna e divora con gli occhi tutto ciò che vede.

In seguito Fedro fece amicizia con alcuni operai coreani che parlavano un po' d'inglese ma volevano impararlo meglio per poter fare i traduttori. Passava delle ore in loro compagnia, dopo che avevano finito di lavorare, e in cambio loro, nei fine settimana, lo portavano a fare lunghe escursioni di collina in collina, e gli mostravano le loro case, i loro amici e cercavano di spiegargli il modo di vivere e di pensare di un'altra cultura.

Fedro è seduto ai margini di un sentiero su una bellissima collina battuta dal vento che si affaccia sul Mar Giallo. Il riso sulla terrazza sottostante è maturo e bruno. I suoi amici guardano il mare con lui. Mangiano al sacco, parlando tra loro e con lui degli ideogrammi, del loro rapporto col mondo. Fedro dice loro come sia sconcertato al pensiero che ogni cosa dell'universo possa essere descritta dai ventisei caratteri sui quali hanno lavorato. I suoi amici annuiscono, sorridono mangiando dalle loro gavette e dicono gentilmente di no.

Fedro è sconcertato dalla contemporaneità del sì e del no e ripete quello che ha detto. E loro annuiscono e rispondono no. Il ricordo finisce qui, ma Fedro ci pensa spesso, come all'immagine del muro.

L'ultimo, intenso frammento che gli rimane di quella parte del mondo è quello dello scompartimento vuoto di una nave militare che lo sta portando a casa. Fedro è solo su una cuccetta. Ce ne sono cinque per fila, una fila sopra l'altra, e riempiono completamente lo scompartimento vuoto; Fedro sta leggendo un testo di filosofia orientale. È il libro più difficile che abbia mai letto. È contento di essere da solo, altrimenti non riuscirebbe mai a finirlo.

Secondo il libro, nell'esistenza umana c'è un fattore teorico prettamente occidentale (che corrispondeva al passato di laboratorio di Fedro) e un fattore estetico squisitamente orientale (che corrispondeva al suo passato in Corea). Apparentemente questi due elementi non hanno un punto d'incontro. I due termini ' teorico ' ed ' estetico ' corrispondono a quello che Fedro più tardi avrebbe definito visione classica e visione romantica della realtà, e probabilmente incisero sulla scelta di questa definizione più di quanto egli non sospettò mai. Tuttavia la realtà classica, benché *essenzialmente* teorica, ha anche la propria estetica, e la realtà romantica, benché *essenzialmente* estetica, ha anche la sua teoria. La demarcazione tra teoria ed estetica corre tra gli elementi costitutivi di un unico mondo. La demarcazione tra classicismo e romanticismo corre tra due mondi diversi. Il libro di filosofia, che s'intitola *The Meeting of East and West* [L'incontro di Oriente e Occidente] di F.S.C. Northrop, suggerisce una conoscenza più approfondita del « continuum estetico indifferenziato » da cui avrebbe origine il pensiero teorico.

Fedro questo non lo capì, ma dopo il suo arrivo a Seattle e il suo congedo dall'esercito rimase per due settimane nella sua camera d'albergo a mangiare enormi mele Washington e a pensare ininterrottamente, dopodiché tornò all'università a studiare filosofia. Smise di andare alla deriva. Ora era attivamente alla ricerca di qualcosa.

Ci investe una raffica di aria fredda carica dell'odore di pini, e quando avvistiamo Red Lodge tremo dal freddo.

A Red Lodge la strada costeggia la base delle montagne. Lasciamo giù le moto e passiamo davanti a dei negozi di sci; entriamo in un ristorante e alle pareti vediamo appese delle enormi fotografie della strada che ci porterà fino in cima. È una delle strade asfaltate più alte del mondo, il che mi angoscia un po', ma mi rendo conto di essere irrazionale. Cadere giù è impossibile. Nessun pericolo per la motocicletta. A turbarmi non è che il ricordo dei sassi che precipitano per centinaia di metri e l'impulso ad associarli alla moto col suo conducente.

Finito il caffè risaliamo sulle moto e ci ritroviamo ben presto sul primo dei tanti tornanti che segnano la parete della montagna. La strada è molto più larga e più sicura di quanto la memoria non ricordasse. Con la moto c'è un sacco di spazio in più. John e Sylvia imboccano il prossimo tornante e ce li ritroviamo sorridenti quasi di fronte, poco sopra di noi.

Ho parlato della deriva di Fedro, che si concluse con l'approccio alla disciplina filosofica. Egli considerava la filosofia come il punto più alto dell'intera gerarchia del sapere. Per i filosofi questa è quasi una banalità, ma per lui fu una rivelazione. Scoprì che la Scienza, che aveva un tempo considerato come l'universo del sapere, non era che una branca della filosofia. Le domande che si era posto sull'infinità delle ipotesi non avevano suscitato l'interesse della Scienza perché non erano domande scientifiche. La Scienza non può studiare il metodo scientifico senza incappare in un circolo vizioso che distrugge la validità delle sue risposte. Le domande di Fedro erano a un livello superiore. E così Fedro trovò nella filosofia il proseguimento naturale della domanda che l'aveva avvicinato inizialmente alla Scienza, ovvero: Cosa significa tutto quanto? Qual è il suo fine?

In un punto panoramico della strada ci fermiamo a fare le fotografie di prammatica, poi ci infagottiamo per benino e ci rimettiamo in marcia.

Le latifoglie sono scomparse. Restano solo pini nani e molti hanno forme contorte e stentate. Presto scompaiono anche quelli e ci troviamo su prati alpini disseminati di fiori selvatici.

Ormai siamo vicini ai campi di neve. Il motore diventa irregolare e minaccia di fermarsi per mancanza di ossigeno. Presto ci troviamo tra due pareti di neve vecchia che si fanno via via più alte, finché non ne emergiamo per scoprire che siamo arrivati in cima. Dalla parte dove batte il sole ho caldo, dall'altra sono gelato.

Sull'altro versante il paesaggio è diverso. Sotto di noi ci sono laghi montani, pini e campi di neve, e davanti, a perdita d'occhio, catene di montagne coperte di neve.

Ci fermiamo in un parcheggio dove qualche turista fa fotografie. John prende la macchina fotografica e io prendo la busta dei ferri, l'apro sul sedile, metto in moto e col cacciavite registro i carburatori finché il minimo diventa meno irregolare. Mi sorprende che il motore, pur perdendo colpi per tutto il percorso in salita, sia riuscito a reggere. Non avevo regolato i carburatori per la pura curiosità di vedere come avrebbe reagito la moto a tremila metri. Adesso lascio la carburazione abbastanza ricca, con un minimo appena tollerabile, perché verso il Parco dello Yellowstone scenderemo parecchio e se adesso non è un po' troppo ricca, dopo diventerà troppo magra, e ci sarà il rischio che il motore si surriscaldi.

In discesa il ritorno di fiamma è ancora abbastanza pesante, col motore che frena in seconda, poi però il rumore diminuisce man mano che raggiungiamo quote più basse. Ritornano le foreste. Adesso viaggiamo tra rocce, laghi e alberi, su tornanti e curve che rivelano paesaggi bellissimi.

Ora vorrei parlare di un altro tipo di vette: le vette della mente. Se consideriamo l'insieme del sapere umano come un'enorme struttura gerarchica, allora le vette della mente si troveranno nel punto più alto di questa struttura, tra le considerazioni più generali e più astratte.

Sono pochi quelli che si spingono fin quassù. Dall'escursione in queste regioni non si trae alcun particolare profitto, e tuttavia, come le montagne del mondo materiale che ci circondano, esse hanno una loro austera bellezza che giustifica per molti la fatica dell'ascesa.

Quassù bisogna assuefarsi all'aria più rarefatta dell'incertezza, all'immensità delle domande e delle risposte. Gli spazi che si aprono davanti al pensiero sono talmente più vasti di quanto la mente possa percepire che si esita persino ad avvicinarsi, tale è la paura di perdersi.

Qual è la verità e come si fa a riconoscerla, se la si ha tra le mani?... Come facciamo a sapere *davvero* qualcosa? C'è forse un « io », un'« anima » che sa, o quest'anima non è altro che un insieme di cellule che coordinano i sensi? La realtà è essenzialmente mutevole, o è statica e permanente? Quando si dice che qualcosa *significa* qualcos'altro, che cosa s'intende?

Fin dai tempi dei tempi su queste catene montuose abbiamo tracciato e dimenticato molti sentieri che ci hanno dato molteplici risposte, tutte con la pretesa della permanenza e dell'universalità; abbiamo così molte risposte diverse alle stesse domande, e tutte si possono considerare vere nel loro contesto. Anche all'interno di una singola cultura si continua a chiudere i sentieri vecchi per aprirne di nuovi.

Si dice a volte che non c'è un progresso vero e proprio; che una civiltà che uccide milioni di persone in guerre di massa, che inquina la terra e gli oceani con quantità sempre maggiori di rifiuti, che distrugge la dignità degli individui soggiogandoli a un'esistenza forzatamente meccanizzata, difficilmente può essere definita un progresso rispetto all'esistenza più semplice delle società primitive. Ma quest'argomentazione, benché abbia un suo fascino romantico, non regge. Le tribù primitive permettevano una libertà individuale molto inferiore a quella concessa dalla società moderna. Le guerre venivano perpetrate con molte meno giustificazioni morali. Una tecnologia che produca rifiuti è in grado di trovare, e li sta trovando, i mezzi per eliminarli senza sconvolgimenti ecologici. E il quadro che i libri di scuola forniscono dell'uomo primitivo omette a volte il dolore, le malattie, la fame, il lavoro stremante che la mera sopravvivenza richiedeva. Il passaggio dalle sofferenze di quell'esistenza cruda alla vita moderna si può definire un progresso senza timore di esagerare, e l'unico fattore determinante di questo progresso è chiaramente la ragione stessa.

È facile vedere come i processi, sia naturali che formalizzati, dell'ipotizzare, dello sperimentare, del trarre conclusioni, abbiano generato secolo dopo secolo le gerarchie di pensiero che hanno eliminato la maggior parte dei nemici dell'uomo primitivo. In una certa misura, la condanna romantica della razionalità trae la sua origine proprio dall'efficacia della razionalità stessa nel sollevare l'uomo dalle sue condizioni primitive. La razionalità è infatti un fattore della civilizzazione umana così potente ed egemonico che ha eliminato tutto il resto e ora domina addirittura l'uomo. Questa è l'origine della protesta romantica.

Attraverso gli immani interrogativi sulla realtà e sul sapere erano passati grandi personaggi, alcuni dei quali, come Socrate, Aristotele, Newton e Einstein, erano universalmente noti, ma molti altri erano pressoché sconosciuti. Fedro li studiò e si appassionò sempre di più al loro pensiero e alle loro costruzioni teoriche. Seguì le loro tracce attentamente finché non persero d'interesse, e allora li abbandonò. A quell'epoca, da un punto di vista accademico, i risultati dei suoi studi erano mediocri, perché a quest'altezza più si pensa più si procede a rilento. Fedro leggeva in modo più scientifico che letterario, analizzando ogni frase, annotando dubbi da risolvere in seguito; ho la fortuna di avere un intero baule dei suoi quaderni.

La cosa più sorprendente di questi appunti è che essi contengono quasi tutto quello che Fedro disse anni dopo; ed è frustrante vedere come a quel tempo egli fosse completamente ignaro dell'importanza di quello che stava dicendo.

Fedro come studioso era abominevole: dava giudizi avventati su ogni filosofo, aveva da sindacare su qualsiasi testo, era sempre parziale. Voleva che i filosofi seguissero una certa strada e s'infuriava quando non lo facevano.

Ho ancora un frammento di ricordo di lui seduto in una stanza alle tre del mattino, davanti alla famosa *Critica della ragion pura* di Immanuel Kant. La studiava come un giocatore di scacchi avrebbe studiato una partita, vagliandone la linea di sviluppo, cercando le contraddizioni e le incongruenze.

Fedro era un personaggio bizzarro rispetto agli americani del Midwest che lo circondavano, ma quando studiava Kant lo era meno. Per Kant provava un grande rispetto, non perché condividesse il suo pensiero, ma perché ammirava l'eccezionale fortificazione logica che Kant aveva costruito intorno alle sue posizioni. Kant è sempre superbamente metodico, perseverante, regolare e meticoloso mentre si inerpica sulle vette nevose di un pensiero vòlto a stabilire che cosa è nella mente e che cosa ne è fuori. E fu proprio su queste vette che a Fedro si presentò per la prima volta la soluzione complessiva del problema dell'intelligenza classica e dell'intelligenza romantica.

Per seguire Kant bisogna aver capito anche il pensiero di Hume. Hume aveva affermato questo: se, per determinare la vera natura del mondo, ci si attiene strettamente alle regole logiche dell'induzione e della deduzione, fondate sull'esperienza, si deve giungere a determinate conclusioni. Il suo ragionamento si sviluppava secondo le traiettorie che risulterebbero dalla risposta a questa domanda: prendiamo un bambino privo dalla nascita di tutte e cinque le facoltà sensoriali, e supponiamo che venga nutrito per via endovenosa e mantenuto in vita in questo stato fino a diciotto anni. Ci si può allora chiedere: questa persona di diciotto anni ha un pensiero in testa? E se sì, da dove gli arriva?

Hume avrebbe risposto che il diciottenne non aveva pensieri di sorta, e dando questa risposta si sarebbe definito un *empirista*, uno che crede che tutta la conoscenza derivi esclusivamente dai sensi. Il metodo scientifico della sperimentazione è empirismo attentamente controllato. Il buon senso odierno è empirismo, dato che la stragrande maggioranza concorderebbe con Hume, benché in altre culture e in altri tempi la maggioranza avrebbe potuto non essere d'accordo.

Il primo problema dell'empirismo, se nell'empirismo si crede, riguarda la natura della « sostanza ». Se tutta la nostra conoscenza ci deriva dai dati sensoriali, che cos'è esattamente questa sostanza che dovrebbe generarli? Se cercate di immaginare che cos'è questa sostanza a prescindere da quello che percepite non riuscirete a pensare a un bel niente.

Dato che tutta la conoscenza deriva da impressioni sensoriali e dato che non esiste un'impressione sensoriale della sostanza stessa, ne segue logicamente che della sostanza non abbiamo nessuna conoscenza. È tutta nella nostra mente.

In secondo luogo, se si parte dalla premessa che tutta la conoscenza ci viene dai sensi, bisogna chiedersi: da quali dati sensoriali ci deriva la nostra consapevolezza del rapporto tra causa e effetto? In altre parole, qual è la base empirica e scientifica della causalità?

La risposta di Hume è: « Nessuna ». Nelle nostre sensazioni non c'è *nessuna* prova della causalità. È un rapporto che immaginiamo quando a un fenomeno ne segue con una certa regolarità un altro. Non ha un'esistenza reale nel mondo che osserviamo. Se si accetta la premessa che tutta la conoscenza ci deriva dai sensi, dice Hume, allora bisogna concludere logicamente che sia la « natura » sia « le leggi della natura » sono creazioni della nostra immaginazione.

Quest'idea che il mondo intero è contenuto nella nostra mente potrebbe essere scartata come un'assurdità se Hume si fosse limitato a proporla come base di discussione. Invece lui faceva di essa un argomento irrefutabile.

Bocciare le conclusioni di Hume era necessario, ma sfortunatamente il modo in cui egli ci era arrivato rendeva apparentemente impossibile farlo senza abbandonare l'empirismo scientifico per ritornare a barricarsi dietro a sistemi di pensiero medioevali. E questo Kant non poteva accettarlo. Così fu Hume, disse Kant, a « risvegliarlo dai suoi sonni dogmatici » e a indurlo a scrivere la *Critica della ragion pura*.

Kant cerca di salvare l'empirismo scientifico dalle conseguenze della sua stessa logica autodistruttiva. Segue dapprima il sentiero lungo il quale si era avviato Hume. « Che tutta la nostra conoscenza inizi con l'esperienza è indubbio » egli dice, ma presto si allontana da quel sentiero per negare che tutte le componenti della conoscenza provengano dai sensi al momento della percezione dei dati sensoriali. « Benché tutta la conoscenza inizi *con* l'esperienza, non ne segue necessariamente che essa derivi *dall'*esperienza ».

Sulle prime potrebbe sembrare che Kant stia menando il can per l'aia, ma non è vero. Grazie a questa differenza, egli aggira l'abisso del solipsismo al quale conduceva la via di Hume e procede su una strada propria, completamente nuova e diversa.

Kant dice che ci sono aspetti della realtà che non sono forniti immediatamente dai sensi e questi aspetti li chiama *a priori*.

Il « tempo », per esempio, è un *a priori*. Non si vede, non si sente, non si odora, non si gusta, non si tocca. Il tempo è quello che Kant chiama un'« intuizione », che la mente fornisce quando riceve il dato sensoriale.

La stessa cosa vale per lo spazio. A meno che non *applichiamo* i concetti di spazio e tempo alle impressioni che riceviamo, il mondo è incomprensibile, non è che un guazzabuglio caleidoscopico di colori, forme, rumori, odori, dolori e sapori senza significato. Pertanto, noi percepiamo gli oggetti in un certo modo grazie alla nostra applicazione di intuizioni *a priori* quali spazio e tempo, ma questi oggetti non sono creazioni della nostra immaginazione come vorrebbero gli idealisti puri. Lo spazio e il tempo sono forme che applichiamo ai dati nel momento in cui li riceviamo dall'oggetto che li produce. I concetti *a priori* hanno la loro origine nella natura umana, per cui non sono causati dall'oggetto percepito né gli conferiscono la sua esistenza, ma forniscono una specie di *vaglio* per i dati sensoriali che accetteremo. Per esempio, quando chiudiamo gli occhi, i nostri dati sensoriali ci dicono che il mondo è scomparso. Ma questa idea viene eliminata e non arriva mai alla nostra coscienza perché abbiamo in mente un concetto *a priori* della continuità del mondo. Quella che noi consideriamo realtà è una sintesi continua tra gli elementi di una gerarchia fissa di concetti *a priori* e i dati sempre mutevoli dei nostri sensi.

Adesso cerchiamo di applicare alcuni dei concetti espressi da Kant a questa strana macchina, a questa creazione che ci ha trasportato attraverso lo spazio e il tempo.

Hume, in pratica, diceva che tutto quello che so di questa motocicletta proviene dai miei sensi. Dev'essere così. Non c'è altra possibilità. Se dico che è fatta di metallo e altre sostanze, lui domanda: «Che cos'è il metallo?». Se rispondo che il metallo è duro, lucido e freddo al tatto e cambia forma senza rompersi sotto i colpi di un materiale più duro, Hume dice che ho espresso soltanto dei dati sensoriali legati alla vista, all'udito, al tatto. Non c'è sostanza. Dimmi cos'è il metallo *a prescindere* da queste sensazioni. E allora, ovviamente, sono fritto.

Ma se non c'è sostanza, cosa possiamo dire dei dati sensoriali che riceviamo? Se giro la testa a sinistra e guardo il manubrio, la ruota anteriore, il portacarte e il serbatoio, ho un tipo di disposizione dei dati sensoriali. Se giro la testa a destra ho una disposizione di dati sensoriali leggermente diversa. Se non c'è una base logica per la sostanza, non c'è neanche una base logica per concludere che quel che ha prodotto queste due visioni è la medesima motocicletta.

Siamo a un punto morto. La nostra ragione, che dovrebbe renderci le cose più comprensibili, fa esattamente il contrario, e quando la ragione viene meno ai suoi scopi in questo modo, vuol dire che qualcosa nella sua struttura deve essere cambiato.

Kant ci viene in aiuto dicendo che il fatto di non poter percepire immediatamente una « motocicletta » come qualcosa di distinto dai suoi colori e dalle sue forme non è affatto una prova che la motocicletta non ci sia. Noi abbiamo in mente una motocicletta *a priori* che ha una continuità nel tempo e nello spazio e può cambiare aspetto a seconda della nostra posizione, e pertanto non viene contraddetta dai dati sensoriali che riceviamo.

La motocicletta di Hume, quella che non ha nessun senso, salterà fuori se il nostro ipotetico paziente di prima, quello sprovvisto delle facoltà sensoriali, le riacquistasse all'improvviso per una frazione di secondo e ricevesse il dato sensoriale di una motocicletta per poi esserne di nuovo privato. A questo punto credo che egli avrebbe nella mente una motocicletta alla Hume, che non gli fornirebbe alcuna prova dell'esistenza di concetti quali la causalità.

Ma, come dice Kant, noi non siamo quel ragazzo. Nella nostra mente abbiamo un motocicletta *a priori* molto reale della cui esistenza non abbiamo motivo di dubitare, la cui realtà può essere confermata in qualsiasi momento.

Questa motocicletta *a priori* si è formata nella nostra mente, nel corso di molti anni, grazie a un numero enorme di dati sensoriali e cambia costantemente con l'immissione di dati sensoriali nuovi. Alcuni dei cambiamenti nella specifica motocicletta *a priori* che sto guidando sono molto rapidi e transitori, come per esempio la sua posizione rispetto alla strada. Quando un'informazione non è più utile la dimentico, perché ne arrivano di nuove a sostituirla. Altri cambiamenti in questo *a priori* sono più lenti: il calo della benzina nel serbatoio. L'usura delle gomme. L'allentarsi di viti e bulloni. La variazione del gioco tra ganasce e tamburi dei freni. Altri aspetti cambiano così lentamente da sembrare immutabili — la cromatura, i cuscinetti delle ruote, i cavi di comando —, ma anch'essi cambiano costantemente. E per finire, alla lunga anche il telaio si modifica leggermente in seguito ai colpi e agli sbalzi di temperatura e alle sollecitazioni di fatica interna comuni a tutti i metalli.

Che razza di macchina, questa motocicletta *a priori*! I dati sensoriali la confermano, ma i dati sensoriali non sono *lei*. La motocicletta che io credo esista aprioristicamente fuori di me è come i soldi che credo di avere in banca. Se andassi in banca e chiedessi di vedere i miei soldi, i cassieri rimarrebbero piuttosto sorpresi. Io mi accontento di sapere che il sistema bancario mi fornisce i mezzi per averli sottomano quando ne ho bisogno. Così, anche se i miei dati sensoriali non hanno mai prodotto nulla che si possa chiamare « sostanza », mi accontento del fatto che in questi dati sensoriali è insita la capacità di ottenere dei risultati con ciò che la sostanza genera, e che questi dati sensoriali continuano a concordare con la motocicletta *a priori* che ho in mente. Per comodità dico che ho i soldi in banca e per lo stesso motivo dico che la moto che sto guidando è composta di una sostanza. La *Critica della ragion pura* si occupa essenzialmente delle modalità di acquisizione di questa conoscenza *a priori* e del suo impiego.

La tesi di Kant che i nostri concetti *a priori* sono indipendenti dai dati sensoriali e passano al vaglio quello che vediamo, Kant la chiama una « rivoluzione copernicana ». In seguito a questa rivoluzione non cambiò nulla, e tuttavia cambiò tutto. O, per metterla in termini kantiani, il mondo oggettivo, fonte dei nostri dati sensoriali, non cambiò, ma venne rovesciato il concetto *a priori* che di esso avevamo. L'effetto fu travolgente. Fu proprio l'accettazione della rivoluzione copernicana a distinguere l'uomo moderno dai suoi predecessori medievali.

Copernico non fece altro che prendere il concetto

a priori del mondo universalmente riconosciuto nel suo tempo — e cioè che la terra fosse piatta e ferma nello spazio —, proporre un concetto *a priori* alternativo, secondo il quale la terra sarebbe sferica e girerebbe intorno al sole, e dimostrare che *entrambi* i concetti *a priori* quadravano con i dati sensoriali a disposizione.

Kant sentì di aver fatto la stessa operazione in metafisica. Supponiamo che i concetti *a priori* nella nostra testa siano indipendenti da quello che vediamo e facciano da vaglio tra noi e la realtà. Questo equivale a prendere il vecchio concetto aristotelico dello scienziato come osservatore passivo, una « tabula rasa », e rivoltarlo. Kant e i suoi milioni di seguaci hanno sostenuto che grazie a questo capovolgimento si ottiene una comprensione più soddisfacente del nostro modo di arrivare alla conoscenza.

Mi sono dilungato su questo esempio soprattutto per preparare il terreno a quello che Fedro fece in seguito. Anche lui effettuò un capovolgimento copernicano grazie al quale riuscì a proporre una demarcazione tra visione classica e visione romantica del mondo. E mi pare che questo capovolgimento offra a sua volta una comprensione molto più soddisfacente di quello che è il mondo.

All'inizio Fedro rimase elettrizzato dalla metafisica kantiana, ma poi essa incominciò a perdere il suo fascino senza che lui ne capisse il perché. Ci pensò e decise che forse era a causa delle sue esperienze in Oriente. Allora aveva avuto la sensazione di essere fuggito da una prigione intellettuale, e adesso ci era ritornato. L'estetica di Kant dapprima lo deluse, poi lo mandò su tutte le furie. Le idee espresse sul « bello » gli parevano così pervase di bruttezza che lui non sapeva da che parte cominciare per attaccarla o liberarsene. La bruttezza sembrava parte integrante del mondo kantiano. Non era solo una bruttezza da diciottesimo secolo o una bruttezza « tecnica ». Emanava da tutti i filosofi che stava leggendo. L'università intera ne era impregnata. Era dentro di lui e lui non sapeva come o perché. Era la ragione stessa a essere brutta e sembrava non ci fosse modo di districarsene.

12

A Cooke City John e Sylvia sembrano più felici di quanto non li ricordi da anni. Addentiamo i panini caldi a grandi morsi. Sono contento di vedere gli effetti dell'alta montagna, ma non dico nulla.

Al di là della strada ci sono dei pini enormi sotto i quali passano molte macchine dirette verso il parco. Siamo scesi molto più giù del limite delle foreste. Fa più caldo ma il cielo è coperto da nuvole basse che vanno e vengono annunciando la pioggia.

Penso che se invece che un oratore di Chautauqua fossi un romanziere cercherei di « sviluppare i personaggi » di John e Sylvia e Chris mediante episodi che rivelerebbero anche « il significato profondo » dello Zen e forse dell'Arte e forse persino della Manutenzione della Motocicletta. Ne verrebbe fuori un bel romanzo, ma per una ragione o per l'altra non mi sento in grado di farlo. Loro sono amici, non personaggi, e come Sylvia stessa disse una volta: « Non mi piace essere un oggetto! ». Per questo non mi addentro nel merito di quanto sappiamo gli uni degli altri. Non sono segreti terribili, comunque non hanno molto a che vedere con il Chautauqua. Con gli amici dovrebbe essere così.

D'altra parte penso che il Chautauqua basti a spiegare come mai io sembri a tutti loro così riservato e lontano. Talvolta mi fanno delle domande per capire a cosa diavolo penso con tanta intensità. Ma se mi mettessi a blaterare di tutto quello che mi passa per la testa, per esempio l'idea *a priori* della continuità di una motocicletta, senza spiegare loro l'intero edificio del Chautauqua, rimarrebbero sconcertati. D'altro canto, a me questa continuità interessa davvero, e quindi non partecipo molto alle situazioni conviviali. È un problema.

È un problema del nostro tempo. La portata della conoscenza umana al giorno d'oggi è talmente ampia che siamo tutti degli specialisti, e la distanza tra le varie specializzazioni è talmente aumentata che chiunque cerchi di muoversi liberamente dall'una all'altra è quasi costretto a trascurare l'intimità con la gente che lo circonda. Anche la conversazione conviviale è una specialità.

Chris è forse quello che capisce meglio il mio distacco, forse perché ci è più abituato e perché il suo rapporto con me è tale da renderlo più partecipe. A volte gli leggo sul viso un'espressione preoccupata o ansiosa, e scopro che è perché sono arrabbiato. Da solo magari non me ne sarei neanche accorto. Altre volte lo vedo correre e saltare, e scopro che è perché io sono di buon umore. Adesso mi accorgo che è un po' nervoso e sta rispondendo a una domanda che John ha evidentemente diretto a me. Era a proposito degli amici da cui andremo domani, i DeWeese.

Non ho ben capito la domanda, ma azzardo una risposta. « Lui è un pittore. Tiene un corso di arti figurative al College, è un impressionista astratto ».

Mi chiedono come l'ho conosciuto e devo rispondere che non me lo ricordo. Non ricordo *niente* di lui, se non qualche frammento. Lui e sua moglie erano evidentemente amici di amici di Fedro, e fu così che lui li conobbe.

Le loro personalità erano senz'altro diverse. Sulle vecchie fotografie Fedro ha un'espressione alienata e aggressiva — uno del suo Dipartimento aveva detto (metà per scherzo e metà no) che aveva un'aria « sovversiva » , mentre alcune fotografie di DeWeese dello stesso periodo ritraggono una faccia piuttosto passiva, quasi serena, salvo per un'espressione leggermente interrogativa.

Mi ricordo un film su una spia della prima guerra mondiale che studiava il comportamento di un ufficiale tedesco prigioniero (identico a lui) guardandolo attraverso uno specchio semiargentato. Lo studiò per mesi finché riuscì a imitare ogni suo gesto, ogni sua inflessione. Poi si spacciò per lui per infiltrarsi nel comando dell'esercito tedesco. Ricordo la tensione e la suspense quando si confrontò per la prima volta con i vecchi amici dell'ufficiale. Adesso provo la stessa sensazione all'idea di ritrovarmi faccia a faccia con DeWeese, il quale dà naturalmente per scontato che io sia quello che lui conosceva tanto tempo fa.

Una leggera bruma ha bagnato le motociclette. Prendo la visiera di plastica e la attacco al casco. Presto entreremo nel Parco dello Yellowstone.

La strada davanti a noi è nebbiosa. È come se una nuvola fosse scivolata nella valle; più che una valle, in realtà, è un passo di montagna.

Non so se DeWeese lo conoscesse bene, e quali ricordi si aspetta che abbiamo in comune. Sono già passato attraverso prove del genere e di solito sono riuscito a arrampicarmi sui vetri abbastanza bene. Sono sempre stato premiato con una conoscenza più approfondita di Fedro che mi è stata via via molto utile per impersonarlo; è così che, nel corso degli anni, ho raccolto tutte le informazioni su di lui che ho fornito qui.

Dai pochi frammenti della mia memoria ricordo che Fedro teneva in gran conto DeWeese perché non lo capiva. L'impossibilità di capire qualcosa suscitava in lui un interesse enorme e gli atteggiamenti di DeWeese erano affascinanti, del tutto imprevedibili. A volte Fedro diceva qualcosa che per lui era divertente e DeWeese lo guardava interdetto oppure lo prendeva sul serio; altre volte, di fronte ad affermazioni molto serie e importanti, DeWeese scoppiava a ridere, come se Fedro avesse raccontato una barzelletta irresistibile.

Per esempio, ho un frammento di quella volta che si era scollata l'impiallacciatura del tavolo da pranzo; Fedro l'aveva incollata, e per fare pressione mentre la colla asciugava aveva avvolto il tavolo con un intero gomitolo di spago.

Quando arrivò DeWeese domandò a che cosa servisse.

« È la mia ultima scultura » rispose Fedro. « Niente male, non ti pare? ».

Invece di ridere, DeWeese lo guardò stupito, studiò l'opera a lungo e finalmente disse: « Ma dov'è che l'hai imparato? ».

Un'altra volta Fedro era preoccupato per il cattivo andamento di alcuni studenti. Tornando a casa con DeWeese ne aveva parlato con lui all'ombra degli alberi, e DeWeese si era chiesto perché se la prendesse tanto.

« Me lo sono chiesto anch'io » aveva risposto Fedro, e con un certo imbarazzo aveva aggiunto: « Penso che sia perché ogni insegnante tende a dare i voti migliori agli studenti che gli assomigliano di più. Se è uno che ha facilità a scrivere darà molta importanza allo stile. Se usa molti paroloni, apprezzerà gli studenti che fanno altrettanto ».

« Certo. Che c'è di male? » aveva detto DeWeese.

« Be', nel mio caso c'è qualcosa che non va, » aveva detto Fedro « perché gli studenti che mi piacciono di più, quelli coi quali ho l'impressione di identificarmi, vengono tutti bocciati! ».

DeWeese era scoppiato a ridere e Fedro si era risentito. Sulle prime pensò che DeWeese ridesse del suo involontario insulto a se stesso. Ma non era una spiegazione soddisfacente, perché DeWeese non era tipo da offendere un amico. Il suo riso esprimeva piuttosto una convinzione profonda: gli studenti migliori pigliano sempre dei brutti voti agli esami, un buon professore lo sa bene. Era quel tipo di risata che allenta le tensioni; ma Fedro a quell'epoca prendeva le cose decisamente troppo sul serio.

Le reazioni enigmatiche di DeWeese facevano pensare a Fedro che egli avesse accesso a un vastissimo campo di sapere nascosto. Sembrava sempre che DeWeese *nascondesse* qualcosa. *Gli* nascondeva qualcosa, e Fedro non riusciva a immaginare che cosa.

E poi c'è un ricordo più consistente: il giorno in cui Fedro scoprì che DeWeese nutriva le stesse perplessità nei *suoi* confronti.

Nello studio di DeWeese c'era un interruttore guasto e lui chiese a Fedro se poteva dargli un'occhiata. Aveva un sorriso leggermente imbarazzato, leggermente perplesso, come quello di un appassionato di pittura che parli a un pittore. L'amatore è riluttante ad ammettere la propria ignoranza in materia, ma sorride con la speranza di imparare di più. A differenza dei Sutherland, che *odiano* la tecnologia, DeWeese non la considerava in nessun modo minacciosa, tanto gli era remota. Ma in realtà lo affascinava, ed era sempre contento di imparare qualcosa di nuovo.

DeWeese credeva che il guasto fosse nel filo vicino alla lampadina, perché la luce si era spenta subito dopo che lui aveva girato l'interruttore. Se il guasto fosse stato nell'interruttore, pensava, sarebbe passato un po' di tempo prima che la lampadina si spegnesse. Fedro non stette a discutere, ma andò a comprare un interruttore e lo installò in pochi minuti. Funzionò immediatamente, com'era ovvio, lasciando DeWeese interdetto e frustrato. « Come facevi a sapere che il guasto era nell'interruttore? » gli domandò.

« Perché faceva contatto a intermittenza quando toccavo l'interruttore ».

« Be', ma non poteva essere il filo a fare contatto? ».
« No ».

La sicumera di Fedro fece arrabbiare DeWeese. « Come facevi a saperlo? » gli chiese.

« È evidente ».

« E allora perché io non l'ho visto? ».

« Ci vuole un po' di pratica ».

« Allora non era *così* evidente, ti pare? ».

DeWeese vedeva sempre le cose con una strana angolazione che rendeva impossibile rispondergli. Era proprio quest'angolazione a far credere a Fedro che lui gli stesse nascondendo qualcosa. Fu solo verso la fine del suo soggiorno a Bozeman che pensò di aver capito, nel suo tipico modo analitico e metodico, quale fosse l'angolazione di DeWeese.

All'entrata del parco facciamo il biglietto giornaliero. Più avanti un turista anziano ci filma sorridendo. Da sotto i calzoncini corti spuntano due gambe bianchissime infilate in calze di cotone e scarpe da città. Le gambe della moglie, che osserva con approvazione, sono identiche.

Fedro detestava l'atmosfera da gita organizzata che si respirava nel parco, e i turisti, che si muovevano come fossero allo zoo del Bronx, lo disgustavano ancora di più. Com'era diverso dalle montagne! Sembrava un enorme museo dove gli oggetti erano così perfetti da dare l'illusione della realtà, ben protetti dalle catene perché i bambini non li danneggiassero.

Ma sto perdendo il filo. Ho saltato almeno dieci anni. Fedro non passò di botto da Immanuel Kant a Bozeman, Montana. Quei dieci anni li trascorse in buona parte in India a studiare filosofia orientale all'Università di Benares.

Laggiù ascoltò filosofi, visitò religiosi, assorbì e pensò. Dalle sue lettere traspare un'enorme confusione. Arrivò in India scienziato empirista e ne partì scienziato empirista, non molto più saggio di quanto fosse al suo arrivo. Comunque aveva registrato moltissime impressioni e acquisito una specie di immagine latente che più tardi gli parve connessa con molte altre. Si accorse che le differenze dottrinali tra induismo, buddhismo e taoismo non hanno neanche lontanamente l'importanza attribuita a quelle che separano cristianesimo, islam e ebraismo. Per le prime non si combattono mai guerre sante, perché non si suppone mai che affermazioni verbali sulla realtà *siano* la realtà.

In tutte le religioni orientali viene attribuito un grande valore alla dottrina sanscrita del *tat tvam asi*, « tu sei ciò », secondo la quale quel che si pensa di essere e quel che si pensa di percepire sono tutt'uno. Capire pienamente questa assenza di divisione equivale a raggiungere l'illuminazione.

La logica presuppone una separazione del soggetto dall'oggetto; pertanto la logica non è la saggezza ultima. Il modo migliore di cancellare l'illusione della separazione del soggetto dall'oggetto è l'eliminazione dell'attività fisica, mentale ed emotiva. A questo scopo ci sono molte discipline. Una delle più importanti è la disciplina sanscrita del *dhyāna*, che in cinese si è deformata in « chan » e in giapponese in « zen ». Fedro non si dedicò mai alla meditazione, perché per lui non aveva significato. Per tutto il tempo che rimase in India, per lui il « significato ultimo » era sempre la coerenza logica. Credo che questo torni a suo merito.

Ma un giorno, mentre il professore di filosofia spiegava allegramente la natura illusoria del mondo per quella che a Fedro parve la cinquantesima volta, Fedro alzò la mano e chiese freddamente se bisognava credere che anche le bombe atomiche sganciate su Hiroshima e Nagasaki fossero illusorie. Il professore sorrise e disse di sì. E lì finirono i loro scambi culturali. Fedro uscì dalla classe e lasciò l'India.

Tornò nel suo Midwest, prese il diploma di giornalista, si sposò, visse nel Nevada e in Messico, fece il giornalista scientifico e lavorò nella pubblicità. Divenne padre di due figli, comprò una fattoria, un cavallo da sella e due macchine e cominciò a metter su pancia. Aveva abbandonato la sua ricerca di quello che abbiamo chiamato il fantasma della ragione. Si era arreso.

Proprio perché si era arreso, esteriormente la vita gli scorreva liscia. Lavorava ragionevolmente sodo, aveva un carattere piacevole, salvo rari momenti di vuoto interiore che trapelano nei racconti che scriveva, e i giorni si susseguivano l'uno uguale all'altro.

Non è ben chiaro cosa lo spinse su queste montagne. Sua moglie a quanto pare non lo sa, ma io ho il sospetto che fosse quella sensazione di fallimento e la speranza che in qualche modo essa lo riconducesse sulla sua pista. Era diventato molto più maturo, come se la rinuncia alle sue aspirazioni l'avesse fatto invecchiare più in fretta.

Usciamo dal parco a Gardiner, dove evidentemente piove poco, perché i pendii al crepuscolo mostrano solo una vegetazione di erba e di salvia. Decidiamo di fermarci a dormire qui, in un motel fatto di tanti bungalow.

Faccio notare a Chris alcuni particolari. Le finestre hanno tutte i doppi infissi e i vetri a ghigliottina. Le porte si chiudono perfettamente, e tutte le modanature sono assolutamente a squadra. Nessuna pretesa artistica, semplicemente un'ottima fattura, e qualcosa mi dice che è tutta opera di una persona sola.

Quando torniamo dal ristorante, in un giardinetto davanti all'entrata c'è una coppia anziana che si gode la brezza serale. L'uomo mi conferma di aver costruito questi bungalow con le sue mani, ed è così contento che qualcuno l'abbia notato che sua moglie se ne accorge e ci invita a sederci con loro.

Ci mettiamo a chiacchierare senza nessuna fretta di andarcene. Questa è la più vecchia via d'accesso al parco. Veniva usata prima che ci fossero le automobili. I due ci parlano dei cambiamenti che ci sono stati nel corso degli anni, dando una nuova dimensione a quello che ci circonda e facendoci sembrare tutto molto bello — questa città, questa coppia e gli anni che sono scivolati via in questo posto. Sylvia mette la mano sul braccio di John. Io sento il rumore del

145

fiume che corre veloce sui massi e la fragranza del vento notturno. La donna, che conosce tutti i profumi, dice che è caprifoglio, e ce ne stiamo a sedere tranquilli mentre mi prende una piacevole sonnolenza. Quando decidiamo di muoverci Chris è quasi addormentato.

13

John e Sylvia mangiano le loro paste calde e bevono il caffè, ancora immersi nell'atmosfera di ieri, ma io faccio fatica a mandar giù qualcosa.

Oggi dovremmo arrivare al College, teatro di tanti avvenimenti cruciali, e mi sento già teso.

Mi ricordo un articolo su uno scavo archeologico nel Medio Oriente, che descriveva le sensazioni dell'archeologo nell'aprire, per la prima volta dopo migliaia di anni, le tombe dimenticate. Io mi sento così.

Il sole di questa mattina è più caldo e dolce, ora che siamo di nuovo in pianura. Ho solo la sensazione che la calma dei dintorni nasconda qualcosa. Un posto di fantasmi.

Non ho nessuna voglia di andarci. Quasi quasi faccio dietrofront e torno indietro.

Questa tensione combacia con certi frammenti di ricordi; vedo Fedro prima della sua prima lezione che prova una tensione così intensa da fargli vomitare tutto. Odiava presentarsi a una classe di studenti e parlare. Era come violare tutto il suo stile di vita solitario e isolato. Quello che provava era un atroce trac da palcoscenico che si manifestava però come una terrificante *intensità* in tutto quello che faceva. Alcuni studenti avevano detto a sua moglie che era come se l'aria fosse carica di elettricità. Fedro entrava in classe e aveva subito tutti gli occhi addosso. Ogni conversazione si spegneva in un sussurro, anche se spesso mancavano parecchi minuti all'inizio della lezione. Per tutta l'ora gli occhi degli studenti restavano inchiodati su di lui.

Fedro divenne un personaggio controverso. Si parlava molto di lui. La maggioranza degli studenti evitava le sue lezioni come la peste: ne avevano sentite troppe.

Il College era di quelli dove si insegna soltanto, e non c'è spazio per la ricerca, la contemplazione, la partecipazione alle vicende del mondo esterno. È il modo più furbo di mandare avanti un College col minimo di spesa, dando allo stesso tempo l'illusione di un'istruzione genuina.

E tuttavia, nonostante questo, Fedro chiamava il College con un nome che suonava un po' ridicolo se si considerava la sua vera natura. Ma quel nome aveva per lui un grande significato, per cui insistette nell'usarlo e, prima di andarsene, sentì di essere riuscito a ficcarlo nella testa di qualcuno con convinzione sufficiente a farcelo restare. Chiamava il College « Chiesa della Ragione », e se la gente avesse capito cosa intendeva dire, avrebbe cessato di nutrire delle perplessità nei suoi confronti.

A quell'epoca lo stato del Montana assisteva alla fioritura di una politica di estrema destra come quella che aveva preso piede a Dallas, Texas, subito prima dell'uccisione del presidente Kennedy. A un professore dell'Università del Montana, a Missoula, noto in tutta la nazione, fu proibito di parlare nel campus col pretesto che avrebbe « creato disordini ». I professori vennero informati che tutte le dichiarazioni pubbliche dovevano essere controllate dall'ufficio pubbliche relazioni del College.

Il livello degli studi accademici si ridusse a zero. Una legge aveva già negato al College il diritto di rifiutare l'ammissione a qualsiasi studente al di sopra dei ventun anni, che avesse o no un diploma di scuola superiore. Adesso una seconda legge infliggeva al College una multa di ottomila dollari per ogni studente bocciato: era, di fatto, l'ordine di promuovere tutti gli studenti.

Il nuovo governatore stava facendo di tutto per licenziare il rettore del College. Non solo era un suo nemico personale, ma era un Democratico e il governatore non era un Repubblicano qualsiasi. Sto parlando dello stesso governatore che aveva compilato l'elenco dei cinquanta sovversivi.

Nel quadro di questa faida, il governatore cominciò a tagliare i fondi al College, e più di ogni altro fu colpito il Dipartimento di Inglese, di cui faceva parte Fedro e i cui membri avevano avuto parte attiva nella difesa della libertà accademica.

Fedro si dava da fare con la North West Regional Accrediting Association per impedire queste violazioni dei requisiti necessari al riconoscimento accademico del College. Aveva anche insistito pubblicamente perché la situazione del College venisse messa sotto inchiesta.

A questo punto alcuni studenti gli avevano chiesto con un certo risentimento se i suoi sforzi mirassero a privarli di un'istruzione.

Fedro aveva risposto che non era così.

Allora uno studente, evidentemente un partigiano del governatore, disse rabbioso che le autorità sarebbero intervenute perché il riconoscimento accademico fosse mantenuto. Anche per mezzo di un picchetto della polizia, se necessario.

Fedro rifletté un attimo su quest'affermazione e si rese conto di quanto mistificatoria fosse l'idea che lo studente si era fatto del riconoscimento accademico.

Quella sera scrisse la lezione sulla Chiesa della Ragione, che a differenza dei suoi soliti appunti sbrigativi era molto lunga e sviluppata con grande cura.

Citava, per cominciare, l'articolo di un giornale a proposito della facciata di una chiesa di campagna cui era stata affissa l'insegna luminosa di una marca di birra. L'edificio era stato venduto ed era stato trasformato in un bar. Qualcuno si era lamentato con le autorità ecclesiastiche, e il prete incaricato di rispondere alle critiche si era mostrato piuttosto irritato. Ai suoi occhi, l'episodio rivelava quanto fosse grande l'ignoranza a proposito di cosa fosse veramente una chiesa. S'immaginavano forse i fedeli che una chiesa consistesse in assi, mattoni e vetrate? Sotto le spoglie della devozione si celava qui un esempio di quel materialismo che la Chiesa combatte tanto. L'edificio era stato sconsacrato e quindi il problema non sussisteva.

Fedro disse che la stessa confusione esisteva a proposito dell'Università. L'Università vera non è un oggetto materiale. Non è un insieme di edifici che può essere difeso dalla polizia. Fedro spiegò che quando un College perde il riconoscimento accademico nessuno viene a chiudere la scuola, non ci sono sanzioni legali, né multe, né condanne. Le lezioni non s'interrompono. Tutto continua esattamente come prima. La *vera* Università si limiterebbe a dichiarare che questo posto non è più « consacrato ». La vera Università svanirebbe da quel luogo, lasciandosi dietro soltanto libri e mattoni: la sua mera manifestazione materiale.

Questi concetti dovettero risultare piuttosto strani agli studenti, e immagino che Fedro abbia dovuto aspettare a lungo che le sue idee facessero presa, per poi dover aspettare ancora prima che gli chiedessero: « Cosa pensa che sia la vera Università? ».

I suoi appunti rispondono a questa domanda così:

La vera Università non ha un'ubicazione specifica. Non ha possedimenti, non paga stipendi e non riceve contributi materiali. La vera Università è una condizione mentale. È quella grande eredità del pensiero razionale che ci è stata tramandata attraverso i secoli e che non esiste in alcun luogo specifico; viene rinnovata attraverso i secoli da un corpo di adepti tradizionalmente insigniti del titolo di professori, ma nemmeno questo titolo fa parte della vera Università. Essa è il corpo della ragione stessa che si perpetua.

Oltre a questa condizione mentale, la « ragione »,

c'è un'entità legale che disgraziatamente porta lo stesso nome ma è tutt'altra cosa. Si tratta di una società che non ha scopi di lucro, di un ente statale con un indirizzo specifico che ha dei possedimenti, paga stipendi, riceve contributi materiali e di conseguenza può subire pressioni dall'esterno.

Ma questa Università, l'ente legale, non può insegnare, non produce nuovo sapere e non vaglia le idee. È solo un edificio, la sede della chiesa, il luogo in cui son state create le condizioni favorevoli a che la vera chiesa potesse esistere.

La gente che non riesce a vedere questa differenza, disse Fedro, e crede che il controllo degli edifici della Chiesa implichi il controllo della Chiesa stessa, considera i professori semplici impiegati della seconda Università, che dovrebbero rinunciare alla ragione a comando e ricevere ordini senza discuterli, come fanno gli impiegati delle altre aziende.

Questa gente vede la seconda Università, ma non riesce a vedere la prima.

Dopo queste spiegazioni Fedro tornò all'esempio della chiesa religiosa. I cittadini che costruiscono una chiesa e la sovvenzionano pensano probabilmente al bene della comunità. Un buon sermone può mettere i parrocchiani nello stato d'animo giusto per tutta la settimana. Il catechismo può aiutare i bambini a venir su bene. Il sacerdote che dice messa e dirige il catechismo capisce gli intenti dei parrocchiani e normalmente li asseconda, ma sa anche che il *suo* fine ultimo non è servire la comunità. Il suo fine ultimo è sempre servire Dio. Normalmente non ci sono conflitti, ma talvolta può succedere che ce ne siano, quando i benefattori non condividono i sermoni del sacerdote e minacciano la riduzione dei fondi.

Un vero sacerdote, in una situazione del genere, deve comportarsi come se non avesse neanche sentito le minacce.

Il fine ultimo della Chiesa della Ragione, disse Fedro, è rimasto quello socratico della verità nelle sue forme eternamente mutevoli, una verità che ci viene rivelata dai processi razionali. Tutto il resto è subordinato a questa ricerca. Normalmente questo fine non è in conflitto con quello che si propone la sede legale dell'Università, e cioè di migliorare lo spirito civico, ma talvolta sorgono dei conflitti, come accadde nel caso dello stesso Socrate. E il conflitto sorge quando amministratori e legislatori che hanno dedicato tempo e denaro alla sede dell'Università maturano convinzioni opposte a quelle espresse dai professori. Allora possono far pressione sull'amministrazione, e minacciare il taglio dei fondi.

Il fine ultimo dei professori, però, non è mai quello di servire prioritariamente la comunità, ma di mettere la ragione al servizio della verità.

Ecco cosa intendeva Fedro quando parlava di Chiesa della Ragione. Fedro era considerato una specie di agitatore, ma non venne mai censurato in modo proporzionale al grado di agitazione che provocava. Quello che lo salvò dalla collera di chi lo circondava fu in parte la sua riluttanza ad offrire un qualsiasi appoggio ai nemici del College, ma anche il fatto, che i colleghi riconoscevano a malincuore, che tutto questo suo agitarsi era giustificato in ultima istanza da una missione alla quale essi stessi non potevano sottrarsi: il compito di parlare in nome della verità razionale.

Gli appunti della lezione spiegano quasi tutti i motivi del comportamento di Fedro, ma non il suo fanatismo. Si può anche credere nella verità, nell'esercizio della razionalità ad essa finalizzato, nella resistenza alle ingerenze statali, ma perché mangiarcisi il fegato un giorno dopo l'altro?

Le spiegazioni psicologiche che mi sono state fornite mi sembrano inadeguate. Il « trac da palcoscenico » non può reggere per tanto tempo, e non mi sembra giusta nemmeno la spiegazione secondo la quale Fedro stava cercando di riscattarsi dalla sua precedente sconfitta. Non esiste nessuna prova che egli considerasse la sua espulsione dall'università una sconfitta; per lui fu semmai un enigma. La spiegazione a cui sono giunto scaturisce dalla contraddizione tra la mancanza di fede nella ragione scientifica che Fedro aveva manifestato ai tempi del laboratorio e la fede fanatica che egli espresse nella lezione sulla Chiesa della Ragione. Un giorno, mentre pensavo a questa contraddizione, improvvisamente mi venne in mente che non era affatto una contraddizione. Era proprio la sua mancanza di fede nella ragione che spingeva Fedro a sostenerla con tanto fanatismo.

Non ci si consacra mai a una causa in cui si ha piena fiducia. Nessuno si mette a gridare fanaticamente che domani sorgerà il sole. Quando qualcuno si dà anima e corpo a una fede politica o religiosa o sostiene fanaticamente qualche altro tipo di dogma o di meta, è sempre perché essi sono un po' vacillanti.

La militanza dei gesuiti, che Fedro in qualche modo arieggiava, ne è un esempio. Storicamente il loro zelo non scaturiva dalla forza della Chiesa Cattolica, ma dalla sua debolezza di fronte alla Riforma.

Con la sua mancanza di fede forse si spiega anche perché egli si sentisse tanto vicino agli studenti che venivano bocciati. L'espressione sprezzante sui loro visi rifletteva gli stessi sentimenti che lui nutriva nei confronti dell'intero processo dell'intendere razionale. La sola differenza era che i suoi studenti disprezzavano questo processo perché non lo capivano, mentre lui lo disprezzava perché lo capiva. Dato che non capivano, ai primi non restava che farsi bocciare e ricordarselo con amarezza per il resto della vita. Fedro invece si sentiva fanaticamente obbligato a fare qualcosa. Per questo preparò con tanta cura la lezione sulla Chiesa della Ragione. Disse agli studenti di aver fede nella ragione perché non c'era nient'altro, ma era una fede che lui stesso non aveva.

Non bisogna dimenticare che tutto questo avveniva negli anni Cinquanta e non negli anni Settanta. Si incominciavano appena a sentire le prime proteste dei *beatnik* e degli *hippy* contro il « sistema » e la sua rigida infrastruttura razionale, ma quasi nessuno aveva ancora intuito fino a che punto l'intero edificio sarebbe stato trascinato nel dubbio. Ed ecco che Fedro si leva a difendere fanaticamente un'istituzione, la Chiesa della Ragione, di cui nessuno, quanto meno a Bozeman, Montana, aveva motivo di dubitare. Un Loyola pre-Riforma. Un militante che assicurava a tutti che il giorno dopo il sole sarebbe sorto, quando nessuno lo metteva in dubbio. I dubbi semmai ce li avevano su di *lui*.

Ma ora, dopo il decennio più tumultuoso del secolo, un decennio durante il quale la ragione è stata assalita e minacciata molto più di quanto si sarebbe osato pensare negli anni Cinquanta, penso che capire le sue scoperte ci sia più facile... Una soluzione a tutti i nostri problemi... Se solo fosse vero! Troppi brani delle sue teorie sono andati perduti.

Improvvisamente mi ricordo di Chris, seduto dietro di me, e mi chiedo quanto sa, quanto ricorda.

Arriviamo a un incrocio e svoltiamo a est. Ci resta da valicare un passo non molto alto e poi arriveremo dritti a Bozeman.

14

Valichiamo il passo e scendiamo in una pianura verde. Immediatamente a sud si vedono montagne coperte di foreste di pini, con le vette ancora bianche della neve dell'inverno.

Quella frase, « viaggiare è meglio che arrivare », mi ritorna in mente e non se ne va. Quando raggiungo una meta temporanea come questa vengo còlto da un senso di depressione e devo subito prefiggermi un altro obiettivo. Tra un giorno o due John e Sylvia devono tornare a casa e a Chris e a me toccherà decidere il da farsi. Dobbiamo riorganizzare tutto.

La strada principale ha un'aria vagamente familiare, ma a questo senso di riconoscimento si aggiunge ora quello della mia condizione di turista.

Questa non è affatto una città piccola. La gente ci si muove troppo in fretta ed è troppo incurante degli altri. Facciamo colazione in un ristorante di vetro e cromo che non mi suscita nessun ricordo. Ha l'aria di esser stato costruito dopo che Fedro se ne è andato e soffre della stessa mancanza di personalità che caratterizza la strada principale.

Vado a prendere una guida del telefono, cerco il numero di Robert DeWeese ma non lo trovo. Chiamo la centralinista che mi dice che il nome non le risulta. Non riesco a crederci! Che tutto sia solo frutto dell'immaginazione di Fedro? Poi mi ricordo che i DeWeese hanno risposto alla lettera in cui annunciavo che stavamo arrivando e mi tranquillizzo.

John mi suggerisce di chiamare il Dipartimento di Arte o qualche amico. Vado avanti per un po' a fumare e a bere caffè, e quando mi sento di nuovo rilassato seguo il suo consiglio e rintraccio DeWeese. Non è la tecnologia che fa paura, ma quello che può fare dei rapporti tra la gente, per esempio di quello tra utenti e centralinisti.

Ci devono essere meno di quindici chilometri dalla città alle montagne, e ora li facciamo su strade di terra battuta in mezzo a un trifoglio alto di un verde intenso, maturo per la falce, talmente fitto che camminarci non dev'essere facile. I prati si estendono fino alla base delle montagne dove spicca all'improvviso il verde molto più scuro dei pini. È là che vivono i DeWeese. Il vento è carico del profumo dell'erba appena falciata frammisto agli odori del bestiame.

Ai bordi della foresta la strada è coperta da uno strato di ghiaia. Rallento, metto la prima e procedo a quindici all'ora tenendo tutti e due i piedi giù dai pedalini per raddrizzarmi se la motocicletta si mette a sbandare. Dopo una curva ci troviamo all'improvviso in mezzo ai pini, all'imbocco di un canyon dalle pareti scoscese. Di fianco a noi c'è una grande casa grigia con un'enorme scultura astratta, di ferro, attaccata a un lato. Sotto, con le spalle alla casa — sembra uscita dalle vecchie foto —, c'è l'immagine vivente di De Weese che ci fa cenni di saluto. Ha in mano una lattina di birra ed è con una coppia di amici.

Sono talmente impegnato a tener dritta la moto che non posso togliere le mani dal manubrio e per rispondere agito la gamba. Quando ci fermiamo l'immagine vivente di DeWeese sorride.

« Ci avete trovato » dice. Sorriso rilassato. Occhi felici.

« Ne è passato di tempo » rispondo, e mi sento felice anch'io. Però mi fa uno strano effetto vedere all'improvviso l'immagine che parla e si muove.

Smontiamo e raggiungiamo gli altri.

Con un'aria da « non è che sappia molto come si fanno queste cose » DeWeese fa il giro delle presentazioni. I suoi ospiti sono un professore di disegno del College, con gli occhiali cerchiati di tartaruga, e sua moglie, che sorride con aria impacciata. Devono essere nuovi.

Parliamo un po', soprattutto DeWeese che spiega agli ospiti chi sono, poi, d'un tratto, arriva Gennie DeWeese con un vassoio di lattine di birra. È pittrice anche lei e non tardo ad accorgermi che afferra le cose al volo, tanto che ci scambiamo un sorriso sull'economia artistica del prendere una lattina di birra invece della sua mano. « Sono appena venuti dei vicini con una montagna di trote per la cena » ci informa. « Che bellezza! ». Cerco una risposta adatta ma poi mi limito ad annuire. Ci sediamo; io mi metto al sole, e da lì mi è difficile cogliere i dettagli della zona in ombra, dove sono seduti gli altri.

DeWeese mi guarda, sembra sul punto di far commenti sul mio aspetto — sono indubbiamente molto diverso da come mi ricorda —, ma invece si rivolge a John per informarsi del viaggio.

« È stato magnifico » dice John. « Io e Sylvia ne avevamo bisogno da anni ».

« Poter stare all'aperto, con tutto questo spazio intorno! » gli fa eco Sylvia.

« Ce n'è di spazio, nel Montana » dice DeWeese con un filo di malinconia, e insieme a John e al professore di disegno si lancia in una conversazione rompighiaccio sulle differenze tra Montana e Minnesota.

Un cavallo pascola pacifico poco lontano, e appena più in là luccica l'acqua di un torrente. Ora si parla di DeWeese. Da quanto tempo vive qui e com'è insegnare al College? John ha un vero e proprio talento per la conversazione, una dote che io non ho mai avuto.

Dopo un po' al sole fa così caldo che devo togliermi il pullover e slacciare la camicia. Per non strizzare gli occhi inforco un paio di occhiali da sole. Così va meglio, ma con le lenti scure non riesco più a distinguere i volti nell'ombra e ho la sensazione di essere come visivamente staccato da tutto eccetto che dal sole e dai ripidi pendii del canyon.

Dopo un po' sento dei commenti di John su « questa stella del cinema » e mi accorgo che sta parlando di me e dei miei occhiali da sole. Lancio un'occhiata nell'ombra al di sopra delle lenti e intravedo DeWeese, John e il professore di disegno che mi sorridono. Probabilmente mi vogliono trascinare nella conversazione, che adesso verte sui problemi del viaggio.

« Vogliono sapere cosa succede se c'è un guasto » dice John.

Racconto la storia di quella volta della benzina, ma mentre parlo mi accorgo che come risposta è un po' insensata, anche se suscita le prevedibili risate.

« E sì che glielo avevo detto di controllare » dice Chris.

Sia DeWeese che Gennie commentano la statura di mio figlio. Chris è tutto fiero.

Alla fine il calore del sole diventa insostenibile e sposto la mia sedia all'ombra, e pochi minuti dopo mi devo riabbottonare la camicia. Gennie se ne accorge. « Appena il sole va dietro quella cresta fa freddo davvero » mi dice.

I miei pensieri vanno alla deriva e tornano a quella frase sulla crescita di Chris, e all'improvviso mi assale quella sensazione della tomba. Io ho sentito parlare soltanto indirettamente del periodo in cui Chris visse qui, eppure sembra che per loro sia appena partito. Viviamo in strutture temporali del tutto diverse.

Adesso parlano delle novità in campo artistico, musicale e teatrale e rimango sorpreso della scioltezza di John. Sono cose che a me non interessano molto, e lui probabilmente lo sa, perché con me non ne parla mai. La situazione si è ribaltata. Mi chiedo se in questo momento ho l'occhio vitreo come John quando gli parlo di bielle e pistoni.

Ma lui e DeWeese hanno in comune soprattutto me e Chris, e dopo la frase della stella del cinema si è venuto creando uno strano disagio. La bonaria ironia di John nei confronti del suo vecchio compagno di viaggi e di bevute imbarazza DeWeese, che reagisce rivolgendosi a me con un rispetto eccessivo, rinfocolando l'ironia di John in un circolo vizioso. Allora cercano un argomento di conversazione meno pericoloso, ma appena ricominciano a parlare di me ecco di nuovo quel senso di disagio.

« Comunque, » fa John « questo bel tipo ci aveva detto che saremmo rimasti un po' delusi, arrivando qui. Be', non ci siamo ancora ripresi dalla 'delusione' ».

Rido. Anche DeWeese sorride, ma ecco che John si gira verso di me e mi dice: « Dio, dovevi essere proprio *matto*, ma proprio matto da legare per andartene da un posto così! Che importanza ha quello che succede al College? ».

DeWeese rimane a bocca aperta. Poi sembra proprio furioso. Mi lancia un'occhiata, ma gli faccio cenno di lasciar perdere. « Certo, il posto è magnifico » dico debolmente.

« Se dovessi restare qui per un po' » interviene DeWeese in tono difensivo « vedresti anche il rovescio della medaglia ». Il professore di disegno assente.

Segue un silenzio senza via d'uscita. John non intendeva essere scortese. È una delle persone più gentili che conosco. Ma c'è una cosa che John e io sappiamo e DeWeese no: che la persona di cui parliamo non vale granché di questi tempi. È un qualsiasi borghese di mezza età, preoccupato più che altro di suo figlio.

Ma DeWeese e io sappiamo una cosa che i Sutherland non sanno: che una volta qui viveva una persona che era un vulcano di idee assolutamente nuove. Ma poi successe qualcosa, qualcosa che né io né DeWeese riusciamo ancora adesso a capire. Il disagio che si è creato è dovuto al fatto che DeWeese crede di avere davanti la persona di un tempo, e non c'è modo di spiegargli che non è così.

« Vedeva troppe cose » dico, seguendo il corso dei miei pensieri. DeWeese rimane interdetto e John non batte ciglio. Mi accorgo del *non sequitur* troppo tardi. In lontananza un uccello solitario lancia un grido lamentoso.

Il sole è sparito all'improvviso dietro la montagna e tutta la gola è immersa in un'ombra opaca.

Penso tra me com'era fuori luogo la mia uscita. Queste cose non si dicono. È una delle condizioni per uscire dall'ospedale.

Ricompare Gennie insieme a Sylvia e ci suggerisce di disfare i bagagli. Ci accompagna nelle nostre stanze e vedo che il mio letto ha una pesante trapunta. La stanza è bellissima.

Riesco a trasportare tutto dalla moto alla camera in tre riprese. Poi vado in camera di Chris a controllare che sia tutto a posto e lo trovo che fa il 'grande', allegro e senza bisogno d'aiuto.

Lo guardo e gli chiedo: « Ti piace? ».

« Bello, » mi fa « ma non è per niente come mi avevi detto ieri sera ».

« Quando? ».

« Prima di dormire, nel bungalow ».

Non so di che cosa stia parlando.

« Hai detto che ci si sentiva soli, qui » aggiunge.

« Perché avrei dovuto dirti una cosa del genere? ».

« A me, lo chiedi? ». La mia domanda lo frustra, così lascio perdere. Si vede che sognava.

Quando scendiamo in salotto sento il profumo delle trote che friggono in cucina. DeWeese è chinato sul caminetto e sta appiccando fuoco a dei giornali sotto le fascine. Lo stiamo a guardare per un attimo.

« Usiamo questo caminetto per tutta l'estate » ci dice.

« Mi sorprende che faccia così freddo » gli rispondo.

Anche Chris dice che ha freddo e lo mando su a prendere due pullover.

« È il vento della sera » dice DeWeese. « Scende nel canyon dalle montagne, dove fa un freddo cane ».

Mi torna in mente un frammento: un vento notturno che soffia intorno a un fuoco all'aperto, al riparo della roccia perché non ci sono alberi. Lì accanto ci sono gli zaini per riparare il fuoco dal vento e la roba per cucinare e una borraccia piena di neve sciolta. Bisognava far provvista d'acqua nel primo pomeriggio, perché dopo il tramonto al di sopra del limite dei boschi la neve non si scioglie più.

« Sei molto cambiato » dice DeWeese. Mi fruga con gli occhi, come a chiedere se ha toccato un tasto proibito. Guardandomi intuisce di sì. « Immagino che lo siamo un po' tutti » aggiunge.

« Non sono più la stessa persona » rispondo, e lui sembra subito molto più tranquillo. Se sapesse fino a che punto è vero sarebbe molto *meno* tranquillo.

« Sono successe un sacco di cose, » gli dico « e per varie ragioni bisogna proprio che alcune le chiarisca, almeno nella mia testa. È per questo, in parte, che sono venuto qui ».

DeWeese mi guarda, aspettando che aggiunga qualcosa, ma il professore di disegno si avvicina al camino con sua moglie e lasciamo cadere l'argomento.

Chris ritorna con i pullover e chiede se giù nel canyon ci sono i fantasmi.

DeWeese lo guarda divertito e risponde: « No, ma ci sono i lupi ».

Chris ci pensa su e gli chiede: « E *loro* cosa fanno? ».

« Creano un sacco di problemi ai ranch » risponde DeWeese. « Uccidono i vitellini e gli agnelli ». Chris corruga la fronte.

« E gli uomini no? » domanda.

« Che io sappia, non è mai capitato » dice DeWeese, ma poi, vedendo che Chris ci è rimasto male, aggiunge: « Però potrebbero farlo benissimo ».

Le trote di torrente vengono servite con Chablis della California. Sediamo qua e là su poltrone e divani, limitando la conversazione a mormorii di approvazione.

Sylvia chiede piano a John se ha notato i grandi vasi disseminati per la stanza.

« Li stavo proprio guardando » fa John. « Fantastici ».

« Sono di Peter Voulkas » dice Sylvia.

« Dici *sul serio*? ».

« Era un allievo di DeWeese ».

« Oddio! Se penso che stavo rovesciandone uno! ». DeWeese ride.

Dopo un po' John borbotta qualcosa, alza gli occhi e annuncia: « Ecco... questo è esattamente quello che ci mancava. Adesso possiamo tornarcene per altri otto anni in Colfax Avenue ».

« Cambiamo discorso » dice Sylvia con voce lugubre.

John mi guarda per un momento. « Penso che chiunque abbia degli amici in grado di offrire una serata come questa non sia poi tanto male ». Annuisce con gravità. « Dovrò ricredermi su tutto quello che pensavo sul tuo conto ».

« Proprio su tutto? » gli chiedo.

« Be', almeno un po' ».

DeWeese e il professore sorridono e l'atmosfera si distende.

Dopo cena arrivano Jack e Wylla Barsness. Altre immagini viventi. Jack è registrato nei ricordi tombali come una brava persona che insegna inglese al College e scrive. Il loro arrivo è seguito da quello di uno scultore del Montana settentrionale che alleva pecore per guadagnarsi il pane. Da come DeWeese me lo presenta mi pare di capire che non l'ho mai conosciuto.

DeWeese dice che sta cercando di convincere lo scultore ad andare a insegnare al College. « Cercherò di dissuaderlo » ribatto e mi siedo accanto a lui, ma la conversazione è un po' tesa. Lo scultore ha un'aria severa e sospettosa, evidentemente perché non sono un artista. Si comporta come se fossi un detective che cerca delle prove a suo carico, e si rilassa solo quando scopre che sono un appassionato della saldatura. La manutenzione della motocicletta apre strane porte. Mi dice che certe saldature le fa per gli stessi motivi per cui le faccio io. Quando sei diventato abbastanza abile, la saldatura ti dà una tremenda sensazione di potere e di controllo sul metallo. Puoi fare qualsiasi cosa. Poi tira fuori le fotografie degli oggetti che ha creato con la saldatura e vedo uccelli bellissimi e animali dalla liscia superficie metallica, molto insoliti.

Dopo un po' vado a sedermi vicino a Jack. Lui sta per andarsene da Bozeman: avrà la direzione del Dipartimento di Inglese giù a Boise, Idaho. Il giudizio che ha del Dipartimento di qui sembra negativo, anche se lui non si sbottona. Del resto se non lo giudicasse male non se ne andrebbe. Ora mi pare di ricordare che Barsness era più un romanziere che insegnava l'inglese che uno studioso sistematico. Nel Dipartimento le controversie a questo proposito erano senza fine e furono uno degli spunti per le folli, inaudite idee di Fedro. Jack era un sostenitore di queste idee, non tanto perché ci capisse qualcosa, ma perché intuiva che erano più consone a uno scrittore di quanto non lo fosse l'analisi linguistica. È una controversia vecchia come quella tra arte e storia dell'arte. C'è chi la fa e c'è chi la descrive e sembra che i due tronconi non combacino mai.

DeWeese va a prendere le istruzioni per il montaggio di un barbecue: vuole un mio giudizio professionale. Ci ha perso un intero pomeriggio e adesso vuole sentire che fanno schifo dalla bocca di qualcuno.

A prima vista mi sembrano delle istruzioni normalissime, ma naturalmente non voglio dirlo. Non si può sapere se delle istruzioni sono ben fatte se non mettendole in pratica, e a un certo punto noto che le illustrazioni e gli schemi non hanno il testo a fronte, per cui bisogna saltabeccare continuamente dal testo all'illustrazione e viceversa. Mi attacco a questo particolare e DeWeese mi incoraggia. Chris prende le istruzioni per capire quello che sto dicendo, ma intanto mi sorge il dubbio che non sia questo il motivo per cui DeWeese ha trovato le istruzioni tanto astruse. È solo la mancanza di scorrevolezza e di continuità che l'ha messo fuori gioco. Lui è incapace di capire lo stile spezzettato e grottesco che caratterizza la prosa dei libri tecnici. La scienza procede per particolari, dando per scontata la continuità, mentre DeWeese si basa soltanto sulla continuità, dando per scontati i particolari. In realtà, lui vuole che io stigmatizzi la mancanza di continuità artistica, mancanza insignificante per un tecnico. Siamo di nuovo alle prese con la spaccatura classico-romantica, come sempre quando c'è di mezzo la tecnologia.

Nel frattempo, Chris ha preso le istruzioni e sistema i fogli in un modo che non mi era venuto in mente, così che l'illustrazione viene a trovarsi esattamente accanto al testo. Che botta! C'è un attimo di silenzio, e poi scoppia una lunga risata che mi scatena istinti omicidi verso mio figlio. Quando la risata si affievolisce dico: « Be', comunque... » ma un secondo scoppio di ilarità copre le mie parole.

« Volevo dire » — alla fine riesco a farmi sentire — « che a casa ho un libretto di istruzioni che apre grandi prospettive al miglioramento della prosa tecnica. Comincia così: " Il montaggio della bicicletta giapponese richiede una grande pace mentale " ».

Questo scatena altre risate, ma Sylvia, Gennie e lo scultore, seri, mi guardano con l'aria di capire.

« Queste sì che sono *buone* istruzioni » fa lo scultore, e Gennie annuisce.

« È più o meno per questo che ho tenuto il libretto » ribatto. « Prima mi è venuto da ridere ripensando alle biciclette che avevo montato e poi perché non mi sembrava molto lusinghiero per le fabbriche giapponesi. Invece è un'affermazione molto saggia ».

John mi guarda con apprensione e io ricambio l'occhiata. Ridiamo entrambi, mentre lui annuncia: « Ora il professore vi illustrerà ».

« La pace mentale non è affatto un dettaglio superficiale » illustro. « È la cosa fondamentale, e senza una buona manutenzione, non c'è pace mentale. Quella che noi chiamiamo efficienza della macchina non è che il concretarsi di questa pace mentale. Il criterio ultimo è sempre la vostra serenità. Se non siete sereni quando incominciate a lavorare, e andando avanti continuate a non esserlo, rischiate di trasferire i vostri problemi personali sulla macchina ».

Gli altri mi guardano pensierosi.

« Non è un concetto convenzionale, » continuo « ma è proprio la razionalità convenzionale a confermarlo. Nell'oggetto di per sé, che sia una bicicletta o un barbecue, non c'è nulla di giusto o di sbagliato.

Le molecole sono molecole, e non seguono codici morali se non quelli che gli attribuiamo noi. Il solo criterio per giudicare una macchina è il grado di soddisfazione che vi dà ».

« E se nella macchina c'è qualcosa di sbagliato e io mi sento perfettamente tranquillo? » domanda De-Weese.

Risate.

« È contraddittorio » gli rispondo. « Se *davvero* non te ne importa niente non ti accorgi nemmeno che c'è qualcosa di sbagliato. Non ti viene neanche in mente. Il solo fatto di dire che c'è qualcosa di sbagliato significa che ci tieni ».

« Invece è più comune non sentirsi tranquilli anche quando tutto va bene, come in questo caso, mi pare » aggiungo. « Se sei preoccupato, c'è qualcosa di sbagliato. In questo caso vuol dire che non è stato fatto un controllo completo. In qualsiasi contesto industriale una macchina che non sia stata controllata non può essere usata, anche se magari funziona perfettamente. Lo stesso vale per il tuo barbecue. Non hai realizzato fino in fondo l'esigenza basilare, che è quella di raggiungere la pace mentale, perché hai pensato che queste istruzioni fossero troppo complicate e ti sei messo in testa che non saresti riuscito a capirle ».

« E allora che cambiamenti faresti in queste istruzioni per farmi raggiungere la pace mentale? ».

« Bisognerebbe che le esaminassi con molta più attenzione. Il problema ha radici molto profonde. Queste istruzioni per il barbecue incominciano e finiscono esclusivamente con l'apparecchio, ma il tipo di approccio che ho in mente io non affronta il problema da un punto di vista così ristretto. Quello che è irritante nelle istruzioni di questo tipo è che partono dal presupposto che ci sia un solo modo di montare un barbecue: il *loro*. E questo presupposto esclude qualsiasi intervento creativo. In realtà di modi ce ne sono cento, e quando ti costringono a seguirne uno solo, senza mostrarti il problema complessivo, diventa difficile seguirlo senza fare errori. È un lavoro che si fa senza slancio. Oltre tutto, è molto improbabile che il loro modo sia il migliore ».

« Ma se vengono dalla *fabbrica* » fa John.

« Vengo dalla fabbrica anch'io, » ribatto « e so benissimo come si fanno le istruzioni. Vai alla catena di montaggio con un registratore, il caporeparto ti fa parlare con l'operaio di cui ha meno bisogno, il più scemo, e quello che ti racconta lui, be', quelle sono le istruzioni. Un altro operaio ti avrebbe detto qualcosa di completamente diverso, probabilmente più sensato, ma aveva altro da fare ».

Rimangono tutti sorpresi.

« Me lo potevo ben immaginare » dice DeWeese.

« Non c'è niente da fare » dico. « Per la tecnologia c'è un solo modo di fare le cose, e quindi è ovvio che le istruzioni comincino e finiscano con il barbecue. Invece, dovendo scegliere tra un numero infinito di modi per montarlo, bisogna prendere in considerazione il rapporto tra te e la macchina e il rapporto tra te, la macchina e tutto il resto, perché la selezione, e con essa l'*arte* del lavoro, dipende tanto dalla tua mente e dal tuo spirito quanto dalla materia della macchina. Ecco perché ci vuole la pace mentale.

« In realtà quest'idea non è poi così strana » continuo. « Provate a osservare un apprendista o un operaio scadente e paragonate la sua espressione a quella di un artigiano di prim'ordine e vedrete la differenza. L'artigiano non si attiene mai alle istruzioni. Decide man mano quel che deve fare; sarà concentrato e attento senza il minimo sforzo. I suoi movimenti e la macchina sono come in sintonia. È la natura della materia su cui lavora a determinare i suoi pensieri e i suoi movimenti, e questi, a loro volta, cambiano la natura della materia. La materia e i pensieri dell'artigiano si trasformano insieme, cambiando gradualmente, fino al momento in cui la mente è in quiete e la materia ha trovato la sua forma ».

« Come nell'arte » dice il professore.

« Be', *è* arte » ribatto. « Questa frattura tra arte e tecnologia è del tutto innaturale, solo che dura da talmente tanto tempo che bisognerebbe essere archeologi per scoprire da quando. Il montaggio di un barbecue in realtà non è che una branca della scultura ormai dimenticata, staccata dalle sue radici da secoli di deviazioni intellettuali, tanto che ormai sembra ridicolo anche solo cercare di associare le due cose ».

Non sanno bene se sto scherzando o no.

« Vorresti dire » chiede DeWeese « che quando stavo montando questo barbecue, in realtà facevo della scultura? ».

« Certo ».

Ci pensa e sembra sempre più divertito. « Se solo l'avessi saputo! » dice alla fine. Risate.

Chris dice che non capisce quello che dico.

« Non ti preoccupare, Chris » gli fa Jack Barsness. « Non ci capiamo niente neanche noi ». Altre risate.

« Penso che mi atterrò alla scultura ordinaria » dice lo scultore.

« Penso che mi limiterò alla pittura » dice De Weese.

« Penso che mi limiterò alla batteria » dice John.

« E tu? » mi domanda Chris.

« Per me ci sono soltanto le mie pistole, ragazzo, le mie pistole » gli dico. « Questa è la legge del West ».

A questa uscita scoppiano tutti a ridere e le mie lunghe disquisizioni sembrano perdonate. Quando si ha in testa un Chautauqua è estremamente difficile non infliggerlo agli amici innocenti.

Alla fine della serata rimango solo con DeWeese e Gennie, e lui torna sull'argomento. « È interessante quello che dicevi sulle istruzioni per il barbecue » mi dice tutto serio.

« Sembra un problema su cui hai riflettuto a lungo » aggiunge Gennie, seria a sua volta.

« Vent'anni » rispondo.

Aggiungo, quasi tra me: « Cerchi di capire dove

stai andando e dove sei, e ti sembra che la tua vita non abbia senso. Ma quando dài uno sguardo indietro si delineano delle costanti, e se ti proietti in avanti partendo da quelle, a volte ti capita di scoprire qualcosa.

« Tutto il mio discorso sulla tecnologia e l'arte ha le sue radici in una costante che sembra si sia delineata a partire dalla mia stessa vita. Rappresenta una specie di salto al di là, al di là di qualcosa che un sacco di altra gente, credo, sta cercando di trascendere ».

« E cioè? ».

« Be', non si tratta solo dell'arte e della tecnologia, ma di una specie di mancata fusione tra ragione e sentimento. Quello che non va nella tecnologia è che non ha nessuna connessione con la sfera spirituale né con quella affettiva. E così crea a casaccio cose cieche e brutte e si fa odiare. Prima la gente non ci ha fatto caso, perché la preoccupazione principale era quella del cibo, del vestiario e di un tetto per tutti, e la tecnologia ce li ha forniti. Ma adesso che tutto ciò è assicurato, la bruttezza comincia a farsi notare ogni giorno di più e la gente si chiede se per soddisfare i propri bisogni materiali sia indispensabile questa continua sofferenza spirituale ed estetica. Ultimamente è diventata quasi una crisi nazionale — campagne contro l'inquinamento, comuni antitecnologiche e via dicendo ».

DeWeese e Gennie danno ormai per scontate queste cose e non c'è bisogno di commenti, per cui continuo: « Se parto dalla costante della mia vita mi convinco sempre più che la crisi attuale è causata dal fatto che le forme di pensiero esistenti sono inadeguate alla situazione. Non si può trovare una soluzione razionale perché la fonte del problema è la razionalità stessa. Gli unici che lo stanno risolvendo lo fanno a livello personale, abbandonando la mentalità *square* e lasciandosi guidare soltanto dai sentimenti. Come John e Sylvia, e milioni di altri come loro. Ma neanche questa ha l'aria di essere la direzione giusta. Secondo me, la soluzione del problema non è quella di abbandonare la razionalità, ma di ampliarne la natura rendendola capace di trovare una soluzione ».

« Ho paura di non capire cosa vuoi dire » dice Gennie.

« Be', è un espediente per superare il blocco. Siamo bloccati come era bloccato Newton quando si propose di risolvere il problema delle variazioni istantanee, le flussioni. Allora era inconcepibile pensare che qualcosa potesse cambiare in un tempo zero. Tuttavia in matematica era già necessario lavorare con quantità nulle, come il punto, che è uno zero nello spazio e nel tempo. E questo non sembrava inconcepibile a nessuno. Quindi Newton disse proprio questo: " Dovremo *supporre* che esista qualcosa come la variazione istantanea, e vedere di trovare i modi per determinarne la natura in varie applicazioni ". Il risultato di questa supposizione è la branca della matematica conosciuta come calcolo differenziale, utilizzato al giorno d'oggi da ogni tecnico. Newton *inventò* una forma nuova della ragione. Riuscì ad ampliare la ragione in modo da poterla usare per trattare le variazioni infinitesimali; e sono convinto che anche ora, per poter far fronte alla bruttezza tecnologica, sia necessario un ampliamento analogo. Il problema sta nel fatto che l'ampliamento deve essere operato alle radici, e non nei rami, ed è questo che lo rende difficile.

« Viviamo in un'epoca di sconvolgimenti, le vecchie forme di pensiero sono inadeguate alle nuove esperienze. Si dice che è soltanto quando si rimane bloccati che si impara veramente; allora, invece di ampliare i rami di quello che già si conosce, bisogna fermarsi e lasciarsi andare alla deriva finché non ci si imbatte in qualcosa che consenta di ampliare le radici. È un fenomeno noto a tutti. Credo che lo stesso valga nel caso di un'intera civiltà: viene il momento in cui è necessario ampliare le radici.

Se consideri gli ultimi tremila anni, retrospettivamente ti pare di distinguere con chiarezza le concatenazioni di cause ed effetti che hanno fatto sì che le cose diventassero quello che sono. Ma se risali alle fonti originali, scopri che ai contemporanei queste cause non erano mai palesi. Durante i periodi di ampliamento delle radici le cose sono sempre sembrate confuse, sottosopra e senza scopo come oggi. Si dice che il Rinascimento non sia altro che il risultato della scoperta del Nuovo Mondo da parte di Colombo. Il mondo era sconvolto, ne troviamo testimonianze ovunque. Nelle Sacre Scritture, che sostenevano che la terra fosse piatta, non c'era niente che lasciasse prevedere questa scoperta. Eppure non si poteva negarla. L'unico modo per assimilarla fu quello di abbandonare del tutto la visione medioevale del mondo e metter mano a un ampliamento della ragione.

« Cristoforo Colombo è diventato un tale stereotipo da libri di scuola che ormai è difficile vederlo come uomo. Ma se ci sforziamo di cancellare la nostra conoscenza attuale delle conseguenze del suo viaggio e ci mettiamo nei suoi panni, ci rendiamo conto che la nostra esplorazione della luna è una bazzecola in confronto alla sua impresa. L'esplorazione della luna non implica un radicale ampliamento del pensiero, perché non è che una ramificazione di quanto fece Colombo. Un'esplorazione davvero nuova, una che ci facesse la stessa impressione che fece al mondo quella di Colombo, dovrebbe avvenire in una direzione completamente diversa ».

« E cioè? ».

« Cioè nei regni al di là della ragione. Penso che la ragione di oggi sia analoga alla terra piatta medioevale. Se ci si spinge troppo in là, con ogni probabilità si precipita — nella follia. E di questo la gente è terrorizzata. Come la paura delle eresie. In questo caso c'è un'analogia molto stretta.

« Ma ora, più passano gli anni meno la nostra vecchia terra piatta, la nostra ragione convenzionale è in grado di affrontare l'esperienza cui siamo sottoposti, e sono sempre di più quelli che si rivolgono ai campi irrazionali del pensiero: occultismo, misticismo, droga e via dicendo, perché sentono l'incapacità della ragione classica di affrontare le esperienze che loro sanno reali ».

« Non capisco bene cosa intendi per ragione *classica* ».

« La ragione analitica, dialettica. Il tipo di procedimento razionale che talvolta all'Università è considerato come la totalità dell'intelligibile. A te non è mai toccato di *doverla* capire, perché rispetto all'arte astratta è sempre stata un disastro. L'arte non figurativa è una delle esperienze di ampliamento delle radici di cui parlavo. C'è ancora chi la condanna perché non ha ' senso '. Qui però non è l'arte che è in causa, ma il ' senso ', la ragione classica che non riesce a comprenderla. La gente continua a cercare delle ramificazioni della ragione che possano abbracciare le manifestazioni artistiche più recenti, ma le risposte non sono nei rami, sono alla radice ».

Dalle montagne scende furiosa una raffica di vento. « Gli antichi greci, » continuo « che furono gli inventori della ragione classica, avevano il buon senso di non usare solo quella per predire il futuro. Lo predicevano ascoltando il vento. Adesso sembra una follia, ma perché mai gli inventori della ragione avrebbero dovuto essere folli? ».

DeWeese stringe gli occhi. « Come facevano a predire il futuro col vento? ».

« Non so, forse nello stesso modo in cui un pittore può predire il futuro del suo quadro guardando la tela. Tutto il nostro sistema di conoscenza deriva dai risultati del pensiero greco, e noi dobbiamo ancora capire i metodi che producono questi risultati ».

Rifletto un momento, poi domando: « L'ultima

volta che sono stato qui ho parlato molto della Chiesa della Ragione? ».

« Sì, ne hai parlato molto ».

« Ho mai parlato di un certo Fedro? ».

« No ».

« Chi era? » chiede Gennie.

« Era un antico greco... un retore... uno dei più grandi del suo tempo. Quando si stava inventando la ragione, lui c'era. I retori dell'antica Grecia furono i primi professori della storia del mondo occidentale. Platone li calunniò in tutte le sue opere per tirare acqua al suo mulino, e poiché tutto ciò che sappiamo di loro ci è tramandato quasi interamente da lui, si dà il caso che la storia ci abbia tramandato la loro condanna senza dar loro la possibilità di difendersi. La Chiesa della Ragione di cui parlavo fu fondata sulle loro tombe e si regge ancora oggi sulle loro tombe. E se scavi a fondo nelle sue fondamenta ti imbatti nei loro fantasmi ».

Guardo l'orologio; sono le due passate. « È una storia lunga » dico.

« Dovresti scriverla » dice Gennie.

Annuisco. « Sto pensando di stendere una serie di saggi-conferenze — una specie di Chautauqua. Ho cercato di elaborarle mentalmente in moto, venendo qui... per questo forse sembro così preparato.

« Il problema è che i saggi bisogna scriverli come se si fosse Dio e si parlasse per l'eternità, e invece non è mai così. La gente dovrebbe capire che chi scrive non è che una persona che parla da un punto preciso dello spazio e del tempo. Un'opera di saggistica non è mai stata niente di più, ma è difficile farlo capire in un saggio ».

« Tutto questo ha qualcosa a che vedere con il lavoro che stavi facendo sulla ' Qualità '? » domanda De-Weese.

« Ne è la diretta conseguenza » gli rispondo.

Mi viene in mente una cosa e lo guardo. « Ma non mi avevi consigliato di lasciar perdere? ».

« Ti avevo solo detto che nessuno era mai riuscito a fare quello che stavi cercando di fare tu ».

« Ma credi che sia possibile? ».

« Non so. Chissà? » dice con aria molto partecipe. « Al giorno d'oggi un sacco di gente ascolta meglio, soprattutto i ragazzi. Loro ascoltano davvero... e non solo *ti* ascoltano... ascoltano *te* ».

Il vento soffia sempre più forte, facendo risuonare ogni parte della stanza.

« Continuo ad ascoltare il vento » gli dico. « Credo che quando i Sutherland se ne saranno andati Chris e io ci arrampicheremo fin lassù, dove si alza il vento. Penso che sia ora che Chris conosca meglio questo paese ».

« Puoi partire proprio da qui, » dice DeWeese « e salire da dietro su per il canyon. Non ci sono strade per più di cento chilometri ».

Una volta di sopra mi spoglio in fretta e mi infilo sotto la trapunta, giù fino in fondo dove fa caldo, molto caldo, e penso a lungo ai campi di neve, ai venti e a Cristoforo Colombo.

15

Per due giorni John, Sylvia, Chris e io bighelloniamo, chiacchieriamo e facciamo dei giri in moto. Poi John e Sylvia devono tornare a casa. Per l'ultima volta lasciamo il canyon e scendiamo tutti insieme verso Bozeman.

Davanti a noi, Sylvia si è girata per la terza volta, evidentemente per accertarsi che vada tutto bene. È stata molto tranquilla negli ultimi due giorni. Ieri ho intercettato una sua occhiata apprensiva, quasi spaventata. Si preoccupa troppo per Chris e per me.

In un bar di Bozeman beviamo l'ultima birra, e io discuto con John la strada del ritorno. Poi ci diciamo com'è stato bello e ci vediamo eccetera, ed è molto triste, tutt'a un tratto, dover parlare così — come conoscenti casuali.

Lungo la strada Sylvia tace e poi dice: « Andrà tutto bene. Non c'è motivo di preoccuparsi ».

« Ma certo » ribatto.

Ed ecco spuntare la stessa espressione spaventata.

John ha avviato il motore e la sta aspettando. « Ti credo » le dico.

Monta sulla moto e controlla con John il traffico per vedere quand'è il momento di mettersi in strada. « Ci vediamo » dico.

Lei ci guarda di nuovo, questa volta senza espressione. John sfrutta il momento giusto e si infila nella corsia. Poi un cenno di saluto, come in un film.

Chris e io ci guardiamo senza dire una parola.

Passiamo una parte della mattinata seduti su una panchina del parco con la targhetta RISERVATO AGLI ANZIANI, poi mangiamo qualcosa e a una stazione di servizio faccio cambiare la gomma e montare un nuovo tendicatena. Nell'attesa facciamo due passi fuori dalla strada principale. Arriviamo a una chiesa e ci sediamo sul prato di fronte. Chris si sdraia sull'erba e si copre gli occhi con la giacca.

« Stanco? » gli chiedo.

« No ».

Le onde di calore fanno tremolare l'aria. Mi sento sempre più pigro; mi sdraio per dormire un po', ma non ci riesco. Mi assale invece un senso di irrequietezza e mi alzo.

« Facciamo una passeggiata » propongo a Chris.

« Da che parte? ».

« Verso il College ».

« D'accordo ».

Passeggiamo sotto alberi ombrosi, su marciapiedi pulitissimi davanti a case pulite. Riconosco molte cose. Ricordi intensi che sono come tante piccole sorprese. Lui ha camminato molte volte per queste strade. Preparava le sue lezioni alla maniera peripatetica, usando queste strade come la sua accademia.

La disciplina per la quale l'avevano chiamato era la retorica. Doveva tenere dei corsi di inglese per gli studenti dei primi anni e insegnare loro l'arte dello scrivere.

« Ti ricordi questa strada? » domando a Chris.

« Mi ricordo che ci venivamo in macchina a cercarti » risponde dopo essersi guardato intorno. « Mi ricordo quella casa con il tetto strano... chi ti vedeva per primo vinceva una monetina. Poi ci fermavamo per farti salire sul sedile di dietro e tu non ci dicevi neanche una parola ».

« Pensavo molto, allora ».

« È quello che diceva la mamma ».

Lui pensava *davvero* molto. E, come se il peso schiacciante dell'insegnamento non fosse abbastanza, lui capiva, nel suo modo preciso e analitico, che la sua materia era indubbiamente la più imprecisa, la più amorfa e la meno analitica di tutta la Chiesa della Ragione. Per questo pensava tanto. Per una mente metodica, esercitata in laboratorio, la retorica è assolutamente scoraggiante.

Per lo più, in un corso di retorica per matricole, è di rito leggere un saggio o un racconto breve, discutere certi piccoli espedienti usati dall'autore per ottenere certi piccoli effetti, e poi chiedere agli studenti di comporre, sullo stesso modello, un saggio o un racconto breve. Fedro faceva del suo meglio, ma questa tecnica non dava risultati. Gli studenti non producevano che pallide copie dell'originale, e molto spesso la loro prosa peggiorava. Pareva che ogni regola che Fedro cercava di scoprire e imparare insieme a loro fosse così piena di eccezioni, di contraddizioni e di limitazioni da augurarsi di non averla mai scoperta.

Quando uno studente gli chiedeva come applicare la regola in una circostanza speciale, Fedro poteva scegliere tra due possibilità: inventarsi di sana pianta una spiegazione sul funzionamento della regola, o dire quello che pensava davvero, e cioè che la regola veniva appiccicata al testo dopo che quello era già stato scritto. E lui era sempre più convinto che tutti gli scrittori scrivessero senza regole, seguendo il proprio istinto, e correggessero poi le frasi che non suonavano bene. C'erano scrittori più calcolati, almeno così sembrava avvicinandosi a loro con una certa angolazione, ma Fedro considerava questa angolazione molto limitata. Aveva un certo sugo, come disse una volta Gertrude Stein, ma non colava. Come si faceva a insegnare un procedimento spontaneo? Fedro si limitò quindi a prendere il testo e a commentarlo come capitava, sperando che gli studenti ne traessero qualche beneficio. Non fu soddisfacente.

Eccolo là, davanti a noi. La tensione mi assale, la stessa stretta allo stomaco, mentre ci avviciniamo.

« Quello te lo ricordi? ».

« È dove insegnavi tu... perché ci andiamo? ».

« Non so. Volevo solo vederlo ».

Non c'è molta gente in giro. È naturale, siamo in estate. La facciata di vecchi mattoni scuri è sormontata da grandi, insoliti frontoni. Un bellissimo edificio, davvero. L'unico che abbia l'aria di essere al suo posto qui. Vecchie scale di pietra che conducono alle porte. Scale consumate dal passaggio di milioni di passi.

« Perché entriamo? ».

« Sssh. Adesso non dire niente ».

Apro la grande, pesante porta d'entrata. All'interno ci sono altre scale di legno consumato. Scricchiolano sotto i piedi e odorano di decenni di scopa e di cera. A metà strada mi fermo e tendo l'orecchio: nessun rumore.

« Cosa siamo venuti a *fare*? » sussurra Chris.

Scuoto la testa, senza rispondergli. Sento una macchina che passa per la strada.

« Non mi piace questo posto, mi fa paura » sussurra Chris.

« Va' fuori, allora » gli dico.

« Vieni anche tu ».

« Dopo ».

« No, adesso ». Mi guarda e capisce che resterò. Ha un'aria talmente spaventata che quasi ci ripenso, ma ecco che, prima che riesca a seguirlo, cambia faccia, si gira, corre giù per le scale ed esce.

La grande porta da basso si chiude; adesso sono solo. Tendo l'orecchio per sentire qualche rumore... Di chi?... *Suo?*... Ascolto a lungo...

Le assi del pavimento scricchiolano in modo inquietante mentre mi incammino per il corridoio e mi accompagna un pensiero altrettanto inquietante: questi *sono* i suoi passi. In questo posto la realtà è lui, e io sono il fantasma. Vedo la sua mano fermarsi un momento sulla maniglia di una delle porte delle aule, girarla lentamente e aprire.

L'aula sta aspettando, esattamente uguale al ricordo, come se lui fosse qui. *È* qui. Si accorge di tutto quello che vedo. Ogni cosa mi balza addosso, vibrante di richiami.

Le lunghe lavagne verde scuro sui due lati sono scheggiate proprio come allora. C'è ancora il gesso nella vaschetta, mai un pezzo intero, solo mozziconi. Oltre le lavagne ci sono le finestre e al di là le montagne. Quando gli studenti scrivevano lui sedeva vicino al calorifero, un mozzicone di gesso in mano, e guardava meditabondo fuori dalla finestra, interrotto, di quando in quando, da uno studente che domandava: « Dobbiamo mettere anche...? ». Allora si girava e rispondeva alla domanda, e si sentiva tutt'uno con quel che lo circondava, come non gli era mai successo. Questo posto lo *accoglieva* — non per quello che sarebbe potuto o dovuto essere, ma per quello che era. Un posto ricettivo, che lo ascoltava — a cui lui si dava interamente. Non era un'aula, erano mille aule, cambiava ogni giorno, coi temporali, con la neve e con i giochi di nuvole sulle montagne, cambiava a seconda delle lezioni e degli studenti. Non c'erano mai due ore uguali, e per lui l'ora successiva era sempre un mistero...

Ho perso il senso del tempo, ma ecco un rumore di passi nell'atrio. Diventa più forte, poi si arresta davanti a quest'aula. La maniglia gira. La porta si apre. Fa capolino la testa di una donna.

Ha un'espressione aggressiva, come se fosse venuta per cogliere qualcuno in fallo. Avrà ventotto o ventinove anni, non molto carina. « Mi pareva di aver visto qualcuno » dice. « Credevo... ». Si interrompe sconcertata.

Entra e si avvicina. Mi guarda meglio. Ora l'espressione aggressiva svanisce, per trasformarsi lentamente in stupore. Sembra sbalordita.

« Mio dio » esclama. « È *lei*? ».

Non la riconosco affatto. Nulla.

Dice il mio nome e io annuisco. Sì, sono io.

« È tornato ».

Scuoto la testa. « Solo per qualche minuto ».

Mi fissa così a lungo che comincio a sentirmi imbarazzato; se ne accorge anche lei e mi chiede: « Posso sedermi un momento? ». La sua aria timida mi fa capire che doveva essere una *sua* studentessa.

Si siede su una delle seggiole della prima fila. La sua mano, che non ha la fede matrimoniale, sta tremando. Sono *davvero* un fantasma.

Adesso incomincia a sentirsi imbarazzata anche lei. « Quanto tempo si ferma?... No, questo gliel'ho già chiesto... ».

Riempio i vuoti: « Sto da Bob DeWeese per qualche giorno, poi andrò verso ovest. Stavo girando per la città e ho voluto vedere che aria tirava al College ».

« Oh, » dice lei « sono contenta che l'abbia fatto... è cambiato... tutti siamo cambiati... tanto, da quando lei se ne è andato... ».

Altra pausa imbarazzante.

« Abbiamo saputo che era in ospedale... ».

« Sì » rispondo.

Altro silenzio. Se non insiste sull'argomento vuol

dire che probabilmente sa il perché. Esita ancora, in cerca di qualcosa da dire. L'atmosfera si fa sempre più pesante.

« Dove insegna? » mi chiede finalmente.

« Non insegno più » rispondo. « Ho smesso ».

Mi guarda incredula. « Ha *smesso*? ». Aggrotta le sopracciglia, poi mi guarda di nuovo, come per accertarsi di non parlare con la persona sbagliata. « Ma non è possibile! ».

« Sì, invece ».

Scuote la testa incredula. « Ma... proprio *lei*! ».

« Proprio io ».

« Perché? »

« È una storia finita, per me. Mi occupo di altre cose ».

Continuo a chiedermi chi sia questa ragazza, e lei mi fissa altrettanto perplessa. « Ma dev'essere proprio... ». Lascia la frase a metà, poi ci riprova. « Ma lei è completamente... ». Ma anche questa frase rimane a mezz'aria.

La parola successiva doveva essere « pazzo ». Ma si è fermata in tempo tutte e due le volte. Se ne accorge, si morde le labbra e ha un'aria mortificata. Se potessi direi qualcosa, ma non so da che parte cominciare.

Sto per dire che non la riconosco, ma lei si alza dicendo: « Adesso devo andare ». Penso che se ne sia accorta.

Va alla porta, mi fa un saluto affrettato, e dietro la porta chiusa i suoi passi sono rapidi, quasi una corsa giù per il corridoio.

La porta principale si chiude e la stanza risprofonda nel silenzio, smosso soltanto da una specie di corrente psichica turbinosa che la ragazza si è lasciata dietro. L'aula non è più quella. L'onda della sua presenza si sta ritirando, dopo aver cancellato quello che ero venuto a cercare, qualunque cosa fosse.

Bene, penso rialzandomi, sono contento di essere venuto in questa stanza, ma credo che non mi verrà

voglia di vederla mai più. Meglio riparare motociclette, e ce n'è una che aspetta.

Poi, spinto da un impulso irresistibile, apro un'altra porta. Sulla parete vedo qualcosa che mi fa correre i brividi giù per la schiena.

È un quadro. Non me lo ricordavo affatto, ma ora
so che fu lui a comprarlo e a appenderlo lì. E tutt'a
un tratto so che non è un quadro, ma una stampa
che lui aveva ordinato a New York e di fronte alla
quale DeWeese si era accigliato, perché era una stampa, e le stampe sono una riproduzione *dell'*arte e non
*l'*arte in se stessa, una distinzione che all'epoca Fedro
non capiva. Ma la stampa, *Church of the Minorities*
di Feininger, esercitava su di lui un fascino particolare, che prescindeva dai criteri artistici: era una specie di cattedrale gotica, fatta di linee, piani, colori
e ombre semiastratti che rievocavano l'immagine che
lui si era fatto della Chiesa della Ragione. Per questo
l'aveva messo lì. Ora ricordo tutto. Questo era il suo
ufficio. Un *reperto*. È questa la stanza che stavo cercando!

Entro e mi cala addosso una valanga di ricordi,
liberati dallo shock che la stampa mi ha causato. Ecco la finestrella da cui lui guardava la valle e il mas-
siccio del Madison, e osservava l'arrivo dei temporali.
Ed è proprio mentre osservava questa valle da questa finestra... che tutto incominciò, la follia, proprio
qui!

E quella porta si apre sull'ufficio di Sarah. Sarah!
Ecco, ecco... Passava per il mio ufficio con l'innaffiatoio in mano, e con la sua voce un po' cantilenante
da signora quasi in pensione che sta andando a innaf-
fiare le sue piante una volta gli disse: « Spero che ai
suoi studenti insegni la Qualità ». Fu in quel momento che incominciò tutto. Quello fu il germe di
cristallizzazione.

Un germe... Mi assale un ricordo violento. Il laboratorio. La chimica organica. Fedro stava lavoran-

do a una soluzione soprassatura quando si produsse un fenomeno analogo.

Una soluzione soprassatura è una soluzione in cui il punto di saturazione — raggiunto il quale non si scioglie altra sostanza — è stato superato. Questo si può verificare perché il punto di saturazione diventa più alto man mano che si aumenta la temperatura della soluzione. Quando si scioglie una sostanza ad alta temperatura e poi si raffredda la soluzione, il liquido a volte non cristallizza perché le molecole non sanno come fare. Hanno bisogno di qualcosa che dia loro l'avvio, un germe, un granello di polvere o persino un graffio o un colpetto sul vetro della provetta.

Fedro voleva raffreddare la soluzione mettendola sotto il rubinetto, ma mentre si incamminava verso il lavandino vide apparire nella soluzione una stella cristallina che poi crebbe luminosamente fino a riempire tutta la provetta. Fedro la *vide* crescere. Dove prima c'era soltanto un liquido trasparente adesso c'era una massa così solida che si sarebbe potuto capovolgere il recipiente senza che ne uscisse una sola goccia.

Bastò la frase: « Spero che ai suoi studenti insegni la Qualità » a scatenare nel giro di pochi mesi la crescita, tanto rapida che quasi la si vedeva, di una massa enorme di pensiero, intricata, complessa, formatasi quasi per magia.

Non so cosa abbia risposto Fedro quando Sarah gli disse quella frase. Probabilmente niente. Sarah trotterellava molte volte per il suo ufficio nel corso della giornata. A volte si fermava un attimo con qualche notiziola, scusandosi per l'interruzione, e Fedro ci aveva fatto l'abitudine, era ormai parte della routine. So che Sarah un'altra volta gli aveva domandato: « Sta insegnando *davvero* la Qualità questo trimestre? ». E lui aveva annuito, l'aveva guardata un attimo e aveva detto: « Decisamente sì! ». E Sarah se n'era andata. In quel periodo Fedro stava lavorando agli appunti per una lezione che lo deprimeva nel modo più assoluto, perché il testo di studio, benché fosse una delle opere più razionali che fossero mai state scritte sulla retorica, non lo soddisfaceva affatto. Per di più, gli autori erano membri del Dipartimento con i quali aveva modo di discutere. Aveva fatto loro delle domande, aveva ascoltato le loro risposte, e sul piano puramente razionale dava loro ragione. Ma c'era qualcosa che non lo convinceva.

Il testo partiva dalla premessa che, dovendo insegnare retorica a livello universitario, più che un'arte mistica era meglio considerarla una branca della ragione. Pertanto si insisteva sulla necessità di conoscere i fondamenti razionali della comunicazione. Venivano introdotte la logica elementare e la teoria dello stimolo-risposta, e a partire da queste si procedeva all'esame di come nasca un'opera di saggistica.

Nel suo primo anno di insegnamento Fedro si era accontentato di questo canovaccio. Ne percepiva l'errore di fondo, ma sapeva che esso non riguardava questa applicazione della ragione alla retorica. Ancora una volta, l'errore stava nel solito fantasma dei suoi sogni — la razionalità stessa. Lo riconobbe come lo stesso errore che l'aveva tormentato per anni, e per cui non aveva soluzioni. Semplicemente, non poteva fare a meno di pensare che nessuno scrittore aveva mai imparato a scrivere grazie a questi metodici, pedissequi e asettici procedimenti da *square*.

Qualche giorno dopo, Sarah gli trotterellò ancora accanto e si fermò a dirgli: «Sono così *contenta* che stia insegnando la *Qualità* questo trimestre. Di questi tempi non lo fa quasi nessuno».

«Io sì» disse lui. «Ormai me ne son fatto un punto d'onore».

«Bene!» disse Sarah e trotterellò via.

Fedro tornò ai suoi appunti, ma poco dopo gli venne in mente quella strana osservazione. Di cosa diavolo stava parlando? *Qualità*? *Certo* che stava insegnando la Qualità. Non l'insegnavano tutti? Continuò con i suoi appunti.

Un'altra cosa che lo deprimeva della retorica era la sua normativa, che in teoria era stata eliminata ma in pratica circolava ancora: niente errori di ortografia, di punteggiatura, di grammatica. Centinaia di regole petulanti per gente petulante. Nessuno avrebbe potuto ricordarsi tutta quella roba e allo stesso tempo concentrarsi su quello che stava scrivendo. Non era che un manuale di galateo, ispirato non a un senso di gentilezza, di decoro o di umanità, ma fondamentalmente al narcisistico desiderio di far la figura dei signori. I signori e le signore conoscono le regole del galateo e parlano e scrivono senza errori di grammatica. Non sono forse questi i segni distintivi dell'alta borghesia?

Nel Montana, comunque, le cose non stavano affatto così. Le buone maniere erano il segno distintivo dei tonti pretenziosi dell'est. Il Dipartimento richiedeva un minimo di retorica normativa, ma come gli altri insegnanti Fedro evitava scrupolosamente di caldeggiarla se non come una « prescrizione del College ».

I suoi pensieri si interruppero di nuovo. La *Qualità*? C'era qualcosa di irritante, di esasperante quasi, nella domanda di Sarah. Ci pensò e ci ripensò, guardò fuori dalla finestra e ci ripensò di nuovo. *Qualità*?

Quattro ore dopo era ancora lì seduto con i piedi sul davanzale a guardare quello che ormai era diventato un cielo buio. Suonò il telefono, era sua moglie che voleva sapere cos'era successo. Le disse che sarebbe tornato a casa subito, ma poi si dimenticò della casa e di tutto il resto. Alle tre del mattino dovette finalmente confessarsi, esausto, che non aveva assolutamente idea di cosa fosse la Qualità. Allora prese la borsa e tornò a casa.

A questo punto la maggior parte della gente non ci avrebbe pensato più, o avrebbe lasciato il problema in sospeso, visto che mancava una soluzione immediata e c'era altro da fare. Ma lui era così scoraggiato per via della sua incapacità di insegnare quello in cui credeva, che non gliene importava davvero un accidente di quello che avrebbe dovuto fare in teoria, e quando si svegliò la mattina dopo ecco lì la Qualità che lo fissava dritto negli occhi. Tre ore di sonno: era talmente stanco che sapeva che non sarebbe stato in grado di tenere una lezione. Non aveva nemmeno completato i suoi appunti, per cui scrisse sulla lavagna: « Scrivete un saggio di trecentocinquanta parole che risponda alla domanda: " Cos'è la *Qualità* nel pensiero e nell'espressione? " ». Poi si sedette accanto al calorifero pensando a sua volta al problema della Qualità.

Alla fine dell'ora pareva che nessuno avesse finito, così diede il permesso agli allievi di portarsi il compito a casa. Non aveva lezione con loro per due giorni, il che gli diede un po' di respiro per riflettere sulla domanda. Nel frattempo, incontrò alcuni degli studenti in corridoio, tra una lezione e l'altra, che risposero al suo saluto con occhiate di rabbia e di paura. Dovevano avere lo stesso suo problema.

La Qualità... Sappiamo cos'è, eppure non lo sappiamo. Questo è contraddittorio. Alcune cose *sono* meglio di altre, cioè hanno più Qualità. Ma quando provi a dire in che cosa consiste la Qualità astraendo dalle cose che la posseggono, paff, le parole ti sfuggono. Ma se nessuno sa cos'è, ai fini pratici non esiste per niente. Invece esiste eccome. Su cos'altro sono basati i voti, se no? Perché mai la gente pagherebbe una fortuna per certe cose, e ne getterebbe altre nella spazzatura? Ovviamente alcune sono meglio di altre... Ma in cosa consiste il « meglio »?...

PARTE TERZA

16

Chris e io ci siamo fatti una bella dormita e stamattina abbiamo preparato gli zaini; stiamo salendo su per il fianco della montagna da circa un'ora. Qui in fondo alla gola la foresta è fatta soprattutto di pini, con alcuni pioppi e altre latifoglie. Le ripide pareti del canyon svettano alte sopra di noi. Il sentiero è coperto da uno strato morbido ed elastico di aghi di pino.

Montagne come queste, con i loro viaggiatori e le loro vicende, si ritrovano non solo nella letteratura Zen ma anche nei racconti di tutte le grandi religioni. L'allegoria della montagna fisica per quella spirituale che si erge tra ogni anima e la sua meta è una delle più facili e naturali. Come quelli che ci siamo lasciati dietro nella valle, la maggior parte degli uomini sta a guardare le montagne spirituali per tutta la vita e non ci si avventura mai, accontentandosi di ascoltare quelli che ci sono stati, e risparmiandosi così ogni avversità. Alcuni vanno sulle montagne accompagnati da guide esperte, altri si sforzano di trovare da soli la loro via. Pochi di questi ultimi hanno successo, ma talvolta qualcuno, aiutato dall'ostinazione, dalla fortuna e dalla grazia, ce la fa. Una volta arrivato, si rende conto più di chiunque altro che di vie non ce n'è una sola, né ce n'è un numero stabilito. Sono tante quante le anime individuali.

Ora voglio parlare di come Fedro esplorò il significato del termine *Qualità*, un'esplorazione che egli vide come un itinerario attraverso le montagne dello spirito. Stando a quel poco che riesco a ricostruire, ci furono due fasi distinte.

Nella prima egli non cercò di arrivare a una definizione rigida e sistematica di quello di cui parlava. E questa fu una fase felice, soddisfacente e creativa. Durò quasi tutto il tempo in cui insegnò al College.

La seconda si sviluppò in seguito alla consapevolezza critica di non aver ancora formulato una definizione dell'oggetto del suo discorso. In questa fase Fedro fece delle rigide affermazioni sistematiche sulla natura della Qualità, a sostegno delle quali elaborò un'enorme struttura gerarchica di pensiero. Per arrivarci dovette letteralmente muovere cielo e terra, e quando ebbe finito sentì che quella era la miglior spiegazione dell'esistenza, e della consapevolezza che noi ne abbiamo, che fosse mai stata fornita.

Certo era una via nuova, ma senza dubbio ce n'era bisogno. Da più di tre secoli, ormai, le vecchie strade battute di questo emisfero sono state quasi spazzate via dall'erosione naturale e dai cambiamenti che le verità scientifiche hanno apportato alla forma delle montagne. I primi scalatori tracciarono nuovi sentieri su un terreno sicuro, così accessibili che tutti se ne sentivano attratti, ma oggi le strade occidentali sono quasi del tutto chiuse a causa dell'inflessibilità dogmatica di fronte al cambiamento. Dubitare del significato letterale delle parole di Gesù o di Mosè suscita l'ostilità dei più, ma certo è che, se Gesù o Mosè dovessero apparire oggi, in incognito, portando lo stesso messaggio di molti anni fa, la loro salute mentale sarebbe messa in discussione. E non perché quanto essi dissero fosse sbagliato, o perché la società moderna sia in errore, ma semplicemente perché la via che essi tracciarono per l'umanità non è più attuale né comprensibile. « Il regno dei cieli » perde ogni significato nell'èra delle conquiste spaziali. Dov'è « il cielo »? Ma il fatto che le vecchie strade, a causa della rigidezza del linguaggio, abbiano perso il loro significato quotidiano e siano quasi chiuse non implica che la montagna non ci sia più. La montagna c'è e ci sarà finché esiste la coscienza.

La seconda fase, quella metafisica, fu un disastro. Già prima che gli attaccassero gli elettrodi alla testa Fedro aveva perso tutto quel che possedeva: denaro, proprietà, figli; per ordine del tribunale era stato persino privato dei diritti civili. Non gli era rimasto che il suo folle sogno solitario sulla Qualità, la mappa con un sentiero che attraversa la montagna, e ad essa aveva sacrificato tutto. E una volta che furono attaccati gli elettrodi perse anche quello.

Non saprò mai tutto quello che aveva in testa allora. Quel che rimane adesso non sono che frammenti: macerie, appunti sparsi, che possono essere messi insieme ma che lasciano nell'oscurità grandi zone.

Quando scoprii per la prima volta queste macerie mi sentii come un contadino dei sobborghi di Atene, che di tanto in tanto, e senza sorprendersi troppo, arando trova delle pietre con sopra strani disegni. Sapevo che essi facevano parte di una struttura più vasta, ma che andava al di là della mia comprensione. Dapprima scelsi di ignorarli, perché ero consapevole del fatto che essi avevano provocato un qualche problema che dovevo evitare. Ma mi incuriosivano.

Poi, a poco a poco, mi andai convincendo di essere immune alle sofferenze di Fedro e incominciai a raccogliere più attivamente i suoi frammenti dagli appunti e dalla bocca degli amici. Ora ce ne sono migliaia, e benché solo una piccola parte si adatti a questo Chautauqua, è chiaramente su di essi che si fonda. Probabilmente sono ancora molto lontano da quello che deve aver pensato lui. In molti casi i frammenti sono ambigui, ma se c'è qualcosa di sbagliato ci sono buone possibilità che l'errore stia soltanto nella mia ricostruzione.

Un frullo d'ali, una pernice scompare fra gli alberi.
« Hai visto? » dice Chris.
« Sì ».
« Cos'era? ».
« Una pernice ».
« Come fai a saperlo? ».
« Quando volano dondolano avanti e indietro » gli dico. Non ne sono sicuro, ma sortisce il mio effetto.
« E poi volano raso terra ».
« Oh » fa Chris, e continuiamo a salire. I raggi del sole, filtrando tra i pini, creano l'effetto di una cattedrale.

Oggi voglio occuparmi della prima fase del suo viaggio nella Qualità, la fase non-metafisica, e sarà piacevole. È bello cominciare i viaggi piacevolmente, anche quando si sa che finiranno in un altro modo. Valendomi dei suoi appunti, voglio ricostruire il processo per cui la Qualità divenne per lui un concetto operativo nell'insegnamento della retorica. La seconda fase, quella metafisica, fu esile e dispersiva, ma la prima, in cui si limitò a insegnare retorica, fu solida e costruttiva sotto ogni punto di vista e probabilmente vale la pena di giudicarla indipendentemente dalla seconda.

Fedro si era dato a grandi innovazioni. Aveva avuto dei problemi con gli studenti che non avevano niente da dire: in un primo momento aveva pensato che fossero pigri, ma poi dovette ricredersi. Non trovavano niente da dire e basta.

Una di loro, una ragazza con gli occhiali dalle lenti spesse, voleva scrivere una relazione di cinquecento parole sugli Stati Uniti. Fedro, prevedendo lo smarrimento che un proposito del genere le avrebbe causato, le suggerì, senza ombra di ironia, di limitare l'argomento a Bozeman.

Quando venne il momento di consegnare la relazione la ragazza non la portò; era molto turbata. Si era scervellata, ma non aveva trovato niente da dire.

Fedro aveva già parlato di lei con i suoi insegnanti precedenti, che gli avevano confermato l'idea che si era fatto della ragazza. Era molto seria, disciplinata e studiosa, ma estremamente ottusa, assolutamente priva di qualsiasi scintilla di creatività. I suoi occhi, dietro le lenti spesse, erano quelli di una secchiona. Ed era sconvolta della sua incapacità in modo disarmante, al punto che per un attimo nemmeno lui trovò niente da dire. Poi se ne uscì con una proposta bizzarra: « Limiti l'argomento alla *strada principale* di Bozeman ». Fu un lampo di genio.

La ragazza annuì docilmente e uscì. Ma subito prima che cominciasse la lezione successiva Fedro se la trovò davanti in lacrime, angosciata da qualcosa che covava già da molto tempo. Ancora una volta non trovava niente da dire. Non capiva perché, se non le veniva in mente niente su *tutta* Bozeman, le dovesse riuscire di pensare qualcosa su una sola strada.

Fedro era furioso. « Lei non *guarda!* » le gridò. Si ricordò della propria espulsione dall'Università perché aveva *troppo* da dire. Per ogni fatto c'è un'*infinità* di ipotesi. Più si *guarda*, più si *vede*. La ragazza non guardava affatto, eppure, chissà perché, questo non le era chiaro.

« Limiti l'argomento alla *facciata* di *un* edificio della strada principale di Bozeman. L'Opera House. Incominci col mattone in alto a sinistra ».

Dietro gli occhiali gli occhi della ragazza si spalancarono.

Arrivò alla lezione successiva con l'aria confusa e gli consegnò una relazione di cinquemila parole sulla facciata dell'Opera House. « Mi sono seduta al chiosco degli hamburger lì di fronte, » gli disse « e ho incominciato a descrivere il primo mattone, poi il secondo, e, una volta arrivata al terzo, mi veniva tutto facile e non riuscivo più a smettere. Gli altri credevano che fossi matta e continuavano a prendermi in giro, ma ecco qua. Non riesco a capire ».

E nemmeno lui, ma nelle sue lunghe passeggiate per le strade della città ci ripensò e concluse che evidentemente la ragazza era vittima dello stesso blocco che aveva paralizzato lui il primo giorno di insegnamento. Era bloccata perché cercava di ripetere cose già sentite, proprio come lui il primo giorno aveva cercato di dire quello che aveva già deciso di dire. E alla ragazza non veniva in mente niente perché nulla di quello che ricordava valeva la pena di essere ripetuto. Stranamente, non si rendeva conto che poteva guardare le cose coi propri occhi senza tener conto di quello che avevano detto gli altri. L'aver limitato l'argomento a un solo mattone aveva annientato il blocco, perché in quel caso le osservazioni non potevano essere che sue.

Fedro si spinse anche più in là. Una volta fece scrivere gli studenti per tutta l'ora a proposito del dorso del loro pollice. All'inizio lo guardarono male, ma tutti svolsero il tema senza una sola lamentela sul « non avere niente da dire ».

Durante un'altra lezione Fedro diede per tema una moneta; ottenne un'ora intera di lavoro da ogni studente. Lo stesso accadde in altre lezioni. Qualcuno domandò: « Dobbiamo descrivere tutte e due le facce? ». Una volta entrati nell'ordine di idee di vedere le cose coi propri occhi, gli studenti si accorsero che non c'era limite a quel che potevano dire. Inoltre era un'esercitazione che rafforzava la loro fiducia in se stessi, perché quello che scrivevano, per quanto banale in apparenza, era farina del loro sacco. Le lezioni in cui Fedro si valse di questa esercitazione sulla moneta divennero sempre meno impacciate e più interessanti.

In seguito ai suoi esperimenti, Fedro arrivò alla conclusione che l'imitazione era un male che andava estirpato prima di incominciare l'insegnamento vero e proprio della retorica. Sembrava frutto di una costrizione esterna. I bambini piccoli non sapevano neanche che cosa fosse: probabilmente era un prodotto della scuola stessa.

Sembrava la cosa più sensata, e più Fedro ci pensava più gli sembrava vera. La scuola insegna a imitare. Se non si imita l'insegnante si prende un brutto voto. Qui al College, evidentemente, lo si faceva in modo più artificioso, senza averne l'aria, dando ad intendere all'insegnante di aver còlto l'essenza del suo insegnamento per svilupparla con idee proprie. Era così che si conquistava il massimo dei voti. L'originalità, invece, era un'incognita, poteva anche portare alla bocciatura. Tutto il sistema di votazione metteva in guardia contro di essa.

Fedro discusse il problema con un professore di psicologia che viveva accanto a lui, un insegnante estremamente fantasioso. « È vero » gli rispose. « Elimina tutto il sistema dei voti e dei diplomi e avrai una vera e propria istruzione ».

Fedro ci pensò su, e quando qualche settimana dopo una studentessa molto brillante si trovò in difficoltà sulla scelta di un argomento per un'esercitazione trimestrale, lui le suggerì di trattare il problema dei voti. Sulle prime il tema non le piacque, ma acconsentì egualmente.

In capo a una settimana la ragazza ne parlava con tutti, e in due settimane aveva sviluppato uno svolgimento superbo. Gli studenti di fronte ai quali lo lesse non avevano però dalla loro due settimane di riflessione sull'argomento, ed erano piuttosto ostili all'idea di eliminare voti e diplomi. Questo non le fece né caldo né freddo, anzi la sua voce assunse un fervore religioso. Pregò i compagni di *ascoltare*, di capire che era davvero *giusto*. « Non lo dico per *lui*, » disse lanciando un'occhiata a Fedro « ma per *voi* ».

Il tono di quella studentessa fece a Fedro una grande impressione, rafforzata dal fatto che i suoi esami di ammissione al College erano stati tra i più brillanti della classe. Nel trimestre successivo, insegnando « prosa persuasiva », Fedro scelse lo stesso argomento, e su di esso compose un pezzo di prosa persuasiva che elaborò giorno per giorno davanti agli studenti e col loro aiuto.

Si valse di questo espediente per evitare di parlare in termini di princìpi di composizione, sui quali nutriva profondi dubbi. Aveva l'impressione che sottoponendo, agli studenti le proprie frasi man mano che le creava, con tutti i dubbi, i ripensamenti e le cancellature, avrebbe fornito loro un quadro più onesto del lavoro dello scrittore.

Questa volta sviluppò la tesi secondo la quale tutto il sistema dei voti e dei diplomi doveva essere eliminato, e per far sì che gli studenti si sentissero coinvolti eliminò tutte le votazioni fino alla fine del trimestre.

Ora, proprio sulla cresta sopra di noi, si vede la neve. Per arrivarci a piedi, però, ci vorrebbero molti giorni di cammino. Le rocce sotto la neve sono troppo ripide, soprattutto con il carico pesante che ci portiamo dietro, e Chris è troppo piccolo per mettersi a trafficare con corde e chiodi. Dobbiamo oltrepassare una cresta boscosa, arrivare in fondo a un altro canyon e poi risalire in costa. Tre giorni di cammino forzando l'andatura, quattro se ce la prendiamo comoda. Se non saremo rientrati entro nove giorni DeWeese incomincerà a cercarci.

Ci fermiamo a riposare e ci sediamo appoggiandoci contro un albero in modo da non cascare all'indietro per il peso degli zaini. Dopo un po' prendo il machete e lo passo a Chris.

« Vedi quei due pioppetti lassù? Quelli dritti, sul bordo? Tagliali fino a trenta centimetri dal terreno ».

« Perché? »

« Ci serviranno come bastoni per camminare e come paletti per le tende ».

Chris prende il machete, fa per alzarsi, ma poi si siede di nuovo. « Tagliali tu » mi dice.

Così prendo il machete e vado su io. Si tagliano bene tutti e due in un colpo solo, salvo l'ultima striscia di corteccia, che recido coll'uncino posteriore del machete. Su per le rocce sono indispensabili per mantenere l'equilibrio e i pini che ci sono lassù non si prestano molto allo scopo. Questi devono essere gli ultimi pioppi. Certo mi secca che Chris si rifiuti di fare la sua parte. Non è un buon segno, in montagna.

All'inizio la tesi di Fedro a favore dell'abolizione di voti e diplomi suscitò nella maggior parte degli studenti una reazione di rifiuto o d'incomprensione, perché a un primo esame sembrava distruggere l'intero sistema universitario. Una studentessa lo disse chiaro e tondo quando se ne uscì con assoluto candore con questa affermazione: « È ovvio che il diploma non si può eliminare, visto che è per il diploma che siamo qui ».

Aveva detto la verità pura e semplice. L'idea che la maggioranza degli studenti frequenti l'Università per ricevere un'istruzione indipendentemente dal diploma e dai voti non è che una piccola ipocrisia. Capita anche che qualche studente sia davvero in cerca di un'istruzione, ma l'abitudine a imparare meccanicamente lo converte ben presto a un atteggiamento meno idealistico.

La tesi cui mirava l'argomentazione di Fedro era che l'eliminazione di voti e diplomi avrebbe messo fine a questa ipocrisia. Invece di trattare di argomenti generali, Fedro prese in considerazione la carriera di uno studente-tipo, che ha sempre avuto il buon voto come condizione per il proseguimento degli studi. Questo studente va alla prima lezione e si vede assegnata la prima esercitazione, che probabilmente consegnerà per abitudine. Forse andrà anche alla seconda e alla terza lezione, ma dopo un po' il corso perderà per lui il sapore della novità, e dato che la vita accademica non esaurisce tutti i suoi interessi, la pressione di altri impegni o di altri desideri gli renderà impossibile fare le esercitazioni.

Questo, tuttavia, data l'assenza di voti, non comporta alcun tipo di sanzione. Le lezioni successive, che sottintendono lo svolgimento delle esercitazioni, gli risultano più difficili da capire, così che il suo interesse va affievolendosi sempre più. Alla lunga si rende conto che non sta imparando granché e, di fronte alla pressione continua degli obblighi esterni, smette di studiare, di provare sensi di colpa e di frequentare le lezioni. E ancora una volta, nessuna sanzione.

Cos'è successo, in fin dei conti? Lo studente si è bocciato da solo, senza che nessuno abbia dovuto farsi cattivo sangue. Bene! È proprio quello che doveva succedere.

Il più grosso problema dello studente è una mentalità da mulo, inculcatagli da anni di politica del bastone e della carota. L'abolizione dei voti e dei diplomi non si propone di punire i muli o di liberarsi di loro, ma di creare un ambiente in cui ogni mulo possa trasformarsi in un uomo libero.

Lo studente ipotetico, ancora mulo, andrebbe alla deriva per un po' e grazie alla cosiddetta 'dura scuola della vita' finirebbe con l'impossessarsi di un altro tipo di istruzione, valida forse quanto quella che ha abbandonato. Così, invece di sprecare tempo e denaro come mulo di alto rango, gli toccherebbe procurarsi un lavoro come mulo di basso rango, forse come meccanico. In realtà la sua condizione *reale* migliorerebbe, perché se non altro sarebbe lui stesso protagonista di un cambiamento. Potrebbe continuare a fare il meccanico per il resto della vita, potrebbe aver trovato il suo status. Ma forse no.

Col tempo — sei mesi o forse cinque anni — qualcosa potrebbe incominciare a cambiare. Il lavoro, ripetitivo e monotono, lo soddisferebbe sempre meno. La sua intelligenza creativa, soffocata da troppa teoria e troppi voti al College, verrebbe ora risvegliata dalla noia dell'officina. Migliaia di ore di frustranti problemi meccanici lo spingerebbero a interessarsi di più al progetto industriale. Gli piacerebbe disegnare lui stesso dei macchinari. Incomincerebbe a pensare alla possibilità di un lavoro migliore. Proverebbe a modificare qualche motore, otterrebbe qualche successo, ne cercherebbe altri, ma si sentirebbe bloccato dalla mancanza di conoscenza teorica. Proprio lui, che non aveva mai provato interesse per la teoria, ora scoprirebbe un campo della formazione teorica degno di tutto il suo rispetto, e precisamente l'ingegneria meccanica.

Così tornerebbe alla nostra scuola senza voti e senza diplomi, motivato questa volta non dai voti ma dalla conoscenza. Lo stimolo a imparare gli verrebbe dal di dentro. Sarebbe un uomo libero. Non avrebbe bisogno di disciplina per la sua formazione, anzi, se i professori dei suoi corsi non si impegnassero a dargli quel che cerca sarebbe lui a metterli in riga con qualche domanda fuori dai denti.

E questa fu la tesi dell'impopolare corso di Fedro, a cui lavorò per tutto il trimestre. Per tutto il trimestre i componimenti vennero restituiti agli studenti con dei commenti, ma senza voti, benché i voti venissero segnati su un registro.

Come ho detto prima, all'inizio quasi tutti gli studenti erano piuttosto recalcitranti. La maggioranza probabilmente pensava di essere capitata nelle mani di un idealista, convinto che l'abolizione dei voti li avrebbe resi più felici e quindi più zelanti, mentre era evidente che senza voti tutti avrebbero battuto la fiacca. Sulle prime molti degli studenti che avevano una media molto alta nei trimestri precedenti erano irritati e sprezzanti, ma grazie alla loro consueta autodisciplina continuarono a fare il loro lavoro. Gli studenti mediocri non fecero qualcuna delle prime esercitazioni o consegnarono dei lavori scadenti. Molti non venivano neanche a lezione. In questo periodo un altro insegnante domandò a Fedro cosa intendeva fare, vista la reazione negativa degli allievi.

« Li logorerò sul tempo » rispose Fedro.

La sua permissività lasciò dapprima gli studenti perplessi, poi li insospettì. Alcuni incominciarono a fare domande sarcastiche e ricevettero risposte pacate. Le lezioni procedettero come al solito, ma senza voti.

Poi accadde qualcosa su cui Fedro aveva contato. Alla terza o quarta settimana alcuni degli studenti migliori, che erano sulle spine, cominciarono a consegnare dei lavori superbi, fermandosi a chiacchierare con Fedro dopo la lezione per cavargli qualche indiscrezione sul loro profitto. Gli studenti mediocri se ne accorsero e cominciarono a lavorare un po', migliorando la qualità dei loro componimenti che tornò al solito livello. I peggiori incominciarono a farsi vedere alle lezioni, se non altro per curiosità.

A metà trimestre ci furono altri progressi. Gli studenti migliori si rilassarono e incominciarono a partecipare attivamente ai corsi con una disponibilità insolita nelle classi in cui vigeva ancora il sistema della votazione. A questo punto i mediocri furono presi dal panico e cominciarono a consegnare dei lavori che tradivano ore di fatica. Gli altri consegnarono dei lavori soddisfacenti.

Durante le ultime settimane del trimestre, quando di solito ciascuno conosce già il proprio voto finale e ci dorme sopra, gli allievi di Fedro erano talmente vulcanici da attirare l'attenzione degli altri professori. Anche i mediocri avevano incominciato a partecipare alle discussioni in classe, che erano così aperte e amichevoli da far sembrare la lezione una festa ben riuscita. Soltanto i meno brillanti rimanevano impietriti sulle loro seggiole.

In seguito, un paio di studenti spiegarono a Fedro cosa aveva provocato quell'atmosfera di rilassatezza e cordialità: « Molti di noi si incontravano, dopo la lezione, per trovare un modo di farla in barba al suo metodo. Alla fine decidemmo che il modo migliore era di metterci nell'ordine di idee che saremmo stati bocciati, e di continuare lo stesso facendo tutto il possibile. Allora si incomincia a rilassarsi, altrimenti si diventa matti ».

Gli studenti aggiunsero che il nuovo metodo, una volta che ci si faceva l'abitudine, non era poi tanto male, e ci s'interessava di più alla materia trattata, ma ribadirono che abituarcisi non era facile.

Alla fine del trimestre, Fedro chiese agli studenti di scrivere in una relazione il loro giudizio sul nuovo metodo. In quel momento nessuno di loro sapeva ancora quale sarebbe stato il suo voto finale. Il cinquantaquattro per cento si dichiarò contrario, il trentasette per cento favorevole, e il nove per cento rimase neutrale.

Stando alle percentuali, il sistema era molto impopolare, ma quando Fedro fece un'analisi dei pareri risultò che gli studenti più bravi erano a favore del sistema in ragione di due contro uno, i mediocri erano divisi in due e i peggiori si opponevano *all'unanimità*!

Come ci aveva detto DeWeese, da qui si può continuare dritti a sud per più di cento chilometri senza vedere che neve e foreste e senza mai incontrare una strada, benché ce ne siano sia a est sia a ovest. Ho organizzato il nostro itinerario in modo che, se qualcosa va storto, alla fine del secondo giorno saremo vicino a una strada che ci può riportare indietro in fretta. Chris non lo sa, e il suo senso dell'avventura da campeggio dell'YMCA ne sarebbe ferito, ma dopo un certo numero di escursioni sulle montagne si comincia a rivalutare i benefìci più concreti che derivano da una riduzione dei rischi. Basta slogarsi una caviglia per scoprire quanto si è lontani dalla civiltà.

Il canyon che attraversiamo è poco battuto. Dopo un'altra ora di cammino ci accorgiamo che il sentiero è quasi scomparso.

Fedro, stando ai suoi appunti, non attribuì a questa esperienza un valore scientifico. In un esperimento vero e proprio si mantiene costante ogni causa pensabile salvo una, per vedere quali sono gli effetti della sua variazione. In una classe questo non si può fare, perché tutti i fattori sono variabili; oltretutto l'osservatore è a sua volta una delle cause, e non può giudicare gli effetti della propria presenza senza al tempo stesso alterarli.

Il passaggio da questo esperimento alla ricerca sulla Qualità avvenne quando l'eliminazione dei voti evidenziò un aspetto molto sinistro del sistema tradizionale: i voti, in realtà, riescono a nascondere l'incapacità di insegnare, perché è solo senza voti che gli studenti sono costretti a domandarsi giorno per giorno che cosa stanno *davvero* imparando, e perché.

Ma lui, che cosa stava cercando di fare? si domandava Fedro. All'inizio aveva una risposta, ma ora gli pareva sempre meno sensata. Aveva voluto che i suoi studenti diventassero creativi, che capissero da soli che cosa fosse scrivere bene senza chiederlo continuamente a lui. Voleva che guardassero dentro di sé, perché solo così avrebbero trovato la risposta giusta.

Ma ora questo non aveva più senso. Se gli studenti sapevano già che cosa andava e che cosa non andava, per loro non c'era motivo di venire al corso, visto che in fin dei conti il suo ruolo era di insegnargli proprio questo. L'idea della creatività individuale e della libera espressione in classe era in contraddizione coi presupposti stessi dell'Università.

Con la sospensione dei voti, molti degli studenti vissero una situazione kafkiana: capivano che sarebbero stati puniti per aver fallito in qualcosa, ma nessuno gli diceva che cos'era quel qualcosa. Guardarono dentro se stessi e non videro niente, guardarono Fedro e non videro niente, e restarono impietriti ai loro posti, senza sapere che fare. Il vuoto era mortale. Una ragazza si beccò un esaurimento nervoso. Non puoi sospendere i voti col solo risultato di creare un vuoto senza scopo, ma Fedro non riusciva a concepire un solo modo per dire agli allievi in quale direzione orientare il lavoro senza ricadere nella trappola della didattica autoritaria. Come si fa a scrivere sulla lavagna il misterioso fine interiore di ciascuna persona creativa?

Il trimestre successivo Fedro lasciò perdere e tornò alle votazioni regolari, scoraggiato, confuso, con l'intuizione di aver visto giusto, anche se, chissà come, era andato tutto storto. In una classe, quando gli studenti davano prova di spontaneità, di individualità e consegnavano lavori veramente originali, ciò avveniva a dispetto dell'insegnamento, non grazie a esso. Ecco la verità, e Fedro era pronto a dare le dimissioni. Insegnare ottuso conformismo a studenti rancorosi non era precisamente il suo desiderio.

Aveva sentito dire che al Reed College, nell'Oregon, non venivano dati voti fino al diploma. Durante le vacanze estive ci andò, ma gli venne detto che la facoltà era divisa a proposito della validità della sospensione dei voti e che nessuno era completamente soddisfatto del metodo. Per il resto dell'estate fu depresso e svogliato. Lui e sua moglie fecero molte escursioni, accampandosi su queste montagne. Lei gli chiedeva perché era così silenzioso, ma Fedro non sapeva spiegarglielo. Era a un punto morto, tutto lì. In attesa. Aspettava quel germe di cristallizzazione che tutto d'un tratto avrebbe solidificato ogni cosa.

17

Per Chris non si mette bene. Prima mi ha preceduto di un bel tratto e ora si è messo a riposare sotto un albero. Non mi guarda, e da questo capisco che c'è qualcosa che non va.

Mi siedo accanto a lui e noto che ha un'espressione distante. È tutto rosso in faccia e si vede bene che è esausto. Rimaniamo seduti ad ascoltare il vento che soffia tra i pini.

Io so che prima o poi si alzerà e si rimetterà in cammino, ma lui no, e ha davanti a sé un terribile spauracchio: quello di non farcela. Mi viene in mente una cosa che Fedro aveva scritto.

« Qualche anno fa, » gli racconto « tua madre e io eravamo non lontano da qui e ci accampammo vicino a un lago con un acquitrino da una parte ».

Chris non alza gli occhi, ma sta ascoltando.

« Verso l'alba sentimmo cadere dei sassi e pensammo che fosse un animale, ma di solito gli animali non fanno tanto baccano. Poi sentii uno sciacquio nell'acquitrino e allora ci svegliammo del tutto. Uscii dal sacco a pelo lentamente, presi il nostro revolver dalla giacca e mi accucciai accanto a un albero ».

Chris ormai ha dimenticato i suoi problemi.

« Ci fu un altro sciacquio » continuo. « Poi *cic, ciac,* e *patapumf*! E poi ancora *patapumf*! e PATAPUMF! Ed ecco che, nella luce grigiastra dell'alba, comparve l'alce maschio più grosso che avessi mai visto, e mi veniva dritto addosso. Corna grandi quanto un uomo. Dopo il grizzly, l'animale più pericoloso delle montagne. Per qualcuno il più pericoloso ».

A Chris brillano gli occhi.

« Alzai il cane sul revolver pensando che una trentotto special non era granché per un alce. PATAPUMF! Non mi *vedeva*! PATAPUMF! Non potevo togliermi dal suo percorso. Tua madre era dentro al sacco a pelo proprio sulla sua strada. PATAPUMF! Che GIGANTE! È a *dieci metri*! PATAPUMF! Mi alzo e prendo la mira. PATAPUMF!... PATAPUMF!... PATAPUMF... si ferma, A TRE METRI DI DISTANZA, e mi vede... ha il mirino puntato dritto in mezzo agli occhi... restiamo immobili ».

Frugo nel mio sacco e prendo il formaggio.

« E poi? » domanda Chris.

« Aspetta ». Taglio un po' di formaggio e glielo do. Lui ripete: « E poi? ».

Lo tengo d'occhio finché non dà il primo morso, poi continuo. « L'alce sta a guardarmi per almeno cinque secondi, abbassa lo sguardo su tua madre, guarda di nuovo me e il revolver che è praticamente appoggiato sul suo nasone rotondo, poi sorride e si allontana lentamente ».

« Oh » dice Chris. Sembra deluso.

« In questi casi di solito caricano, » gli dico « ma lui deve aver pensato che era una bella mattina, che eravamo arrivati prima noi e perché piantar grane? Per questo ha sorriso ».

« Ma *possono* sorridere? ».

« No, ma sembrava ».

Metto via il formaggio e aggiungo: « Più tardi scendevamo giù per un pendio saltando da un masso all'altro. Stavo per atterrare su una grossa roccia marrone, quando tutt'a un tratto la roccia spicca un balzo e corre via nei boschi. Era l'alce... Doveva averne veramente abbastanza di noi, quel giorno ».

Aiuto Chris ad alzarsi. « Stavi andando un po' troppo in fretta » gli dico. « Adesso la montagna diventa più ripida e dobbiamo andare piano ».

« Starò dietro a te ».

« D'accordo ».

Ora siamo lontani dal ruscello; saliamo su per una parete del canyon seguendo la linea di minor pendenza.

Le montagne si dovrebbero scalare col minor sforzo possibile e senza fretta. La velocità dovrebbe essere determinata dallo stato d'animo dello scalatore. Se sei inquieto, accelera. Se rimani senza fiato, rallenta. Le montagne si scalano in un equilibrio che oscilla tra inquietudine e sfinimento. Poi, quando smetti di pensare alla meta, ogni passo non è soltanto un mezzo, ma un evento fine a se stesso. *Questa* foglia ha l'orlo frastagliato. *Questa* roccia è instabile. Da *qui* la neve è meno visibile, benché più vicina. Queste sono cose che dovresti notare comunque. Vivere soltanto in funzione di una meta futura è sciocco. È sui fianchi delle montagne, e non sulla cima, che si sviluppa la vita.

Ma evidentemente senza la cima non si possono avere i fianchi. È la cima che *determina* i fianchi. E così saliamo...

Ora ricordo con chiarezza la prima lezione di Fedro dopo che aveva dato questo tema: « Cos'è la Qualità nel pensiero e nell'espressione? ». L'atmosfera era esplosiva. Sembrava che la domanda avesse il potere di esasperare anche gli studenti.

« E noi come facciamo a saperlo, che cos'è la Qualità? » gli dicevano. « Dovrebbe essere *lei* a dircelo! ».

Allora Fedro rispose che non riusciva a capirlo neanche lui, e che aveva assegnato quel tema nella speranza che qualcuno riuscisse a trovare una risposta valida.

Fu come una bomba. Nella stanza si alzò un boato d'indignazione. Prima che la confusione si acquietasse un altro insegnante aveva già fatto capolino nell'aula per vedere cosa succedeva.

« Non è niente » disse Fedro. « Siamo solo andati a sbattere contro una domanda genuina, ed è difficile riaversi dallo shock ». Alcuni studenti rimasero incuriositi da quest'affermazione, e il baccano si calmò pian piano.

Allora Fedro sfruttò l'occasione per ritornare brevemente al suo tema favorito: « Corruzione e decadenza nella Chiesa della Ragione ». Era proprio indicativo di questa corruzione, disse, che gli studenti si sentissero oltraggiati perché qualcuno voleva *usarli* per cercare la verità. Loro si aspettavano di *scimmiottare* questa ricerca della verità, di *imitarla*. Cercare *veramente* la verità era un'infame imposizione.

La verità, disse Fedro, era che lui voleva sapere quello che pensavano non per dargli il voto, ma perché gli interessava la risposta.

Gli studenti erano sconcertati.

« Sono stato sveglio tutta la notte a pensarci » disse uno.

« Stavo quasi per mettermi a piangere, mi sembrava di impazzire » disse una ragazza vicino alla finestra.

« Doveva dircelo » saltò su un terzo.

« E come facevo a dirvelo, » rispose Fedro « se non sapevo come avreste reagito? ».

Alcuni degli studenti lo guardarono con un barlume di comprensione. Non stava scherzando, voleva davvero una risposta.

Che strano tipo.

Poi qualcuno disse: « E lei, cosa ne pensa? ».

« Non lo *so* » rispose lui.

« Ma avrà pure un'idea! ».

Fedro tacque a lungo. « Penso che una cosa come la Qualità esista, ma appena si cerca di definirla sfugge ».

Mormorii di approvazione.

« Il perché » continuò Fedro « non lo so. Pensavo che forse i vostri temi mi avrebbero suggerito qualcosa. Non so proprio ».

Questa volta la classe rimase silenziosa.

Con gli altri studenti ci fu lo stesso subbuglio, ma alcuni tentarono di buon grado di offrirgli delle risposte, il che gli fece capire che quelli della prima lezione ne avevano discusso all'ora di pranzo.

Qualche giorno dopo Fedro elaborò una definizione sua e la scrisse sulla lavagna per i posteri. La definizione diceva: « La Qualità è una caratteristica del pensiero e dell'espressione che viene individuata mediante un processo non intellettuale, e dato che le definizioni sono il risultato di un processo intellettuale rigido e formale, la Qualità non può essere definita ».

Il fatto che questa « definizione » fosse in realtà un rifiuto a definire non suscitò commenti. Gli studenti non avevano una formazione logica, altrimenti si sarebbero resi conto che la sua affermazione, dal punto di vista logico, era del tutto irrazionale. Se non si può definire qualcosa non c'è modo di sapere che esiste, logicamente parlando. E non si può neanche dire a qualcun altro che cos'è. In effetti, sul piano logico, non c'è nessuna differenza tra l'incapacità di definire e la stupidità. Quando io dico: « La Qualità non può essere definita », in realtà, logicamente parlando, dico: « Per quanto riguarda la Qualità, sono stupido ».

Fortunatamente gli studenti non lo sapevano. Se l'avessero interrotto con queste obiezioni, a quell'epoca non sarebbe stato in grado di rispondere.

Però poi, sotto la definizione, Fedro scrisse: « Ma benché la Qualità non sia definibile, *voi sapete cos'è!* ». E in classe scoppiò di nuovo il finimondo.

« No che non lo sappiamo! ».

« Sì che lo sapete ».

« No, invece! ».

« Sì, invece! » disse Fedro e aveva già la dimostrazione pronta.

Aveva scelto due esempi di temi fatti dagli studenti. Il primo era incoerente, sconnesso, con idee interessanti che non arrivavano a nessuna conclusione. Il secondo era un pezzo magnifico di uno studente che non riusciva ancora a capacitarsi della sua stessa bravura. Fedro li lesse entrambi, poi chiese che chi pensava che il primo tema fosse il migliore alzasse la mano. Si alzarono due mani. Chiese quanti preferivano il secondo e si alzarono ventotto mani.

« Qualunque cosa abbia spinto la schiacciante maggioranza ad alzare la mano in favore del secondo tema » disse Fedro « è quello che io intendo per Qualità. Quindi voi sapete cos'è ».

Quest'affermazione fu seguita da un lungo silenzio. Fedro lasciò tempo alla riflessione.

Da un punto di vista intellettuale questo procedimento era abominevole, e lui lo sapeva. Non stava più insegnando, stava indottrinando. Aveva costruito un'entità immaginaria, l'aveva dichiarata indefinibile, aveva risposto alle proteste degli studenti dicendo che loro sapevano cos'era, e l'aveva dimostrato con una tecnica logicamente insostenibile. Era riuscito a cavarsela perché la confutazione logica richiedeva un'abilità maggiore di quanta ne avessero i suoi studenti. Nei giorni seguenti egli sollecitò continuamente le loro confutazioni, ma non ne arrivò nessuna. Allora si spinse ancora più in là con la sua improvvisazione.

Per confermare l'idea che gli studenti sapevano già cos'era la Qualità, prese l'abitudine di leggere in classe quattro compiti degli studenti chiedendo a ciascuno di metterli su un foglietto in ordine di Qualità, cosa che faceva anche lui. Poi raccoglieva i foglietti, li allineava sulla lavagna e faceva la media dei giudizi per trarne l'opinione complessiva della classe. Infine rivelava le proprie valutazioni, che per lo più erano molto vicine, se non identiche, alla media della classe.

In un primo momento gli studenti erano abbastanza eccitati da questo esercizio, ma col passar del tempo cominciarono ad annoiarsi. La loro domanda adesso era: « D'accordo, sappiamo cos'è la Qualità. Ma come si fa a ottenerla? ».

Ora, finalmente, i testi base per l'insegnamento della retorica trovarono una collocazione. I princìpi che esponevano non erano più regole contro le quali ribellarsi, fissate una volta per sempre, ma solo delle tecniche, dei trucchi per ottenere quello che contava davvero e che era indipendente dalle tecniche: la Qualità. L'esperienza che era partita come un rifiuto eretico della retorica tradizionale diventò invece una bellissima introduzione alla stessa.

Fedro isolò alcuni aspetti della Qualità, come l'unità, la perspicuità, l'autorevolezza, l'equilibrio, la sensibilità, la chiarezza, l'enfasi, la scorrevolezza, la sorpresa, l'acutezza, la precisione, la proporzione, la profondità e così via; come aveva fatto per la Qualità stessa, non definì ulteriormente questi aspetti, ma li illustrò valendosi ancora una volta della tecnica della lettura in classe. Dimostrò come l'aspetto della Qualità chiamato unità potesse essere migliorato con la tecnica della ' scaletta '. L'autorevolezza poteva essere sorretta dalla tecnica delle note a piè di pagina. Queste due tecniche vengono insegnate fin dalle prime lezioni agli studenti del primo anno, ma adesso, come strumenti per migliorare la Qualità, avevano uno scopo ben preciso.

Ora, per rispondere all'eterna domanda degli studenti: «Com'è che devo fare?», che lo aveva frustrato al punto da portarlo quasi alle dimissioni, Fedro poteva rispondere: «Non fa nessuna differenza *come* lo fai! L'importante è che riesca bene!». Lo studente riluttante poteva chiedere durante la lezione: «Ma come facciamo a sapere che riesce bene?», ma ancora prima che la domanda gli uscisse di bocca, si sarebbe reso conto che la risposta era già stata data. Di solito qualche altro studente gli avrebbe detto: «Ma lo *vedi*», e se lui rispondeva: «No, non lo vedo», l'altro avrebbe insistito: «Sì, invece. Lui l'ha dimostrato». E così lo studente era costretto a pronunciare dei giudizi qualitativi per conto suo.

Ma ora questa storia era finita. Fedro aveva rovesciato la regola fondamentale secondo la quale tutte le cose che devono essere insegnate debbono prima essere definite. Non proponeva più nessun principio, nessuna regola di buona prosa, nessuna teoria — ma proponeva tuttavia qualcosa di molto reale, qualcosa di cui gli studenti non potevano negare l'esistenza. Il vuoto che era stato creato dalla sospensione dei voti venne tutt'a un tratto riempito dalla meta positiva della Qualità, e tutto cominciò a quadrare. Gli studenti, stupiti, andavano nel suo studio a dirgli: «E pensare che *detestavo* l'inglese. Adesso ci dedico più tempo che a qualsiasi altra materia». Ed erano in parecchi. Tutta l'idea di Qualità era bella. E funzionava. Era quel misterioso, individuale fine interiore di ciascuna persona creativa, finalmente scritto sulla lavagna.

Mi giro a controllare come se la cava Chris. Ha la faccia stanca.

« Come ti senti? » gli chiedo.

« Bene » risponde, ma in tono di sfida.

« Possiamo fermarci in un posto qualsiasi a piantare la tenda » gli faccio.

Mi lancia un'occhiata furente, per cui non aggiungo altro. Ben presto vedo che cerca di superarmi sul pendio. Con uno sforzo, probabilmente enorme, mi passa davanti.

Fedro si spinse così lontano col suo concetto di Qualità perché si rifiutò di guardare al di là dell'immediata esperienza scolastica. Sapeva solo che funzionava. L'affermazione di Cromwell « nessuno si spinge mai tanto in alto quanto colui che ignora la propria meta » si adattava perfettamente alle circostanze.

Dopo un po', comunque, incominciò a chiedersi *come mai* funzionasse, dal momento che lui sapeva già che era irrazionale. Perché un metodo irrazionale doveva funzionare, quando i metodi razionali erano tutti un disastro? Intuì con sempre maggiore chiarezza che quello in cui si era imbattuto non era affatto un trucchetto, ma qualcosa che andava molto più in là.

Questo fu l'inizio della cristallizzazione di cui parlavo prima. A quel tempo altri si chiedevano: « Perché si esalta tanto per la ' Qualità '? ». Ma questi vedevano solo la parola e il suo contesto retorico. Non conoscevano la sua passata disperazione a proposito delle domande astratte sull'esistenza, che poi, sconfitto, aveva dovuto abbandonare.

Se chiunque altro avesse chiesto: « Cos'è la Qualità? », sarebbe stata una domanda come un'altra. Ma ai suoi occhi, per la natura stessa del suo passato, questa domanda era come una serie di onde che spumeggiassero in ogni direzione, secondo una struttura non gerarchica ma concentrica. Al centro, a generare le onde, c'era la Qualità. Ora farò del mio meglio per cercare di seguire quelle onde di cristallizzazione, la seconda fase della sua esplorazione della Qualità.

I movimenti di Chris tradiscono rabbia e stanchezza. Inciampa, si lascia graffiare dai ramoscelli invece di spingerli da parte.

Mi dispiace. Probabilmente è il risultato delle settimane al campeggio dell'YMCA. Da quel che mi ha raccontato, per lui e per i suoi compagni era tutta una questione di ego. Roba da prova di virilità. Per di più Chris partiva da una posizione infima, uno stato in cui, come gli istruttori non mancarono di sottolineare, era una disgrazia trovarsi... il peccato originale. Poi gli fu permesso di misurarsi in una lunga serie di imprese: nuotare, fare i nodi... ne ha nominate una dozzina, ma le ho dimenticate.

Il fatto di avere degli obiettivi che una volta raggiunti gratificassero il loro ego rendeva senza dubbio i ragazzi più volenterosi e attivi, ma alla lunga questo tipo di movente è distruttivo. Qualsiasi sforzo abbia come obiettivo finale l'autoglorificazione è destinato a concludersi in un disastro. Infatti ora ne scontiamo le conseguenze. Quando si prova a scalare una montagna per dimostrare la propria bravura, è raro che si arrivi alla vetta. E anche se ci si arriva è una vittoria ben meschina. Per consolidarla bisogna continuare a misurarsi, incessantemente, condannati ad aderire per sempre a una falsa immagine di sé, ossessionati dalla paura che l'immagine non sia vera e che qualcuno lo scopra.

In una lettera che risaliva al suo soggiorno in India, Fedro descrisse un pellegrinaggio alla montagna sacra di Kailas — sorgente del Gange e dimora di Shiva, in cima all'Himalaya —, che aveva intrapreso in compagnia di un santone e dei suoi seguaci.

Fedro non raggiunse mai la montagna. Dopo il terzo giorno rinunciò, esausto, e il pellegrinaggio continuò senza di lui. La forza fisica non gli mancava, ma la forza fisica non era sufficiente. Aveva un movente intellettuale, ma non era sufficiente neanche quello. Non pensava di aver peccato d'orgoglio unendosi al pellegrinaggio, ma si rendeva conto di averlo intrapreso solo per ampliare la *sua* esperienza, approfondire la *sua* conoscenza. Stava cercando di strumentalizzare la montagna, e anche il pellegrinaggio. Considerava se stesso l'entità prestabilita, e non il pellegrinaggio o la montagna; quindi non era pronto. Agli altri pellegrini, invece, la santità della montagna che era infusa nei loro spiriti permetteva di sopportare difficoltà che lui, con tutta la sua forza fisica, non avrebbe saputo reggere.

All'occhio inesperto tra la scalata centrata sull'ego e quella che mette l'ego da parte non c'è nessuna differenza. Ma lo scalatore tutto proteso verso il proprio ego è come uno strumento fuori fase. I suoi passi sono troppo affrettati o troppo lenti. Con ogni probabilità uno scalatore così perde la bellezza della luce che filtra tra gli alberi. Rifiuta il qui, ne è scontento, vorrebbe essere più avanti ma quando ci arriva è altrettanto scontento, perché anche là diventa « qui ». Quello che sta cercando, quello che vuole, è tutto intorno a lui, ma lui non lo vuole, proprio perché ce l'ha tutto intorno. Ogni passo è uno sforzo sia fisico sia spirituale, perché egli immagina che la sua meta sia esterna e distante.

Il problema di Chris sembra proprio questo.

18

C'è un'intera branca della filosofia che si occupa della definizione della Qualità: l'estetica. La domanda che questa disciplina si pone, « Che cosa si intende per *bello*? », risale ai tempi antichi. Ma Fedro, quand'era studente di filosofia, aveva disdegnato tutto questo campo del sapere. Si era fatto bocciare quasi di proposito all'unico corso di estetica che avesse frequentato, e nelle esercitazioni aveva sottoposto l'insegnante e i testi di studio ad attacchi oltraggiosi, tanto questa disciplina gli era invisa.

Non era un punto di vista particolare che lo faceva indignare, quanto l'idea che la Qualità dovesse essere subordinata a un *qualsiasi* punto di vista. Il processo intellettuale metteva la Qualità al proprio servizio, prostituendola.

In uno dei suoi scritti Fedro affermava: « Questi studiosi di estetica pensano che la loro materia sia una specie di pasticcino per cui farsi venire l'acquolina in bocca; qualcosa da far fuori in modo molto intellettuale tra soavi apprezzamenti, e a me viene da vomitare. L'acquolina, in realtà, se la fanno venire per il cadavere putrescente di qualcosa che hanno ucciso molto tempo fa ».

Ora, alla prima tappa del processo di cristallizzazione, Fedro si accorse che se ci si astiene dal dare una definizione della Qualità, l'intero campo del sapere chiamato estetica viene spazzato via... Rifiutandosi di definire la Qualità, egli l'aveva situata interamente al di fuori del processo analitico.

Questa scoperta lo esaltò. Era come scoprire una cura per il cancro. Basta con le spiegazioni sulla natura dell'arte. Basta con le varie scuole critiche.

Credo che, sulle prime, nessuno avesse intuito dove volesse arrivare. Vedevano un intellettuale che trasmetteva un messaggio dotato di tutti gli orpelli dell'analisi razionale fatta in un contesto accademico. Non si rendevano conto che Fedro aveva uno scopo che esulava dai soliti obiettivi. Non stava affatto sviluppando l'analisi razionale, la stava bloccando. Stava trasformando il metodo razionale in un'arma a doppio taglio che si rivolgeva verso se stessa, e lui la puntava contro la sua stessa gente in difesa di un concetto irrazionale, di un'entità indefinita chiamata Qualità.

Fedro dichiarò apertamente che un professore di composizione che ignori che cos'è la Qualità darebbe prova di incompetenza, il che fece corrugare molte fronti all'interno del Dipartimento. Dopotutto, Fedro era il più giovane degli insegnanti, e non era affar suo giudicare il livello professionale degli anziani.

Ma alla fine gli venne riconosciuto il diritto di dire tutto quello che gli pareva, e gli anziani parvero apprezzare la sua indipendenza di pensiero e si dimostrarono pronti ad appoggiarlo come membro della stessa Chiesa. Ma, contrariamente a quanto credono molti oppositori della libertà accademica, la posizione della Chiesa della Ragione non è mai stata quella di permettere a un insegnante di blaterare tutto quello che gli passa per la testa senza dover render conto a nessuno. Per la Chiesa è verso la Dea Ragione che si è responsabili delle proprie idee, e non verso gli idoli del potere politico. Il fatto che Fedro stesse insultando qualcuno non aveva nulla a che vedere con la verità o la falsità di quanto stava dicendo, e non lo rendeva passibile di una condanna morale. Però erano tutti pronti a condannarlo, con grande soddisfazione morale, al minimo accenno di insensatezza.

Ma come diavolo si fa a giustificare secondo ragione il rifiuto di definire qualcosa? Le definizioni sono il *fondamento* della ragione. Per un po' Fedro riuscì ad arginare l'attacco con ricercati minuetti dialettici e con insulti sulla competenza e l'incompetenza, ma prima o poi avrebbe dovuto produrre qualcosa di più sostanzioso. Giunse così a un'ulteriore cristallizzazione che andava oltre i limiti tradizionali della retorica per spingersi nel regno della filosofia.

Chris si gira e mi lancia un'occhiata da martire. Ormai ci siamo. I sintomi si erano manifestati ancora prima che partissimo. Quando DeWeese aveva informato uno degli ospiti che io ero un esperto di alta montagna, Chris mi aveva guardato tutto ammirato: per lui era una gran cosa. Presto sarà cucinato a dovere, e allora potremo fermarci.

E opplà! Ecco che è caduto, troppo bene per non averlo fatto apposta. Non si rialza. Ora mi guarda offeso e arrabbiato, aspettandosi la mia riprovazione, ma io non gliela concedo affatto. Mi siedo accanto a lui e vedo che si è quasi arreso.

« Bene, » faccio « possiamo fermarci qui, o andare avanti, o tornare indietro. Cosa preferisci? ».

« Niente, non me ne importa niente » risponde. « Non voglio... ».

« Non vuoi cosa? ».

« *Non me ne importa niente!* » risponde rabbioso.

« Allora, visto che per te fa lo stesso, andremo avanti » faccio io, mettendolo in trappola.

« Non mi piace questa gita » dice lui. « Non è divertente. Io credevo che sarebbe stata divertente ».

Mi lascio cogliere alla sprovvista da un accesso di collera. « Sarà anche vero, » rispondo « ma potevi risparmiarmelo ».

Un improvviso lampo di paura gli attraversa lo sguardo mentre si alza.

Proseguiamo.

Il cielo, sopra l'altra parete del canyon, adesso è coperto, e il vento tra i pini è diventato freddo e sinistro.

Col fresco, se non altro, arrampicarsi è più facile...

La risposta che Fedro diede alla domanda: « Se non sai definire la Qualità, che cosa ti fa pensare che esista? » era improntata a un procedimento classico della scuola del *realismo* filosofico. « Una cosa esiste » egli disse « se il mondo non può funzionare normalmente senza di essa. Se riusciamo a dimostrare che un mondo senza Qualità non funziona normalmente, allora avremo dimostrato che la Qualità esiste, che sia definita o no ». A questo punto Fedro procedette a sottrarre la Qualità dalla descrizione del mondo così come lo conosciamo.

La prima vittima di questa sottrazione, disse, sarebbero state le arti. Se non si può distinguere tra bello e brutto in campo artistico, le arti scompaiono. Non ha senso appendere un quadro alla parete quando la parete nuda sembra altrettanto bella. Le sinfonie non hanno ragione di esistere, se una qualsiasi canzonetta sembra altrettanto bella. E così per la poesia, l'umorismo e tutto il resto.

Poi Fedro fece sparire lo sport. Il football, il baseball, ogni tipo di giochi. I punteggi non sarebbero più la misura di nulla, non sarebbero che vuote statistiche, come il numero delle pietruzze in un mucchio di ghiaia. Chi andrebbe alle partite? Chi giocherebbe?

Poi eliminò la Qualità dal commercio. Dato che qualità e sapore sarebbero indifferenti, i negozi di alimentari venderebbero soltanto i cereali fondamentali come riso, grano, farina e semi di soia; probabilmente anche la carne, senza differenza di prezzi tra i tagli; il latte per i neonati, le vitamine e i sali minerali per compensare le possibili carenze. Invece sparirebbero le bevande alcooliche, il tè, il caffè e il tabacco. E così pure i cinema, i balli, le commedie e le feste. Useremmo solo i trasporti pubblici e ci metteremmo scarpe militari.

Molti di noi rimarrebbero senza lavoro, ma solo momentaneamente, perché col tempo troveremmo una nuova sistemazione all'interno di lavori essenziali e non qualitativi. La scienza applicata e la tecnologia ne risulterebbero drasticamente cambiate, ma la scienza, la matematica, la filosofia e soprattutto la logica rimarrebbero immutate.

Questo parve a Fedro estremamente interessante. Se venisse eliminata la Qualità, soltanto la razionalità rimarrebbe immutata. Strano. Come mai?

Fedro non lo sapeva, ma sapeva che eliminando la Qualità dalla descrizione del mondo così come lo conosciamo aveva messo in luce l'importanza di questa nozione, che diventava fondamentale in un modo che lui non aveva neanche sospettato. Il mondo *può* funzionare senza di essa, ma la vita sarebbe così insulsa che non varrebbe neanche la pena di viverla. La locuzione *valere la pena di* è una locuzione qualitativa. La vita sarebbe semplicemente un vivere senza nessun valore e nessuno scopo.

Fedro valutò la distanza che aveva percorso seguendo questa linea di pensiero e decise che indubbiamente aveva dimostrato il suo punto di vista.

Notò immediatamente la somiglianza di questo mondo privo di Qualità con alcune situazioni sociali di cui aveva letto: l'antica Sparta, la Russia comunista e i suoi satelliti. La Cina comunista, il *Mondo nuovo* di Aldous Huxley e *1984* di George Orwell. Gli vennero in mente anche persone di sua conoscenza alle quali questo mondo privo di Qualità sarebbe andato benissimo. Erano gli stessi che cercavano di farlo smettere di fumare. Gli chiedevano delle giustificazioni razionali per il suo vizio, e dato che lui non riusciva a trovarne lo guardavano dall'alto in basso, come se avesse perso la faccia. Dovevano avere delle motivazioni, dei piani, delle soluzioni per tutto. Erano della sua stessa gente. Quella che ora lui stava attaccando. Cercò a lungo un termine che riassumesse tutte le loro caratteristiche, una parola che descrivesse questo mondo privo di Qualità.

Squareness.

Squareness. Proprio così. Quando si sottrae la Qualità si ottiene la *squareness*. L'assenza di Qualità è l'essenza della *squareness*.

Gli vennero in mente alcuni suoi amici artisti coi quali aveva fatto un viaggio da un capo all'altro degli Stati Uniti. Erano negri, e si erano sempre lamentati proprio di questa assenza di Qualità che Fedro stava descrivendo. *Square* era il termine che avevano coniato per definirla. Molto tempo fa, prima che lo adottassero i mass media trasformandolo in un termine bianco di uso comune, i negri avevano definito *square* tutta la paccottiglia intellettuale con la quale non volevano avere più niente a che fare. E tra lui e loro c'era stato un fantastico guazzabuglio di conversazioni e di malintesi, proprio perché Fedro era un esempio perfetto di quella *squareness* di cui stavano parlando, e più lui cercava di farsi spiegare di che cosa si trattasse più loro diventavano vaghi. E adesso anche lui, con la sua Qualità, era arrivato a parlare come loro, con altrettanta vaghezza, benché quello di cui parlava non fosse meno chiaro e solido di tutte le entità razionalmente definite con cui avesse avuto a che fare.

Gli venne in mente l'osservazione di uno di loro: « Ehi, amico, perché non cerchi semplicemente di *capire*? E smettila con le tue domande da sette dollari. Se stai sempre lì a chiederti *cos'è* una cosa non avrai mai il tempo di conoscerla ». Sentimento. Qualità. Che fossero la stessa cosa?

Fedro si rendeva conto che, intellettualmente, la Qualità fungeva da discriminante, ciò che si cerca in ogni analisi intellettuale. Basta prendere il coltello analitico e appoggiarne la punta direttamente sul termine Qualità perché il mondo si spacchi in due — *hip* e *square*, classico e romantico, tecnologico e umanistico — e la spaccatura è netta, senza sbavature. Ah, se Kant fosse vivo! Kant l'avrebbe apprezzato, da gran maestro tagliatore di diamanti. Lui avrebbe capito. Tenere la Qualità indefinita: questo era il segreto.

Con un barlume di consapevolezza, Fedro scrisse di essersi impegnato in uno strano tipo di suicidio intellettuale. « La *squareness* può essere descritta, in modo succinto ma esauriente, come l'incapacità di vedere la Qualità prima che essa venga definita intellettualmente... Abbiamo dimostrato che la Qualità, benché indefinita, esiste. Quel che resta da analizzare non è dunque la Qualità, ma quelle particolari consuetudini di pensiero dette *squareness* che a volte ci impediscono di vederla ».

E fu così che Fedro cercò di rispondere all'attacco. Il soggetto dell'analisi ora era l'analisi stessa.

Mi guardo alle spalle e vedo che Chris è molto indietro. « Muoviti! » gli grido.

Non risponde.

« *Muoviti!* » grido di nuovo.

Poi lo vedo afflosciarsi sull'erba. Metto giù il sacco e scendo verso di lui. Il pendio è così ripido che devo puntare i piedi di traverso per non cadere. Trovo mio figlio in lacrime.

« Mi sono fatto male alla caviglia » mi dice, senza guardarmi.

Quando uno scalatore ha un'immagine di sé da proteggere, è naturale che menta. Ma è disgustoso, e mi vergogno che siamo potuti arrivare a questo punto. Ora le lacrime di Chris hanno corroso la mia voglia di proseguire e il suo senso di sconfitta si trasmette anche a me. Mi siedo, sopporto questa sensazione per un po', poi, nonostante la depressione, prendo lo zaino di Chris e gli dico: « Porterò io gli zaini, a staffetta, uno dopo l'altro. Così potrai riposarti quanto vuoi. Ci metteremo di più, ma arriveremo ».

Ho parlato troppo presto. Nella mia voce c'è ancora un accenno di disgusto e di risentimento; Chris non può fare a meno di notarlo e si vergogna. Si vede che è arrabbiato, ma non dice niente per paura di dover portare di nuovo lo zaino; si limita a fare il muso e mi ignora mentre io mi avvio. Scaccio il risentimento dicendomi che per me portare due carichi non è un lavoro in più, se raggiungere la cima della montagna è soltanto la meta nominale.

Avanziamo lentamente per un'oretta finché vedo il primo filo d'acqua di un ruscello. Mando giù Chris a prendere dell'acqua con un tegame, e lui obbedisce. Quando torna mi chiede: « Perché ci fermiamo qui? Andiamo avanti ».

« Questo è probabilmente l'ultimo ruscello che incontreremo da qui in avanti, Chris, e io sono stanco ».

« Perché sei così stanco? ».

Sta cercando di farmi perdere le staffe? Se è così ci sta riuscendo.

« Sono stanco, Chris, perché devo portare tutti e

due gli zaini. Se hai fretta prendi il tuo e vai pure avanti. Io ti raggiungo ».

Mi lancia un'altra occhiata spaventata, poi si mette a sedere. « Sono stufo » dice, quasi in lacrime. « *Odio* la montagna! Vorrei non essere mai venuto ». Sta piangendo di nuovo, stavolta a dirotto.

« La fai odiare anche a me » gli rispondo. « Sarà meglio che mangi un boccone ».

« Non voglio niente. Ho mal di pancia ».

« Fa' come ti pare ».

Mi preparo il pranzo e riposo un po'. Quando mi sveglio Chris sta ancora piangendo. Non ci resta che affrontare la situazione. Ma qual è la situazione?

« Chris » mi decido a dire.

Nessuna risposta.

Dopo un po' mi chiede in tono aggressivo: « Cosa? ».

« Stavo dicendo, Chris, che non devi dimostrarmi niente. Lo capisci, questo? ».

Mi guarda terrorizzato. Volta la testa di scatto.

« Non capisci, vero? ».

Continua a stornare gli occhi e non risponde. Il vento geme tra i pini.

Non so. Non so proprio che cos'ha. Non è solo questa storia dell'ego inculcatagli al campeggio che lo rende così inquieto. Basta che qualcosa gli vada storto, anche una cosa da niente, che ne fa una tragedia. Quando cerca di fare qualcosa e non ci riesce si infuria immediatamente o scoppia in lacrime.

Mi rimetto a sedere sull'erba e mi riposo. Io non voglio proseguire perché mi sembra che più avanti non ci sia proprio nessuna risposta. Neanche indietro, del resto. Non possiamo che andare alla deriva in attesa di qualcosa.

Dopo un po' lo sento frugare nello zaino. Mi giro e vedo che mi guarda storto. « Dov'è il formaggio? » mi chiede. Il tono è ancora bellicoso.

Ma non ho nessuna intenzione di dargliela vinta. « Arràngiati » gli dico. « Non sono il tuo cameriere ».

Lui fruga qua e là e trova un po' di formaggio e dei crackers. Gli do il coltello per spalmare il formaggio. « Sai cosa, Chris? Sarà meglio che mettiamo tutta la roba pesante nel mio zaino e quella leggera nel tuo. Così non mi toccherà andare avanti e indietro per portarli tutti e due! ».

Chris è d'accordo e il suo umore migliora. Sembra che questa soluzione lo liberi di un problema.

Il mio zaino adesso peserà quasi venti chili, e dopo un po' di salita riesco a trovare il mio ritmo: un respiro per ogni passo.

Arriviamo a una salita molto ripida ed il ritmo cambia da uno a due respiri per passo. Su un costone sale fino a quattro. Passi lunghissimi, quasi verticali, che dobbiamo fare attaccandoci a radici e arbusti. Che sciocchezza non aver pensato ad aggirare questa salita! I bastoni di pioppo adesso tornano utili, e Chris si preoccupa di imparare a usare il suo. Gli zaini alterano il baricentro e i bastoni sono una buona assicurazione contro le cadute.

Ci fermiamo per una pausa e guardiamo il paesaggio sotto di noi. L'umore di Chris ora sembra migliorato, ma temo che l'ego stia rialzando la cresta.

« Guarda quanta strada abbiamo fatto » mi dice.

« Ne abbiamo ancora per un bel po' ».

Ci rimettiamo in cammino e Chris si mette a gridare per sentire l'eco, e lancia dei sassi nel vuoto per vedere dove cadono. Sta incominciando a metter su delle ariette, per cui accelero finché non comincio a respirare a un ritmo un po' più veloce, perché si smonti un po'.

Verso le tre del pomeriggio incomincio a sentirmi le gambe molli: è ora di fermarsi. Non sono molto in forma. Se continui oltre questo limite, sforzi i muscoli e il giorno dopo è una tortura.

Arriviamo su un ampio dosso che si appoggia al fianco della montagna. Dico a Chris che per oggi basta così. Sembra soddisfatto e allegro, forse ha fatto qualche progresso, dopotutto.

Farei volentieri un pisolino, ma nel canyon si sono formate delle nuvole e potrebbe piovere da un momento all'altro.

Prendo i due ponchos militari che uso anche come tenda. Li butto su una corda che ho teso tra due alberi, poi col machete ricavo dei paletti da un ramo e li pianto; infine scavo una piccola trincea intorno alla tenda per far scolare l'acqua piovana. Non facciamo a tempo a mettere tutto al riparo che cadono le prime gocce.

Chris è tutto eccitato. Ci sdraiamo sui sacchi a pelo e guardiamo cadere la pioggia, ne udiamo il ticchettio sulla tenda. Dopo un po' frugo nello zaino e prendo il libro di Thoreau. Sotto la luce grigia faccio fatica a decifrare le parole che leggo ad alta voce per Chris. Comunque, dopo una mezz'ora mi accorgo, non senza una certa delusione, che il nostro solito metodo non funziona. Chris è inquieto e io anche. Ho l'impressione che la struttura linguistica non sia adatta a questa foresta. Questo libro è qualcosa di addomesticato, di angusto, cosa che non avrei mai pensato di Thoreau. Si riferisce a un'altra situazione, a un altro periodo, scopre i mali della tecnologia invece di indicare soluzioni. Non è diretto a noi. A malincuore lo metto da parte e ripiombiamo tutti e due in un silenzio meditabondo.

I recipienti che abbiamo messo fuori dalla tenda incominciano a riempirsi di acqua piovana. Più tardi, quando ce n'è abbastanza, la versiamo tutta in una padella, ci mettiamo dei dadi di pollo e scaldiamo la minestra sul fornelletto a Meta. È buonissima, come tutto dopo una faticaccia sulle montagne.

« Mi piace di più campeggiare con te che con i Sutherland » dice Chris.

« È diverso, adesso » gli rispondo.

Quando il brodo è finito prendo una lattina di maiale e fagioli e la rovescio nella pentola. Ci mette un bel po' a riscaldarsi, ma non abbiamo nessuna fretta.

« Ha un buon odore » dice Chris.

Ormai il ticchettìo delle gocce sulla tenda si è diradato.

« Penso che domani ci sarà il sole » dico.

Ci passiamo l'un l'altro il tegame mangiando dai lati opposti.

« Papà, si può sapere a cosa pensi? Pensi sempre! ».

« Mah... A un sacco di cose ».

« Sì, ma a cosa? ».

« Be', alla pioggia, ai guai che possono capitare e alle cose in generale ».

« Quali cose? ».

« Ma, per esempio a cosa ti succederà quando sarai grande ».

Gli interessa. « E cosa mi succederà? ».

Ma mentre me lo chiede vedo il solito ego che fa capolino nel suo sguardo e la mia risposta rimane nel vago. « Non lo so, » gli dico « ti stavo solo raccontando a cosa penso ».

« Credi che arriveremo in cima al canyon, domani? ».

« Ma certo, ormai non siamo lontani ».

« Domani mattina? ».

« Credo di sì ».

Più tardi Chris si addormenta e dalle montagne cala un vento umido che fa gemere i pini. Mi alzo e cammino per un po' sull'erba spugnosa e umida; poi rientro a tastoni nella tenda e aspetto il sonno.

19

Il tappeto di aghi di pino illuminati dal sole mi ricorda pian piano dove sono e mi aiuta a uscire dal mio sogno.

Ero in una stanza dalle pareti bianche e guardavo una porta a vetri. Dietro la porta c'erano Chris con suo fratello e sua madre. Chris mi salutava con la mano e suo fratello sorrideva, ma sua madre aveva le lacrime agli occhi. Poi mi accorgevo che il sorriso di Chris era statico e artificiale e in realtà nascondeva una profonda paura.

Vado verso la porta e il suo sorriso si allarga. Mi fa cenno di aprire. Sto per farlo, ma mi fermo. Chris ha di nuovo paura, ma io gli volto le spalle e mi allontano.

È un sogno che faccio spesso. Il suo significato è ovvio ed è legato ad alcuni pensieri di ieri sera. Chris sta cercando di mettersi in rapporto con me e teme che non ci riuscirà mai. Quassù si stanno chiarendo molte cose.

L'aria è umida e fresca, e mentre Chris è ancora addormentato io esco piano piano dalla tenda e mi sgranchisco un po' le gambe.

Più tardi un rumore mi dice che Chris è sveglio. Metto dentro la testa e vedo che si guarda intorno in silenzio. Ci mette del tempo a svegliarsi e gli ci vorranno almeno cinque minuti prima di riuscire a dire due parole. Strizza gli occhi alla luce del sole.

« Buongiorno » gli dico.

Nessuna risposta. Cade qualche goccia dai pini.

« Hai dormito bene? ».

« No ».

« Peccato ».

« Come mai sei sveglio così presto? » mi chiede.

« Non è presto ».

« Che ore sono? ».

« Le nove » gli rispondo.

« Credo che non ci siamo addormentati prima delle tre ».

Le tre? Se è rimasto sveglio, oggi ne risentirà.

« Be', io invece ho dormito ».

Mi lancia un'occhiata strana. « Ma se sei stato *tu* a tenermi sveglio! ».

« *Io?* ».

« Sì, con i tuoi discorsi ».

« Parlavo nel sonno? ».

« No, facevi dei discorsi sulla *montagna!* ».

Questo non mi torna. « Cos'è questa storia della montagna, Chris? ».

« Be', ne hai parlato per tutta la notte. Hai detto che in cima alla montagna avremmo visto tutto. Hai detto che mi saresti venuto incontro ».

Credo che se lo sia sognato. « Come facevo a venirti incontro se sono già qui con te? ».

« Non so. L'hai detto *tu* ». È turbato. « Era come se fossi ubriaco o qualcosa del genere ».

È ancora mezzo addormentato. Sarà meglio che gli dia il tempo di svegliarsi. Ma ho sete e mi viene in mente che non ho preso la borraccia, pensando che avremmo trovato abbastanza acqua lungo il cammino. Che sciocchezza. Adesso, prima di far colazione dovremo passare dall'altra parte della cresta e scendere fino a una sorgente. « Sarà meglio preparare la roba e metterci in cammino, se vogliamo trovare un po' d'acqua per la colazione ». L'aria si è già riscaldata e probabilmente nel pomeriggio farà molto caldo.

È ora di riprendere il Chautauqua e di parlare della seconda ondata di cristallizzazione di Fedro, quella metafisica.

Quest'ondata fu una conseguenza delle sue divagazioni a briglia sciolta sulla Qualità. Si scatenò quando gli insegnanti del Dipartimento di Inglese, informati della loro *squareness*, posero a Fedro una domanda ragionevole: « Questa tua indefinita " Qualità " esiste nelle cose che osserviamo? » gli chiesero. « O è soggettiva e esiste soltanto nell'osservatore? ». Era una domanda semplice, abbastanza normale, e non c'era di che affannarsi.

Ah! Non c'era di che affannarsi! Era il colpo di grazia, la domanda decisiva, di quelle che ti mettono al tappeto. Infatti, se la Qualità esiste nell'oggetto, allora bisogna spiegare perché gli strumenti scientifici sono incapaci di individuarla, e, a questo punto, o sei in grado di proporre degli strumenti che permettano di individuarla, o ti devi accontentare della spiegazione seguente: gli strumenti esistenti non la individuano perché tutto il tuo bel concetto di Qualità è un'enorme sciocchezza.

D'altra parte, se la Qualità è soggettiva, ed esiste solo nell'osservatore, vuol dire che essa non è nient'altro che il nome che dài a quello che piace a te.

In sostanza, il Dipartimento di Inglese del Montana State College aveva messo Fedro davanti a quell'antica figura logica nota come dilemma. Il *dilemma*, che in greco significa « due premesse », è stato paragonato alle corna di un toro.

Se Fedro accettava la premessa secondo cui la Qualità sarebbe oggettiva, egli veniva trafitto da uno dei due corni. Se accettava l'altra premessa, secondo cui essa sarebbe soggettiva, veniva trafitto dall'altro. Dato che la Qualità o è oggettiva o è soggettiva, Fedro sarebbe stato incornato comunque.

Comunque, grazie ai suoi studi di logica, egli era consapevole che ogni dilemma si presta non a due, ma a tre confutazioni classiche, e ne conosceva anche alcune di riserva che non erano così classiche. Poteva optare per il corno sinistro e confutare l'idea che l'oggettività implicasse l'osservabilità scientifica. Oppure poteva prendere il corno destro, e confutare l'idea che la soggettività facesse della Qualità solo una questione di gusti. Oppure poteva afferrare il toro per entrambe le corna e negare che la Qualità potesse essere solo oggettiva o soggettiva. Potete star certi che considerò attentamente tutte queste possibilità.

Oltre a queste confutazioni logiche classiche ce ne sono alcune illogiche, « retoriche ». E Fedro, che era un retore, poteva disporre anche di queste.

Si può gettar sabbia negli occhi del toro. E Fedro l'aveva già fatto affermando che chi ignora la natura della Qualità dà prova di incompetenza. Ora, è una vecchia regola logica che la competenza di chi parla non ha nulla a che vedere con la verità delle sue parole, per cui parlare di incompetenza era appunto gettar sabbia negli occhi. Il più grande imbecille del mondo può dire che il sole brilla e non per questo il sole si oscurerà. Socrate, quell'antico nemico della retorica, avrebbe annientato l'argomentazione di Fedro dicendogli: « Bene, accetto la tua premessa: io sono incompetente in materia di Qualità. E adesso, per piacere, spiega a un vecchio incompetente cos'è la Qualità. Altrimenti, come faccio a migliorare? ».

Si può tentare di addormentare il toro con una ninna nanna. Fedro avrebbe potuto dire ai suoi interlocutori che la soluzione di questo dilemma era al di là delle sue umili capacità, ma che la sua incapacità di trovare una risposta non costituiva logicamente una prova che la soluzione non esistesse affatto. Perché non lo aiutavano loro a trovare la risposta, visto che erano tanto più esperti di lui? Ma ormai era troppo tardi. Rischiava solo di sentirsi rispondere: « No, siamo troppo *square*. Però tu, finché non avrai trovato una risposta, attieniti ai programmi dei corsi in modo che non ci tocchi bocciare i tuoi confusissimi studenti quando passeranno a noi il prossimo trimestre ».

La terza alternativa retorica al dilemma, a mio avviso la migliore, era quella di *rifiutarsi di scendere nell'arena.* Fedro avrebbe potuto dire semplicemente: « Il tentativo di classificare la Qualità come soggettiva o oggettiva è un tentativo di definirla. E io ho già detto che è *indefinibile* », e chiudere lì la questione. Credo che sia proprio quello che DeWeese gli consigliò di fare a quell'epoca.

Perché Fedro abbia disatteso questo consiglio decidendo di rispondere al dilemma in modo logico e dialettico invece che infilare la facile uscita del misticismo, non lo so proprio. Però posso immaginarmelo. Penso che prima di tutto egli abbia intuito che tutta la Chiesa della Ragione era irreversibilmente *dentro* all'arena della logica, e che rifiutando di usare le armi della logica si esclude la possibilità di essere presi in considerazione nel mondo accademico. Il misticismo filosofico, l'idea che la verità sia indefinibile e possa essere appresa soltanto con strumenti non razionali, ci ha accompagnato fin dall'inizio della storia. È alla base della pratica Zen. Ma non è un tema accademico. L'accademia, la Chiesa della Ragione, si occupa esclusivamente delle cose che *possono* essere definite, e se uno vuole fare il mistico, il suo posto è in un monastero, non in un'Università.

Credo inoltre che, nella sua decisione di scendere in campo, abbia giocato anche un pizzico di narcisismo. Fedro era consapevole delle sue capacità logiche e dialettiche, anzi, ne andava orgoglioso, e il dilemma che gli veniva posto rappresentava una sfida alla sua abilità. Ora sono convinto che quel filo di narcisismo sia stato all'origine di tutti i suoi mali.

Duecento metri più in su vedo un cervo che si muove tra i pini. Lo indico a Chris, ma lui non ha neanche il tempo di girare la testa che è già sparito.

Il primo corno del dilemma di Fedro era il seguente: se la Qualità esiste nell'oggetto, come mai gli strumenti scientifici non riescono ad osservarla?

Questo era il corno più acuto. Le difficoltà che presentava erano mortali fin dall'inizio. Se Fedro avesse preteso di essere una specie di super-scienziato in grado di vedere negli oggetti quella Qualità che nessuno scienziato riusciva a individuare, avrebbe fatto la figura del pazzo o dell'imbecille. Al giorno d'oggi, le idee incompatibili con la conoscenza scientifica non hanno una vita facile.

Gli venne in mente l'affermazione di Locke secondo la quale nessun oggetto, scientifico o no, è conoscibile se non in base alle sue qualità. Questa verità irrefutabile sembrava suggerire che gli scienziati non riescono a individuare la Qualità *negli* oggetti perché la Qualità è *l'unica cosa* che riescono a individuare. L'« oggetto » è un costrutto intellettuale *dedotto* dalle qualità. Se questa risposta si dimostrava valida, spezzava di sicuro il primo corno del dilemma, e per un po' Fedro ne fu entusiasta.

Ma alla fine la risposta si rivelò falsa. La Qualità che Fedro e i suoi studenti avevano esaminato in classe era completamente diversa dalle qualità fisiche di colore, calore o durezza che si possono osservare in laboratorio. Quelle proprietà fisiche erano tutte misurabili con degli strumenti. La Qualità, così come la intendeva Fedro, in termini di « eccellenza », « valore », « bontà », non era una proprietà fisica e non era misurabile. Si era lasciato ingannare da un'ambiguità del termine ' Qualità '. Fedro si chiese come mai esistesse quell'ambiguità, si propose di fare delle ricerche sull'etimologia del termine, e accantonò momentaneamente il problema.

Rivolse allora la sua attenzione all'altro corno del dilemma, che sembrava più facile da confutare. Ma come? La Qualità non è nient'altro che « quel che piace »? Trovava quest'idea esasperante. I grandi artisti della storia — Raffaello, Beethoven, Michelangelo — si erano quindi limitati a produrre opere che rispondessero ai gusti del tempo, senza altro scopo che quello di titillare i sensi in grande stile?

Fedro studiò la proposizione con estrema attenzione, con tutta la concentrazione che usava ogni volta che partiva all'attacco. E finalmente capì. Estrasse il coltello ed estirpò la locuzione che conferiva alla frase quel che di esasperante. Era « nient'altro che ». Perché mai la Qualità dovrebbe essere *nient'altro che* quel che piace e perché « quel che piace » dovrebbe essere « nient'altro che »? Era un termine puramente peggiorativo il cui contributo logico alla frase era nullo. Ora, con la sua eliminazione, la frase diventava: « La Qualità è quel che piace », e il suo significato cambiava totalmente: diventava un'innocua banalità.

Fedro si chiese allora perché quella frase lo avesse esasperato. Gli era parsa così naturale. Come mai ci aveva messo tanto a capire che in realtà il suo significato era: « quello che piace non ha valore, o comunque non ha nessuna importanza ». Cosa c'era dietro a questa gretta premessa? Sembrava la quintessenza di quella *squareness* che Fedro stava combattendo. I bambini venivano educati a non fare soltanto « quello che piaceva a loro », ma... ma cosa?... Ma certo! Quello che piaceva agli *altri*. E chi erano, gli altri? Genitori, insegnanti, direttori, poliziotti, giudici, ufficiali, re, dittatori. Così diventi uno schiavo molto più obbediente — un *buono* schiavo.

Ma supponiamo che tu non faccia altro che quello che piace a te. Significa forse che andrai a bucarti, a rapinare una banca o a stuprare vecchie signore? Bella idea davvero di quello che può piacere alla gente. Non si tiene conto che la gente potrebbe anche non rapinare le banche perché ne ha preso in considerazione le conseguenze. Le banche esistono innanzitutto perché « non sono altro che quel che piace alla gente » e, precisamente, delle fonti di credito. Fedro incominciò allora a domandarsi come mai questa condanna di « quel che piace » potesse sembrare tanto naturale. Ma ben presto si rese conto che quando la gente diceva: « Non fare soltanto quello che ti piace » non voleva dire: « Obbedisci all'autorità » e basta. Voleva dire anche qualcos'altro, qualcosa che rientrava nella concezione generale della scienza classica secondo la quale « quello che piace » è di scarsa importanza perché non è fatto che di emozioni irrazionali, del tutto personali. Fedro studiò a lungo quest'argomentazione, e la spezzò in due parti che definì materialismo scientifico e formalismo classico. Disse che queste due parti sono spesso associate nella stessa persona ma che sul piano logico sono distinte.

Il materialismo scientifico, più comune tra i seguaci profani della scienza che tra gli scienziati veri e propri, sostiene che ciò che è composto di materia o di energia ed è misurabile con degli strumenti scientifici è reale, mentre tutto il resto è irreale, o quanto meno di scarsa importanza. « Quello che piace » non è misurabile, e pertanto non è reale. « Quello che piace » può essere indifferentemente un fatto o un'allucinazione. L'obiettivo fondamentale del metodo scientifico è quello di operare distinzioni valide tra il vero e il falso in natura, eliminare gli elementi soggettivi, irreali, e immaginari dell'attività umana in modo da ottenere un quadro oggettivo, vero, della realtà. Fedro, dicendo che la Qualità era soggettiva, per questo tipo di materialisti non faceva che affermare che la Qualità è immaginaria e che pertanto, in qualsiasi studio serio della realtà, essa può essere trascurata.

Dall'altra parte c'è il formalismo classico, che si picca d'affermare che quanto non viene compreso intellettualmente non viene compreso affatto, e in questo caso la Qualità diventa di scarsa importanza perché rappresenta una comprensione emotiva scissa dagli elementi intellettuali della ragione.

Di queste due fonti principali della locuzione « nient'altro che », Fedro intuì che la prima era di gran lunga la più facile da demolire. Sapeva trattarsi di una concezione scientifica ingenua, e la attaccò per prima, valendosi della *reductio ad absurdum*. Questa forma di confutazione si basa sul fatto che se le conclusioni logiche che derivano da un insieme di premesse sono assurde, ne segue logicamente che almeno una delle premesse è assurda. Esaminiamo dunque, egli disse, che cosa segue da questa premessa: « qualsiasi cosa che non sia composta di massa-energia è irreale o di scarsa importanza ».

Fedro usò come punto di partenza il numero zero. Lo zero, originariamente un numero indù, fu introdotto in occidente dagli arabi durante il Medio Evo, ed era sconosciuto agli antichi greci e ai romani. Come mai? si chiese Fedro. La natura aveva dunque nascosto lo zero con tanta abilità? Eppure si direbbe che lo zero sia proprio lì sotto il nostro naso. Fedro dimostrò che cercare di derivare lo zero da qualsiasi forma di massa-energia era assurdo, e poi fece la seguente domanda retorica: « Dobbiamo dunque concludere che lo zero non ha valore scientifico? ». In questo caso i calcolatori, che funzionano esclusivamente in termini di uno e di zero, dovrebbero essere limitati solo agli uno? Era palesemente assurdo. Fedro concluse il suo ragionamento con l'esempio della legge di gravità, lo stesso che feci a John, Sylvia e Chris la prima sera del nostro viaggio. Se la soggettività viene eliminata come cosa di scarsa importanza, egli disse, allora con essa dev'essere eliminato tutto il corpo della scienza.

Comunque, questa confutazione del materialismo scientifico aveva lo svantaggio di situare Fedro nel campo dell'idealismo filosofico — Berkeley, Hume, Kant, Fichte, Schelling, Hegel, Bradley, Bosanquet —; buona compagnia, tutti logici fino all'ultima virgola, ma talmente difficili da difendere nel linguaggio del « senso comune » da rappresentare più un fardello che non un aiuto per la sua difesa della Qualità. L'affermazione che il mondo era tutto mente poteva anche essere una posizione sana da un punto di vista logico, ma certamente non lo era da un punto di vista retorico. Era troppo noiosa e difficile per degli studenti del primo anno. Troppo ' azzardata '.

A questo punto, il corno soggettivo del dilemma gli parve altrettanto scialbo di quanto non fosse quello oggettivo, e un esame delle argomentazioni molto consistenti del formalismo classico non fece che peggiorare la situazione. Da esse si deduceva che non bisogna reagire ai propri impulsi emotivi ed immediati senza prendere in considerazione l'insieme del contesto razionale.

Ai bambini, per esempio, si dice: « non spendete tutti i soldi in gomma da masticare [impulso emotivo immediato], perché poi vi capiterà di volerli spendere per qualcos'altro [ottica più vasta] ». Agli adulti si dice: « Questa cartiera può ben puzzare orribilmente anche con i migliori controlli [emozioni immediate], ma, se non ci fosse, tutta l'economia della città crollerebbe [ottica più vasta] ». Se torniamo alla nostra vecchia dicotomia, questo si traduce in: « Non basate le vostre decisioni sul fascino superficiale e romantico, senza prendere in considerazione la forma classica soggiacente ». E su questo Fedro era abbastanza d'accordo.

Quello che i formalisti classici intendevano dire con l'obiezione: « La Qualità non è nient'altro che quel che piace » era che questa « Qualità » soggettiva e indefinita che Fedro stava insegnando non era altro che fascino superficiale e romantico. Gli indici di popolarità stabiliti in classe potevano determinare se un componimento aveva un fascino immediato, d'accordo, ma si trattava di *Qualità*? La Qualità era dunque qualcosa che salta subito all'occhio, o non poteva essere qualcosa di più sottile, qualcosa di percepibile solo dopo un lungo periodo di studio?

Più Fedro esaminava quest'argomentazione più la trovava minacciosa per la sua tesi, perché essa pareva rispondere a una domanda che in classe gli era stata posta spesso: « Se tutti sanno cos'è la Qualità, come mai se ne discute tanto? ».

Lui rispondeva in modo assai cavilloso che, benché la *Qualità* pura fosse la stessa per tutti, gli *oggetti* ai quali essa era *inerente* variavano a seconda degli individui. Fintanto che Fedro non definiva la Qualità non c'era modo di controbattere quest'affermazione, ma egli sapeva, come del resto lo sapevano gli studenti, che essa puzzava di imbroglio. Non rispondeva veramente alla domanda.

Adesso c'era un'altra spiegazione possibile: la gente non concordava sulla nozione di Qualità perché alcuni si basavano unicamente sulle loro emozioni immediate, mentre altri usavano la totalità della loro conoscenza. Fedro sapeva che questa seconda spiegazione sarebbe stata accolta all'unanimità dai professori di inglese perché rafforzava la loro autorità.

Ma era una spiegazione disastrosa. Invece di una Qualità unica e uniforme adesso pareva ce ne fossero *due*: una romantica, tutta sensazione, propria degli studenti; e una classica, risultato di una visione d'insieme, propria degli 'insegnanti. Una *hip* e una *square*. Quindi *squareness* non era l'assenza di Qualità; era la Qualità classica. *Hipness* non era semplicemente la presenza della Qualità; era la qualità romantica.

La piega che stavano prendendo le cose non gli piaceva. Il termine che doveva unificare la visione classica e quella romantica si era a sua volta spaccato in due e non poteva più unificare niente. Era finito dentro a un tritacarne analitico. Il coltello della soggettività-e-oggettività aveva tagliato la Qualità in due distruggendone il valore operativo. Se Fedro voleva salvarla, non poteva permettere al coltello di colpirla.

In realtà, la Qualità a cui si riferiva Fedro *non era* né la Qualità classica né la Qualità romantica, ma qualcosa che andava al di là sia dell'una che dell'altra. E per Dio, non era neanche soggettiva o oggettiva, trascendeva anche queste due categorie. In realtà, sottoporre la Qualità a questa dicotomia tra soggettività e oggettività, tra mente e materia non era giusto; il rapporto mente-materia ha costituito un impiccio intellettuale per secoli, e adesso lo stavano applicando alla Qualità per renderla inoperante. Come poteva Fedro dire se la Qualità era mente o materia quando non c'era alcuna chiarezza logica sulla natura di queste due entità?

Così Fedro respinse il corno sinistro. La Qualità non è oggettiva, disse. Non risiede nel mondo materiale.

E respinse anche il corno destro. La Qualità non è soggettiva, disse. Non risiede solo nella mente.

E per concludere, Fedro, seguendo una via che, per quanto ne sapeva, non era mai stata imboccata nella storia del pensiero occidentale, si gettò *tra* le corna del dilemma soggettività-oggettività e affermò che la Qualità non è né parte della mente, né parte della materia. È una *terza* entità, indipendente dalle altre due.

Lungo i corridoi e su e giù per le scale del College lo si sentiva cantare dolcemente tra sé e sé, quasi in un sussurro: « Santa, santa, santa... benedetta Trinità ».

« Quand'è che arriviamo? » mi grida Chris.

« Credo che ci sia ancora un bel po' di strada » gli rispondo.

« Riusciremo a vedere lontano? ».

« Credo di sì, ma prima guarda se si vede il cielo azzurro tra gli alberi. Finché non riusciamo a vederlo possiamo star certi che c'è ancora un po' di strada ».

La pioggia della notte scorsa ha inzuppato lo strato di aghi di pino facendone un buon terreno per camminare. Talvolta, quando su un pendio come questo gli aghi di pino sono asciutti, diventano scivolosi e bisogna piantarci dentro i piedi a spina di pesce.

« Non è stupendo quando non c'è sottobosco, come qui? » aggiungo.

« Come mai non ce n'è per niente? ».

« Credo che in questa zona non abbiano mai tagliato gli alberi. Quando una foresta non viene toccata per secoli, gli alberi non lasciano spazio al sottobosco ».

« È come un parco » dice Chris. « Si può proprio vedere tutt'intorno ». Il suo umore è molto cambiato rispetto a ieri. Penso che d'ora in poi sarà un bravo viaggiatore. Il silenzio della foresta migliora chiunque.

Il mondo, secondo Fedro, era dunque composto di tre elementi: mente, materia, e Qualità. Sulle prime, il fatto di non aver stabilito tra questi elementi alcun rapporto non lo turbò affatto. Se il rapporto tra mente e materia era oggetto di discussione da secoli e il problema non era ancora stato risolto, perché doveva essere proprio lui a dire, nel giro di poche settimane, qualcosa di conclusivo sulla Qualità? Sapeva benissimo che prima o poi la trinità metafisica di soggetto, oggetto e Qualità avrebbe dovuto essere interrelata, ma non aveva nessuna fretta. Era una tale soddisfazione essere riuscito a superare il pericolo di quelle corna, che Fedro si rilassò e se la godette il più a lungo possibile.

Alla fine, comunque, esaminò il problema più da vicino. Benché non ci sia alcuna obiezione logica all'ipotesi di una trinità metafisica, una realtà a tre teste, trinità del genere non sono né comuni né popolari. Il metafisico normalmente cerca o un principio monistico, come Dio, che spieghi la natura del mondo quale manifestazione di una singola entità, o un principio dualistico, come quello di mente-materia, o si affida al pluralismo, che considera la realtà come la manifestazione di un numero imprecisato di princìpi. Ma tre è un numero scomodo. Vien subito da chiedersi: «Perché tre princìpi, e in che rapporto sono tra loro?». Domanda che cominciò a incuriosire anche Fedro, non appena ebbe recuperato le forze.

Egli notò che, benché normalmente la Qualità sia associata agli oggetti, talvolta le sensazioni di Qualità si verificano senza la loro presenza. Questo, sulle prime, lo aveva indotto a pensare che forse la Qualità era soggettiva, ma d'altra parte il piacere soggettivo non era quello che lui intendeva per Qualità. La Qualità *fa diminuire* la soggettività. La Qualità fa uscire da se stessi, rende consapevoli del mondo circostante. La Qualità è l'*opposto* della soggettività.

Alla fine Fedro si rese conto che la Qualità non poteva essere collegata singolarmente né al soggetto né all'oggetto: la si riscontrava *solo nel loro rapporto reciproco*. La Qualità è il punto in cui soggetto e oggetto s'incontrano.

Fuochino.

La Qualità non è una *cosa*. È un *evento*.

Fuochetto.

È l'evento che vede il soggetto prendere coscienza dell'oggetto.

E dato che senza oggetto non ci può essere soggetto — sono gli oggetti che creano nel soggetto la coscienza di sé — la Qualità è l'evento che rende possibile la coscienza sia dell'uno che degli altri.

Fuoco!

Questo vuol dire che la Qualità non è solo *conseguenza* di una collisione tra soggetto e oggetto. L'esistenza stessa di soggetto e oggetto è *dedotta* dall'evento Qualità. L'evento Qualità è *causa* del soggetto e dell'oggetto, erroneamente considerati causa della Qualità! E adesso finalmente aveva preso quel dannato dilemma per la gola.

« Il sole della Qualità » scrisse « non gira intorno ai soggetti e agli oggetti della nostra esistenza. Non si limita a illuminarli passivamente. Non è loro subordinato in nessun modo. È lui che li ha *creati*. Ed è a *lui* che essi sono subordinati! ».

E nel momento in cui lo scrisse, seppe di aver raggiunto una sorta di culmine intellettuale al quale aspirava inconsciamente da molto, molto tempo.

« Cielo azzurro! » grida Chris.

Affrettiamo il passo, le macchie d'azzurro si fanno sempre più grandi e pian piano vediamo gli alberi diradarsi fino a un punto spoglio sulla sommità. A circa cinquanta metri dalla cima dico: « Via! » e parto come un razzo.

Ce la metto tutta, ma Chris mi sorpassa ridacchiando, e arriva per primo. Alza le braccia: « Ecco il Vincitore! ».

Ancora il suo ego.

Quando arrivo sono così affannato che non riesco a parlare. Lasciamo cadere a terra gli zaini e ci sdraiamo appoggiandoci alla roccia. Sotto di noi, per molte miglia, campi e pendii boscosi: la Gallatin Valley. In un angolo della valle c'è Bozeman. Una cavalletta spicca un balzo dalla roccia e plana più giù, sopra gli alberi.

« Ce l'abbiamo fatta » dice Chris. È molto felice. Ho il fiato ancora troppo grosso per rispondere.

20

Evidentemente ho dormito. Il sole è caldo. Il mio orologio segna pochi minuti a mezzogiorno; vedo Chris che dorme dall'altra parte della mia roccia. Più in su la foresta finisce e la roccia grigia e spoglia si chiazza di neve. Potremmo scalare il dorso del crinale salendo in linea retta, ma verso la cima diventerebbe pericoloso. Guardo la cima per un po'. Cosa diceva che gli avevo detto, ieri sera? « Ci vediamo in cima alla montagna »... no... « *Ti verrò incontro* in cima alla montagna ».

Come potevo andargli incontro in cima alla montagna se ero già con lui? C'è qualcosa di strano in tutto questo. Dice che l'altra notte gli ho detto anche qualcos'altro — che ci si sente soli, qui. È strano, perché non lo penso affatto.

Si dicono strane cose nel sonno, ma perché mai avrei dovuto dire a Chris che gli sarei *andato incontro*? E come mai ha pensato che fossi sveglio? C'è qualcosa che non va, qualcosa che provoca una sensazione di Qualità molto brutta, ma non so cosa sia.

Sento Chris muoversi, mi giro e vedo che si guarda intorno.

« Dove siamo? » mi chiede.

« In cima al crinale ».

« Oh » dice, e sorride.

Apro il pacchetto della colazione: formaggio svizzero, peperoni e crackers. Taglio prima il formaggio, poi con estrema cura, a fettine precise, i peperoni. Il silenzio permette di fare tutto nel modo giusto.

« Costruiamoci una baracca quassù » dice Chris.

« Oooh, » gemo « per poi salire fin qui tutti i giorni? ».

« Certo » dice Chris in tono canzonatorio. « Non è stato mica tanto difficile ».

Ieri, nel suo ricordo, è stato molto tempo fa. Gli passo del formaggio e dei crackers.

« Ma cos'è che pensi sempre? » mi chiede.

« Mille cose » gli rispondo.

« Cosa? ».

« La maggior parte delle cose che penso non avrebbero senso, per te ».

« Per esempio? ».

« Per esempio come mai ti ho detto che ti sarei venuto incontro in cima alla montagna ».

« Oh » fa lui e abbassa gli occhi.

« Hai detto che sembravo ubriaco » gli dico.

« No, non ubriaco » risponde, sempre con gli occhi bassi. Questo suo stornare gli occhi da me mi fa di nuovo sospettare che non dica la verità.

« Che cosa sembravo, allora? ».

Non risponde.

« Allora, Chris? ».

« Non lo so, diverso ».

« Diverso come? ».

« Uffa, che ne so! ». Adesso mi guarda in faccia e vedo nei suoi occhi un lampo di paura. « Sembravi... eri... come molto tempo fa » mi dice e riabbassa gli occhi.

« Quando? ».

« Quando vivevamo qui ».

Rimango impassibile, poi mi alzo pian piano e mi do un'aria indaffarata. Vedo che Chris continua a fissarmi. « Non sapevo di avere un'aria diversa » dico in tono normale.

Chris non risponde.

« Ho sete » dice.

« Non credo che dovremo scendere molto per trovare dell'acqua » dico, alzandomi. « Sei pronto? ».

Chris annuisce. Mentre camminiamo lungo il crinale verso l'orlo di un burrone sentiamo dei massi che cadono con fragore. Guardo in alto ma non vedo nulla.

« Cos'era? » chiede Chris.

« Massi che cadono ».

Rimaniamo entrambi immobili per un momento,

ad ascoltare. « C'è qualcuno lassù in cima? » chiede Chris.

« No, credo che sia soltanto la neve che si scioglie e fa cadere dei massi. Quando fa caldo come oggi, all'inizio dell'estate, si sentono un sacco di piccoli smottamenti. A volte ce ne sono anche di grossi; fa parte del processo di erosione delle montagne. Se guardi queste montagne adesso, hanno un'aria permanente e pacifica. Invece cambiano di continuo, e i cambiamenti non sempre sono pacifici. Sotto di noi, proprio qui sotto, ci sono forze che possono mandare a pezzi tutta la montagna ».

Poi mi viene in mente una cosa: « Poco lontano da qui ci sono diciannove persone sepolte sotto milioni di tonnellate di roccia. Erano dei turisti che venivano dall'est e si erano fermati a dormire in un campeggio. Durante la notte le forze tettoniche si liberarono e quando, la mattina dopo, i soccorritori videro cos'era successo, non provarono neanche a scavare. Non avrebbero potuto far altro che scavare per centinaia di metri di roccia per cercare dei corpi che avrebbero dovuto essere sepolti di nuovo. Li lasciarono lì, e sono lì ancora adesso ».

« Come facevano a sapere che erano diciannove? ».

« I vicini e i parenti segnalarono la loro scomparsa ».

Chris guarda la cima della montagna davanti a noi. « Non si sono accorti del pericolo? ».

« Non lo so ».

« Ma potrebbero esserci dei segnali ».

« Forse ci sono stati ».

Incominciamo a scendere a zig-zag alla ricerca dell'acqua.

Sento altri massi che cadono sopra di noi. Improvvisamente ho paura.

Chiamo Chris.

« Che c'è? » mi chiede.

« Sai cosa penso? ».

« No, che cosa? ».

« Penso che sarebbe intelligente da parte nostra lasciar perdere quella cima e riprovarci un'altra estate ».

Chris tace, e dopo un momento mi chiede: « Perché? ».

« Ho un brutto presentimento ».

Per un po' Chris non dice niente. Alla fine mi chiede: « Che presentimento? ».

« Non so, mi è venuto in mente che potremmo restare bloccati lassù da una tempesta, o da una frana, o qualcosa del genere. Allora saremmo davvero nei guai ».

Ancora silenzio. Alzo gli occhi e vedo che ha l'aria molto delusa. Penso sappia che non gli sto dicendo tutto. « Perché non ci pensi su, » gli dico « decideremo quando avremo trovato l'acqua e avremo mangiato ».

Continuiamo a scendere. « D'accordo? » gli faccio.

« D'accordo » mi dice alla fine, poco convinto.

Per ora la discesa è facile, ma vedo che tra poco sarà molto più ripida. Ci troviamo ancora in uno spazio aperto e soleggiato, ma presto saremo di nuovo tra gli alberi.

Non so come prendere questi strani discorsi notturni, certo non sono un buon segno. Per nessuno dei due. Sembra che tutta la fatica della guida, del campeggio e del Chautauqua e questi vecchi luoghi mi facciano un brutto effetto, che si manifesta di notte. Voglio andarmene di qui il più presto possibile.

Credo che neanche Chris abbia l'impressione che le cose vadano come ai vecchi tempi. In questo periodo mi impressiono facilmente, e non mi vergogno di ammetterlo. *Lui* non si lasciava mai impressionare da niente. Mai. Questa è la differenza tra di noi. Ed è per questo che io sono vivo e lui no. E se lui è lassù, un'entità psichica, un fantasma, un *Doppelgänger* che ci aspetta sotto chissà quali spoglie... be', dovrà aspettare a lungo. Molto a lungo.

Queste cime maledette dopo un po' fanno venire i brividi. Voglio andare giù, giù, giù.

Verso il mare. Ecco. Dove le onde si muovono lente, e c'è il rumore della risacca e non si può cadere da nessuna parte.

Ora ci immergiamo di nuovo tra gli alberi e la vetta scompare dietro i rami. Sono contento.

Credo che anche in questo Chautauqua sia ora di abbandonare il sentiero di Fedro. Siamo arrivati fin dove volevamo arrivare. Gli ho riconosciuto tutto il dovuto per quello che ha pensato, detto e scritto, ma ora voglio sviluppare per conto mio alcune delle idee che lui trascurò. Il titolo di questo Chautauqua è *Lo Zen e l'arte della manutenzione della motocicletta*, e non *Lo Zen e l'arte di scalare le montagne*. In cima alle montagne non ci sono motociclette e, a mio avviso, ben poco Zen. Lo Zen è « lo spirito della valle », e non quello delle vette. Il solo Zen che si trova in cima alle montagne è quello che ci portiamo noi. Andiamocene via di qui.

« È bello scendere, vero? » dico a Chris.

Nessuna risposta.

Avremo una piccola discussione, temo.

Uno si arrampica fino in cima alla montagna col solo risultato di vedersi porgere una pesantissima tavola di pietra con sopra un sacco di regole.

È più o meno quello che è successo a lui.

Pensava di essere uno stramaledetto messia.

Non fa per me, caro. L'orario è troppo lungo, e la paga decisamente troppo corta. Andiamo. Andiamo...

In men che non si dica mi trovo a caracollare giù per il pendio in una specie di galoppo demenziale... *Tapum, tapum, tapum...* Finché non sento Chris che urla: « VA' PIÙ PIANO! ». E lo vedo tra gli alberi, un duecento metri più indietro.

Rallento, ma dopo un po' mi accorgo che rimane indietro di proposito. È deluso, evidentemente.

Credo che in questo Chautauqua dovrei limitarmi a indicare sommariamente la direzione imboccata da Fedro, senza esprimere dei giudizi, e procedere poi con la farina del mio sacco. Credetemi, quando non si vede il mondo come un dualismo mente-materia, ma come una trinità di Qualità, mente e materia, l'arte della manutenzione della motocicletta, e altre arti, assumono un significato che non avevano mai avuto prima. Lo spettro della tecnologia che i Sutherland rifuggono diventa non un male ma una cosa positiva e divertente. E dimostrarlo sarà un compito lungo e piacevole.

Ma prima, per poter dare il lasciapassare a quest'altro spettro, dovrei dire che forse anche Fedro avrebbe imboccato la direzione che sto imboccando io, se la seconda ondata di cristallizzazione, quella metafisica, avesse finalmente toccato terra là dove gliela farò toccare io, cioè nel mondo di tutti i giorni. Io sono convinto che la metafisica va bene se migliora la vita quotidiana; altrimenti è meglio lasciarla perdere. Sfortunatamente per lui, però, l'ondata non toccò terra. Si trasformò in una terza ondata mistica dalla quale egli non riuscì più a riprendersi.

L'inversione copernicana di Fedro del rapporto tra Qualità e mondo oggettivo potrebbe sembrare astrusa se non la si spiegasse con cura, ma lui non aveva nessuna intenzione di essere astruso. Intendeva dire semplicemente che, nell'attimo della discriminazione, prima di poter distinguere un oggetto deve esserci una sorta di consapevolezza non intellettuale che definì consapevolezza della Qualità. Si può essere consapevoli di aver visto un albero solo *dopo* averlo visto, e tra l'istante della visione e quello della consapevolezza deve esserci un intervallo di tempo, a cui talvolta viene attribuita scarsa importanza. Ma *nulla* giustifica un atteggiamento del genere.

Il passato esiste solo nella nostra memoria, il futuro solo nei nostri progetti. Il presente è l'unica nostra realtà. L'albero di cui sei consapevole intellettualmente, a causa di quel piccolissimo intervallo di tempo è sempre nel passato, e pertanto è sempre irreale. *Qualsiasi* oggetto concepito intellettualmente è *sempre* nel passato e pertanto è *irreale*. La realtà è sempre il momento della visione che *precede* la concettualizzazione. *Non c'è nessun'altra realtà.* Questa realtà preintellettuale è quanto Fedro sentiva di avere giustamente individuato come Qualità. Dato che tutte le cose identificabili intellettualmente devono emergere *da* questa realtà preintellettuale, la Qualità è la *genitrice*, la *fonte* di tutti i soggetti e gli oggetti.

Fedro capì che gli intellettuali sono quelli che fanno più fatica a vederla, proprio perché non esitano un attimo a rinchiudere tutto in forme intellettuali. Chi fa meno fatica sono i bambini piccoli e la gente incolta. Ecco perché, pensò Fedro, la *squareness* è una malattia così tipicamente intellettuale. Aveva la sensazione di esserne stato immunizzato per caso, o quantomeno di averne perso l'abitudine, grazie al suo insuccesso scolastico. Da allora non aveva provato nessun bisogno coatto di identificarsi con l'intellettualità e poté esaminare le dottrine anti-intellettuali con simpatia.

Di solito gli *square*, diceva, a causa dei loro pregiudizi, danno poca importanza alla Qualità, cioè alla realtà preintellettuale; la ritengono un semplice periodo di transizione privo di accadimenti tra la realtà oggettiva e la sua percezione soggettiva. Non cercano neanche di scoprire se non sia per caso diversa dalla concezione intellettuale che ne hanno loro.

Invece è proprio diversa. Quando incominci a udire il suono della Qualità, a vedere quel muro coreano, quella realtà non intellettuale nella sua forma pura, ti vien voglia di piantarla con tutte quelle parole, perché cominci finalmente ad accorgerti che le parole sono sempre altrove.

Armato della sua nuova trinità metafisica tempo-

ralmente interrelata, Fedro riuscì a arrestare completamente la spaccatura tra Qualità romantica e Qualità
classica che aveva minacciato di rovinarlo. Adesso non
avrebbero più potuto fare a pezzi la Qualità. Adesso
lui poteva prendersela comoda e fare a pezzi *loro*. La
Qualità romantica era sempre correlata alle impressioni immediate. La Qualità *square* implicava sempre molteplici considerazioni di una certa durata. La
Qualità romantica era il presente, il qui e l'ora delle
cose. La Qualità classica non si occupava mai soltanto
del presente. Veniva sempre preso in considerazione
il rapporto del presente con il passato e il futuro.
Se pensi che tutto il passato e tutto il futuro siano
contenuti nel presente, allora — fantastico! — vuol
dire che si vive solo per il presente. E se la motocicletta funziona, perché preoccuparsi? Se però ritieni il
presente un semplice stacco tra passato e futuro, solo
un momento transitorio, allora trascurare passato e
futuro a favore del presente è davvero cattiva Qualità. Magari adesso la motocicletta funziona, ma quan-
d'è stato controllato il livello dell'olio l'ultima volta?

Una pignoleria dal punto di vista romantico, ma
buon senso dal punto di vista classico.

Ora c'erano due tipi di Qualità che però non la
spezzavano più. Ne erano soltanto due diversi aspetti
temporali, quello breve e quello lungo. Prima si richiedeva una gerarchia metafisica così concepita:

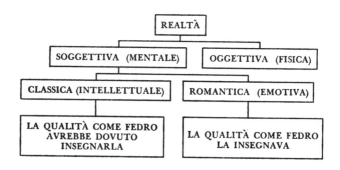

Fedro, invece, ne aveva formulata una che si presentava così:

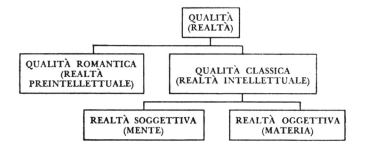

La Qualità come la insegnava Fedro non era solo una parte della realtà, era il tutto.

A questo punto, basandosi sulla sua trinità, Fedro si preparò a rispondere alla domanda: « Perché ognuno vede la Qualità in modo diverso? ». Finora aveva sempre dovuto rispondere in modo più o meno specioso. Ora disse: « La Qualità è senza contorni e senza forma, indescrivibile. Vedere contorni e forme equivale a intellettualizzare. La Qualità è indipendente da queste cose. I nomi, i contorni e le forme che attribuiamo alla Qualità dipendono solo parzialmente dalla Qualità. Dipendono parzialmente anche dalle immagini *a priori* accumulatesi nella nostra memoria. Noi ci sforziamo costantemente di trovare, nell'evento Qualità, analogie con le nostre esperienze precedenti. Non saremmo in grado di agire, altrimenti. Il nostro linguaggio, tutta la nostra cultura sono costruiti sulla base di queste analogie ».

Il motivo per cui la gente vede la Qualità in modo diverso, disse Fedro, dipende dal fatto che ciascuno la avvicina con un diverso bagaglio di analogie. Fedro fornì degli esempi linguistici, dimostrando che per noi le lettere hindi *da*, *ḍa* e *dah* hanno lo stesso suono perché non possiamo rapportarle a nessun suono corrispondente. E così la maggior parte delle persone che parlano hindi non riescono a distinguere tra il *da* e il *the* inglese perché non sono sensibilizzate a questi suoni. Non è insolito, disse, che gli abitanti di piccoli villaggi indiani vedano fantasmi. Ma hanno terribili difficoltà a vedere la legge di gravità.

Questo, continuò Fedro, spiega come mai una classe di studenti al primo anno di composizione dia delle composizioni valutazioni qualitative simili. La preparazione è simile per tutti e il bagaglio culturale è uguale. Se si prendesse in esame un gruppo di studenti stranieri o, diciamo, se venissero proposte poesie medioevali estranee alle esperienze della classe, la capacità degli studenti di classificare la Qualità probabilmente non sarebbe altrettanto omogenea.

In un certo senso, disse Fedro, è la scelta di Qualità dello studente a definire lo studente stesso. La gente ha opinioni diverse sulla Qualità, non perché questa sia diversa, ma perché la gente è diversa in termini di esperienza. Avanzò l'ipotesi che, se due persone fossero dotate di identiche analogie *a priori*, vedrebbero sempre la Qualità in modo identico.

In risposta ai suoi colleghi scrisse:

« Qualsiasi spiegazione filosofica della Qualità finirà con l'essere al tempo stesso vera e falsa proprio perché è una spiegazione filosofica. La spiegazione filosofica è un processo analitico, un processo che scinde una cosa in soggetti e predicati. Quello che io intendo (e che chiunque altro intende) con la parola *Qualità* non può essere suddiviso in soggetti e predicati. E questo non perché la Qualità sia tanto astrusa, ma perché è così semplice, immediata e diretta.

« Il più immediato equivalente intellettuale della Qualità pura, quello che la gente del nostro ambiente può capire, è la reazione di un organismo al proprio ambiente. [Fedro utilizzò questo esempio perché i suoi principali inquisitori sembravano interpretare le cose sulla base della teoria dello stimolo-risposta].

Un'ameba che si trovi in un piatto pieno d'acqua, vicino a una goccia di acido solforico diluito, si allontanerà dall'acido (almeno credo). Se potesse parlare, l'ameba, senza sapere niente dell'acido solforico, direbbe: " Questo ambiente ha una Qualità scadente ". Se avesse un sistema nervoso si comporterebbe in un modo più complesso. Cercherebbe nella sua esperienza fatti e immagini che definiscano la natura sgradevole del nuovo ambiente e la aiutino così a ' capirlo '.

« Nella nostra condizione organica altamente complessa, noi organismi avanzati reagiamo all'ambiente inventando molte analogie meravigliose. Inventiamo cielo e terra, alberi, pietre e oceani, dèi, musica, arti, linguaggio, filosofia, tecnica, civiltà e scienza. Chiamiamo queste analogie realtà. E *sono* la realtà. In nome della verità, con un processo ipnotico abituiamo i nostri bambini a sapere che esse *sono* la realtà. Chiudiamo in manicomio chiunque non le accetti. Ma ciò che ci induce a inventare queste analogie è la Qualità. La Qualità è lo stimolo continuo con cui il nostro ambiente ci spinge a creare il mondo in cui viviamo. *Tutto* il mondo, fino all'ultima molecola.

« Ora, è chiaramente impossibile prendere ciò che ci ha indotto a creare il mondo e includerlo nel mondo da noi creato. Ecco perché la Qualità non può essere definita. E se lo facciamo egualmente, quello che definiamo è qualcosa di meno della Qualità stessa ».

Ricordo questo frammento con più precisione di qualsiasi altro, probabilmente perché è il più importante. Quando lo scrisse, Fedro ebbe un attimo di terrore e fu lì lì per cancellare le parole « *Tutto* il mondo, fino all'ultima molecola ». C'era la follia, in quelle parole. Credo che lui l'abbia vista, ma non riusciva a trovare nessun motivo logico per cancellarle, e ormai era troppo tardi per essere vigliacchi. Ignorò l'avvertimento e le lasciò com'erano.

Posò la matita e... sentì che qualcosa cedeva. Come

se qualcosa, dentro di lui, fosse stato forzato e spezzato. E dopo fu troppo tardi.

Si accorse di essersi allontanato dalla sua posizione originale. Non stava più parlando di una trinità metafisica, ma di un monismo assoluto. La Qualità era la fonte e la sostanza di ogni cosa.

Una nuova ondata di evocazioni filosofiche gli si presentò alla mente. Hegel, con il suo Spirito Assoluto, si era espresso allo stesso modo. Anch'esso era indipendente sia dall'oggettività sia dalla soggettività.

Comunque, Hegel aveva detto che lo Spirito Assoluto era la fonte di ogni cosa, poi però aveva escluso l'esperienza romantica dal « tutto » di cui esso era la fonte. L'assoluto hegeliano era completamente classico, completamente razionale e completamente ordinato.

La Qualità no.

Fedro rammentò che Hegel era stato ritenuto il ponte tra la filosofia occidentale e quella orientale. Il Vedanta degli Indù, la Via dei Taoisti, persino il Buddha erano stati descritti come monismi assoluti simili alla filosofia hegeliana. In ogni caso, a quell'epoca Fedro non era sicuro che le Unità mistiche e i monismi metafisici fossero intercambiabili, dal momento che le Unità mistiche non seguono regole mentre i monismi metafisici sì. La sua Qualità era un'entità metafisica, non mistica. O invece era mistica? Qual era la differenza?

Si rispose che la differenza stava nella definizione. Le entità metafisiche sono definite. Quelle mistiche no. Ed era questo che rendeva mistica la Qualità. No. In realtà era l'uno e l'altro. Fino a quel momento l'aveva considerata metafisica in termini puramente filosofici, e tuttavia si era sempre rifiutato di definirla. E anche questo la rendeva mistica. L'indefinibilità la liberava dalle regole della metafisica.

Allora, d'impulso, si avvicinò a uno scaffale e prese un quadernetto blu su cui, anni prima, non riuscendo a trovarne una copia in vendita da nessuna parte, aveva ricopiato l'antico *Tao Tê Ching* di Lao Tzu: risaliva a duemilaquattrocento anni prima. Incominciò a leggere le righe che tante volte aveva letto in passato, ma questa volta le studiò per vedere se avrebbe funzionato una certa sostituzione.

Lesse:

La Qualità che può essere definita non è la Qualità Assoluta.

Era quello che aveva detto lui.

I termini che le possono venire attribuiti non sono termini Assoluti.

È l'origine del cielo e della terra.

Quando ha un nome è la madre di tutte le cose.

Esattamente.

La Qualità [la Qualità romantica] *e le sue manifestazioni* [la Qualità classica] *condividono la medesima natura. Essa è designata con termini diversi* [soggetti e oggetti] *quando diventa classicamente manifesta.*

L'insieme di Qualità romantica e Qualità classica può essere definito il « mistico ».

Procedendo di mistero in mistero, andando sempre più a fondo, si giunge alla porta dei segreti di tutta la vita.

La Qualità è dappertutto.

Ed è inesauribile!

Insondabile!

Come l'antenata di tutte le cose...

E tuttavia che resti limpida come acqua.

Generata da non so chi,
essa è l'immagine di ciò che fu prima di Dio.

...Perenne, perenne resta tra le cose. Accostatevi ad essa, e non avrà difficoltà a servirvi.

Ciò che si guarda ma non si vede, ciò che si ascolta ma non si ode... ciò che si afferra ma non si tocca... sfugge alle nostre indagini e quindi si fonde e si fa uno.

Il suo sorgere non ci dà la luce,
né il suo tramonto ci dà le tenebre.
Continua, incessante,

ineffabile,
essa torna al Nulla.
Ecco perché si chiama forma dell'informe,
immagine del Nulla.
Ecco perché si chiama elusiva.
Vàlle incontro e non ne vedrai il volto,
seguila e non ne vedrai il dorso.
Se ti attieni alla Qualità di ciò che è vecchio,
puoi conoscere gli esordi primordiali.
Che sono la continuità della Qualità.

Proprio così. *Questo* era ciò che lui aveva sempre detto, anche se in modo dimesso e meccanico. In questo libro non c'era niente di vago o di inesatto. Il linguaggio era diverso, e così le radici e le origini. Fedro era di un'altra valle e vedeva quello che c'era in *questa*: non come una storia raccontata da stranieri, ma come parte della *sua* valle. Ora capiva tutto.

Aveva decifrato il codice.

Continuò a leggere. Non una discrepanza. Quello che lui aveva sempre chiamato Qualità, qui era il Tao, la grande forza centrale generatrice di tutte le religioni, dell'Oriente e dell'Occidente, del passato e del presente, di tutto lo scibile, di tutto.

Poi l'occhio della sua mente alzò lo sguardo e colse la sua immagine e capì dove lui era e ciò che vedeva e... non so che cosa sia veramente successo... ma ora il cedimento che aveva avvertito prima, la frattura interna della mente, prese velocità come i massi in cima alla montagna. Prima che potesse fermarlo, il subitaneo cumulo di consapevolezza cominciò a crescere, a crescere fino a diventare una valanga incontrollabile, finché non rimase in piedi più niente.

Niente di niente.

Gli franò tutto sotto i piedi.

21

« Non sei molto coraggioso, vero? » mi dice Chris.

« No » gli rispondo strappando coi denti la pelle di una fetta di salame. « Ma non immagini neanche quanto sono intelligente ».

Ora ci siamo allontanati un bel po' dalla cima. Bevo a grandi sorsi da una tazza che Chris ha riempito al ruscello, poi lo guardo. Dalla sua espressione vedo che ormai è rassegnato a scendere e non c'è bisogno che gli tenga una conferenza o mi metta a discutere.

Dopo un po' Chris dice: « Adesso posso portare un carico più pesante ».

« Sei sicuro? ».

« Certo che sono sicuro » risponde con una certa boria.

Trasferisco con gratitudine un po' della roba più pesante nel suo sacco. La differenza si sente. In fondo è capace di avere dei riguardi, quando vuole.

Quel che voglio fare ora, in questo Chautauqua, è allontanarmi dalle astrazioni intellettuali di natura generale per passare a nozioni solide, pratiche e quotidiane. Però non so bene come cominciare.

Una cosa di cui non si fa mai parola a proposito dei pionieri è che sono invariabilmente, e per loro stessa natura, sciatti e disordinati. Avanzano implacabili con gli occhi fissi sul loro nobile scopo lontano e non vedono mai il caos e i rottami che si lasciano dietro. Tocca poi agli altri pulire, e non è molto piacevole.

Scoprire un rapporto metafisico tra la Qualità e il Buddha su qualche cima montana dell'esperienza personale è molto spettacolare. E molto poco importante. Quello che è importante è il collegamento tra questa scoperta e le valli di questo mondo, i lavori desolanti e gli anni tutti uguali che abbiamo davanti.

In realtà, a beneficiare del pensiero di Fedro, che

non approfondì la comprensione della Qualità né quella del Tao, fu solo la ragione. Egli mostrò una via per *ampliare* la ragione in modo che includesse degli elementi che in precedenza erano inassimilabili e di conseguenza venivano considerati irrazionali. Credo che sia proprio la presenza schiacciante di questi elementi irrazionali che reclamano di essere assimilati a creare l'attuale Qualità scadente, l'aria caotica e incoerente del ventesimo secolo. Voglio affrontare questi elementi nel modo più ordinato possibile.

Presto la boscaglia si fa talmente fitta che ci toccherà farci strada col machete. Mi metto a sedere e Chris lo tira fuori dallo zaino che ho sulle spalle. Taglia e taglia, andiamo molto a rilento. Potrebbe continuare così per un bel pezzo.

La prima cosa da dire dell'affermazione di Fedro che « la Qualità è il Buddha » è che, se è vera, essa fornisce una base razionale per unificare tre aree dell'esperienza umana ora disgiunte: Religione, Arte e Scienza. Se è possibile dimostrare che la Qualità è il termine centrale di tutte e tre, e che la Qualità non è di molti tipi ma di uno solo, ne segue che le tre aree hanno un elemento unificante.

Il rapporto tra la Qualità e l'area dell'Arte l'abbiamo studiato in modo abbastanza esauriente attraverso l'esperienza di Fedro relativa all'Arte della retorica. L'arte è un impegno di alta Qualità. Non c'è altro da aggiungere. Se invece si vuole qualcosa di più altisonante si può dire che l'arte è la Divinità quale essa si esprime nelle opere dell'uomo. Il rapporto stabilito da Fedro chiarisce che le due affermazioni, in apparenza enormemente diverse, sono in realtà identiche.

Nell'area della Religione, il rapporto razionale tra Qualità e Buddha va stabilito scavando un po' più a fondo. Spero di riuscire a farlo più avanti. Per ora si può meditare sul fatto che le antiche radici inglesi per il Buddha e per la Qualità, *God* e *good*, risultano identiche.

Ora ritengo più urgente concentrarmi sull'area della Scienza. La massima secondo cui la Scienza e la sua discendente, la tecnologia, sono « neutrali rispetto ai valori », ovvero « neutrali rispetto alla Qualità », va eliminata. È proprio questa indifferenza al valore che accentua l'effetto di forza mortale che ho messo in rilievo precedentemente. Domani partirò da questo punto.

Per il resto del pomeriggio scendiamo a zig zag tra grandi tronchi caduti ingriti dalle intemperie. Troviamo un sentierino che va giù per un dirupo e continua per una gola solcata da un torrentello. Cespugli, pietre, melma e radici di alberi enormi riempiono la gola. Poi sentiamo in lontananza il rombo di un torrente molto più grande.

Lo attraversiamo usando una fune e raggiungiamo una strada dove troviamo dei campeggiatori che ci danno un passaggio in città.

A Bozeman è notte fonda. Piuttosto che svegliare i DeWeese e chiedergli di venirci a prendere, andiamo a dormire in albergo. Nell'atrio alcuni turisti si fermano a guardarci. Con gli abiti militari, il bastone, una barba di due giorni e il basco nero devo aver l'aria di un rivoluzionario cubano pronto per un raid.

Nella stanza d'albergo, esausti, sbattiamo la roba per terra e crolliamo sui letti senza una parola.

22

La mattina dopo lasciamo l'albergo freschi e riposati, salutiamo i DeWeese e partiamo. Loro volevano che rimanessimo, ma io ho una strana voglia di andare a ovest seguendo il corso dei miei pensieri. Oggi voglio parlare di una persona sconosciuta a Fedro, ma di cui ho studiato in modo abbastanza approfondito le opere per preparare questo Chautauqua. A differenza di Fedro, quest'uomo era una celebrità internazionale a trentacinque anni e una leggenda vivente a cinquantotto: Bertrand Russell lo ha definito « il più eminente scienziato della sua generazione ». Era astronomo, fisico, matematico e filosofo. Si chiamava Jules Henri Poincaré.

Mi è sempre sembrato incredibile che l'itinerario di Fedro non fosse mai stato battuto da altri. Qualcuno, da qualche parte, doveva averlo percorso e Fedro come erudito era talmente scadente che sarebbe stato proprio da lui riprodurre qualche risaputo sistema filosofico che non si era preso la briga di esaminare.

Trascorsi dunque più di un anno a leggere la lunghissima e talvolta tediosa storia della filosofia cercando un doppione delle idee di Fedro. Fu comunque un modo affascinante di leggerla, e accadde una cosa che ancora non so come interpretare. Ci sono sistemi filosofici ritenuti agli antipodi tra loro che sembrano dire *entrambi* qualcosa di molto vicino a ciò che, con variazioni minime, pensava Fedro. Più di una volta ho pensato di aver scoperto il doppione, ma ogni volta, a causa di quelle che sembravano lievi differenze, Fedro aveva finito per imboccare una direzione assolutamente diversa. Hegel, per esempio, a cui mi riferivo poco fa, aveva rifiutato i sistemi filosofici indù dicendo che non erano affatto una filosofia. Fedro invece sembrava assimilarli o addirittura *farsene assimilare*. Non sentiva la contraddizione.

Arrivai finalmente a Poincaré. Ancora una volta non mi trovavo di fronte un doppione, ma un altro tipo di fenomeno. Fedro segue un sentiero lungo e tortuoso per giungere alle più alte astrazioni, sembra ormai pronto a scendere, poi si arresta. Poincaré comincia dalle più elementari verità scientifiche, giunge ad alcune astrazioni e quindi si arresta. L'uno si ferma *esattamente dove inizia l'altro!* Tra loro c'è una continuità perfetta. Quando vivi all'ombra della follia, l'apparizione di un'altra mente che pensa e parla come te ha del miracoloso. Come le orme sulla sabbia per Robinson Crusoe.

Poincaré visse dal 1854 al 1912 e insegnò all'Università di Parigi. La barba e il pince-nez ricordavano Henri Toulouse-Lautrec, vissuto a Parigi nello stesso periodo e di soli dieci anni più giovane.

Proprio in quel periodo era iniziata una crisi profonda e allarmante dei fondamenti delle scienze esatte. Per anni la verità scientifica era stata al di là di ogni dubbio; la logica della scienza era infallibile, e se a volte gli scienziati sbagliavano, si dava per scontato che l'errore fosse dovuto a un uso errato delle leggi scientifiche. Tutte le grandi domande avevano una risposta. La missione della scienza ormai consisteva soltanto nel rifinire queste risposte per raggiungere una precisione sempre maggiore. È pur vero che c'erano ancora dei fenomeni insoluti quali la radioattività, la propagazione della luce attraverso l'« etere », lo strano rapporto tra forze elettriche e magnetiche: anche questi fenomeni, però, se si doveva credere alle indicazioni del passato, avrebbero trovato una spiegazione. Nessuno avrebbe sospettato che, nel giro di pochi decenni, non ci sarebbe stato più spazio assoluto, tempo assoluto, materia e neppure grandezza assoluta; che la fisica classica, la roccia scientifica incrollabile, sarebbe diventata « approssimata »; che gli astronomi più seri e rispettati avrebbero detto agli uomini che, se avessero guardato abbastanza a lungo in un telescopio abbastanza potente, avrebbero finito col vedere la propria nuca!

Le basi della rivoluzionaria teoria della relatività erano a quel tempo conosciute solo da pochi. Poincaré, il più eminente matematico della sua epoca, era uno di costoro.

Nel suo *La scienza e l'ipotesi*, Poincaré spiegò che gli antecedenti della crisi dei fondamenti della scienza erano molto antichi. Si era cercato invano, disse, di dimostrare l'assioma noto come quinto postulato di Euclide e fu proprio questo tentativo a dare origine alla crisi. Il postulato delle parallele di Euclide, il quale stabilisce che per un punto dato passa una e una sola retta parallela a una retta determinata, lo si impara di solito nella geometria delle medie. È uno dei pilastri su cui poggia l'intero edificio della geometria.

Tutti gli altri assiomi sembravano talmente ovvi da essere indiscutibili, ma di questo non si poteva dire altrettanto. Tuttavia non si riusciva a liberarsene senza distruggere enormi porzioni di matematica e nessuno sembrava capace di ridurlo a proposizioni più elementari. La vastità dello sforzo disperso in questa speranza chimerica era davvero inimmaginabile, disse Poincaré.

Finalmente, nel primo quarto del diciannovesimo secolo, e quasi contemporaneamente, un ungherese e un russo, Bolyai e Lobačevskij, stabilirono irrefutabilmente che la dimostrazione del quinto postulato di Euclide è impossibile. Il loro ragionamento era questo: se ci fosse modo di ridurre il postulato di Euclide ad altri assiomi più sicuri, allora l'opposto del postulato di Euclide dovrebbe creare contraddizioni logiche in geometria. Pertanto i due scienziati invertirono il postulato di Euclide.

Lobačevskij parte dall'ipotesi che attraverso un punto dato possano passare due parallele a una data retta, e nel contempo mantiene validi tutti gli altri assiomi di Euclide. Da queste ipotesi egli deduce una serie di teoremi tra i quali è impossibile riscontrare contraddizioni, costruendo una geometria la cui logica impeccabile non è inferiore in nulla a quella della geometria euclidea.

Quindi, proprio grazie all'impossibilità di trovare una qualsiasi contraddizione, Lobačevskij dimostra che il quinto postulato non è riducibile ad assiomi più semplici.

Non era la dimostrazione ad essere allarmante. Fu

la sua conseguenza razionale a investire ben presto la dimostrazione e quasi tutto il resto nel campo della matematica. La matematica, pietra angolare della certezza scientifica, tutt'a un tratto diveniva incerta.

Ora ci si trovava davanti a *due* visioni contraddittorie dotate entrambe di un'incrollabile verità scientifica, valide per gli uomini di tutti i tempi.

Fu l'inizio della crisi profonda che scosse la boria scientifica dell'Età Dorata. *Come facciamo a sapere quale di queste geometrie è giusta?* Se non esiste un principio per distinguerle, ci si ritrova con una matematica che nel suo complesso ammette contraddizioni logiche. Ma una matematica che ammette contraddizioni logiche interne non è matematica.

Ora che era stata data la stura, un tedesco di nome Riemann se ne venne fuori con un altro sistema geometrico inconfutabile che butta a mare non solo il postulato di Euclide, ma anche il primo assioma, che stabilisce che attraverso due punti può passare una e una sola retta. Di nuovo non ci sono contraddizioni interne, soltanto incompatibilità rispetto sia alla geometria di Lobačevskij sia a quella euclidea.

Secondo la teoria della relatività, la geometria riemanniana è quella che meglio descrive il mondo in cui viviamo.

Attraversiamo Phillipsburg e ci troviamo di nuovo in aperta campagna tra i prati della valle. Il vento contrario qui è più forte, per cui scendo a ottanta all'ora per smorzarne un po' l'effetto. Passiamo Maxville e quando arriviamo a Hall siamo stanchissimi.

Su un lato della strada si apre il sagrato di una chiesa e qui ci fermiamo. Il vento soffia forte e gelido, ma il sole è caldo. Stendiamo le giacche sull'erba per farci un riposino.

Tutto è così diverso adesso, senza i Sutherland — ci si sente così soli. Se volete scusarmi, adesso mi limiterò a continuare il Chautauqua finché il senso di solitudine non se ne sarà andato.

Per risolvere il problema della verità matematica, disse Poincaré, dovremmo prima di tutto chiederci qual è la natura degli assiomi geometrici. Sono giudizi sintetici *a priori*, come aveva detto Kant? Esistono cioè come parti immutabili della coscienza umana, indipendenti dall'esperienza? Poincaré pensava che le cose non stessero così, altrimenti questi assiomi ci si sarebbero imposti con una tale forza che non avremmo potuto concepire una proposizione contraria, né costruirci sopra un edificio teorico. Non sarebbero esistite geometrie non euclidee.

Dovremmo allora concludere che gli assiomi geometrici sono verità sperimentali? Poincaré non pensava neanche questo. Se lo fossero, i nuovi dati di laboratorio li porterebbero a cambiamenti e revisioni continui, e questo sembrava contrario alla natura intrinseca della geometria.

Poincaré concluse che gli assiomi geometrici sono *convenzioni*, e che la nostra scelta tra tutte le convenzioni possibili è *guidata* da fatti sperimentali ma rimane *libera* ed è limitata soltanto dalla necessità di evitare ogni forma di contraddizione. Per questo i postulati possono rimanere rigorosamente veri anche se le leggi sperimentali che hanno determinato la loro adozione sono soltanto approssimative. Gli assiomi della geometria, in altre parole, sono semplicemente definizioni camuffate.

A questo punto, dopo aver riconosciuto la natura degli assiomi geometrici, Poincaré prese in considerazione la domanda: « Quale delle due geometrie è vera: quella di Euclide o quella di Riemann? ».

La domanda, rispose, non ha senso. Una geometria non può essere più vera di un'altra, può essere soltanto più *utile*. La geometria non è vera, è vantaggiosa.

Poi Poincaré si accinse a dimostrare la natura convenzionale di altri concetti scientifici, quali spazio e tempo, dimostrando che non esiste un modo più vero di un altro di misurare queste entità; il metodo generalmente adottato è solo il più *utile*.

Comunque, questa interpretazione rivoluzionaria delle nostre concezioni scientifiche fondamentali non è ancora completa. Grazie a questa spiegazione, il mistero della natura dello spazio e del tempo può divenire più comprensibile, ma l'onere di sostenere l'ordine dell'universo ricade tutto sulle spalle dei « fatti ». Cosa sono i fatti?

Poincaré procedette a esaminarli criticamente. *Quali sono* i fatti da osservare? si chiese. Lo stesso vale per le ipotesi. *Quali* ipotesi? Poincaré scrisse: « Se un fenomeno ammette una spiegazione meccanica completa, ne ammetterà anche tantissime altre che potranno spiegare egualmente bene le particolarità rivelate dall'esperimento ». Era la stessa conclusione cui era giunto Fedro in laboratorio; quella che aveva sollevato il problema che alla fine lo portò fuori dall'università.

Se lo scienziato avesse a sua disposizione un tempo infinito, disse Poincaré, basterebbe dirgli: « Guarda e osserva bene ». Ma dato che non c'è abbastanza tempo per vedere tutto, e che è meglio non vedere che vedere sbagliato, è necessario che lo scienziato faccia una scelta.

Poincaré stabilì alcune regole: C'è una gerarchia di fatti.

Più un fatto è generale, più è prezioso. Quelli che possono servire molte volte sono meglio di quelli che hanno poche probabilità di ripetersi. I biologi, per esempio, sarebbero in grande difficoltà se esistessero soltanto individui e non specie, e se l'ereditarietà non facesse nascere figli uguali ai genitori.

Quali sono i fatti che hanno più probabilità di verificarsi di nuovo? I fatti semplici. Come riconoscerli? Scegliendo quelli che *sembrano* semplici. Allora, o questa semplicità è reale, o gli elementi complessi non sono distinguibili. Nel primo caso è probabile che ci imbatteremo di nuovo nel fatto scelto, isolato oppure come elemento di un fatto più complesso. Anche nel secondo caso ci sono buone probabilità di riverificazione, dal momento che la natura non costruisce a caso situazioni del genere.

Dov'è il fatto semplice? Gli scienziati l'hanno cercato ai due estremi, nell'infinitamente grande e nell'infinitamente piccolo. I biologi, per esempio, sono stati portati istintivamente a considerare la cellula più interessante dell'intero animale e, fin dai tempi di Poincaré, la molecola proteica più interessante della cellula. Il risultato di questo orientamento ne ha dimostrato la saggezza, dato che cellule e molecole appartenenti a organismi diversi si sono rivelate più simili tra loro che non gli organismi stessi.

Come si fa allora a scegliere il fatto interessante, quello che si verifica continuamente? Il metodo consiste precisamente in questa scelta dei fatti; quindi è necessario occuparsi innanzitutto della creazione di un metodo; ne sono stati pensati molti, dal momento che nessuno s'impone di per se stesso. Si incomincia dai fatti regolari, ma una volta stabilita una regola al di là di ogni dubbio, i fatti che vi si conformano diventano insignificanti perché non insegnano più niente di nuovo. È l'eccezione allora che diviene importante. Ci troviamo quindi a ricercare non le somiglianze ma le differenze, a scegliere le differenze più accentuate perché sono le più sorprendenti e anche le più istruttive.

Noi cerchiamo prima i casi in cui la regola ha le maggiori probabilità di essere infranta; allontanandoci molto nello spazio o nel tempo potremmo ritrovare le nostre solite regole completamente capovolte, e questi vasti capovolgimenti ci permettono di vedere meglio i piccoli cambiamenti che si verificano più vicino a noi. Ma ciò a cui dovremmo tendere non è tanto l'accertamento delle somiglianze e delle differenze quanto il riconoscimento delle somiglianze nascoste sotto apparenti divergenze. Ci sono leggi particolari che sulle prime sembrano discordanti; se però si considerano più da vicino, in generale si nota che si assomigliano; diverse per il contenuto, possono rivelarsi simili per la forma, o per l'ordine delle parti. Se le consideriamo sotto questo punto di vista, le potremo vedere ampliarsi e tendere ad abbracciare ogni cosa. Ed è questo che conferisce valore a certi fatti, che vengono a completare una concatenazione e dimostrano che essa è l'immagine fedele di altre concatenazioni note.

No, concluse Poincaré, uno scienziato non sceglie a casaccio i fatti che osserva. Cerca invece di condensare in un volume ridotto molte esperienze e molto pensiero; perciò un libretto di fisica contiene tante esperienze passate e una quantità mille volte maggiore di esperienze possibili il cui risultato è noto in anticipo.

Poi Poincaré illustrò come avviene la scoperta di un fatto. Aveva descritto in generale come gli scienziati arrivano ai fatti e alle teorie, ma ora s'immerse più a fondo nella sua esperienza personale con le funzioni matematiche che gli avevano dato la sua fama precoce.

Per quindici giorni, disse, aveva cercato in ogni modo di dimostrare che funzioni del genere non potevano assolutamente esistere. Ogni giorno si metteva a tavolino, ci rimaneva un'ora o due e provava un gran numero di combinazioni senza giungere a nessun risultato.

Poi, una sera, contrariamente alle sue abitudini, bevve del caffè forte e non riuscì a dormire. La testa gli si affollò di idee. Le sentì cozzare l'una contro l'altra finché si formarono delle coppie, per così dire, che diedero combinazioni stabili.

La mattina dopo non ebbe che da scrivere i risultati. Si era verificata un'ondata di cristallizzazione.

Egli descrisse anche come una seconda ondata di cristallizzazione, guidata da analogie con le idee matematiche accettate, produsse quelle che in seguito chiamò « funzioni Θ-fuchsiane ». Partì da Caen, dove abitava, per un'escursione geologica. Il cambiamento gli fece dimenticare la matematica. Stava per salire su un autobus, e mentre metteva il piede sul predellino, gli venne l'idea, senza che i suoi pensieri precedenti le avessero spianato affatto la strada, che le trasformazioni di cui si era valso per definire le funzioni fuchsiane fossero identiche a quelle della geometria non euclidea. Non la verificò, disse, continuò tranquillamente a conversare, ma sentì una certezza assoluta. Poi verificò con comodo il risultato.

Fece un'ulteriore scoperta passeggiando lungo una scogliera in riva al mare. Gli si impose con le stesse caratteristiche di brevità e subitaneità e certezza immediata. Un'altra scoperta importante gli si affacciò alla mente mentre camminava per la strada. C'è chi vede in questo processo l'opera misteriosa del genio, ma Poincaré non poteva contentarsi di una spiegazione così superficiale. Cercò di scandagliare più a fondo la natura di quanto era successo.

La matematica, disse, proprio come la scienza, non consiste semplicemente nell'applicare regole. Non si limita a dare il maggior numero possibile di combinazioni secondo determinate leggi fisse: esse sarebbero di gran lunga troppo numerose, inutili e ingombranti. Il vero lavoro dell'inventore è quello di scegliere, in modo da scartare quelle inutili o addirittura risparmiarsi la noia di ottenerle. I criteri che devono guidare la scelta sono estremamente sottili e delicati. È quasi impossibile stabilirli con precisione; più che formularli bisogna sentirli.

Poincaré fece poi l'ipotesi che la selezione venisse operata da quello che egli definì l'« io subliminale », un'entità esattamente corrispondente a ciò che Fedro aveva chiamato consapevolezza pre-intellettuale. L'io subliminale, disse Poincaré, valuta un numero enorme di possibili soluzioni, ma soltanto quelle *interessanti* irrompono nel dominio della coscienza. Le soluzioni matematiche vengono selezionate dall'io subliminale sulla base della «bellezza matematica», dell'armonia di numeri e forme, dell'eleganza geometrica. «Si tratta» disse «di un vero e proprio senso estetico, noto a tutti i matematici, ma di cui il profano è così all'oscuro da esser spesso tentato di sorriderne». Quest'armonia, questa bellezza, invece, sono al centro di tutto.

Poincaré sottolineò che non stava parlando di bellezza romantica, della bellezza dell'apparenza che colpisce i sensi. Intendeva la bellezza classica, una bellezza che deriva dall'ordine armonioso delle parti, che può essere afferrata da un'intelligenza pura, che fornisce la struttura alla bellezza romantica e senza la quale la vita sarebbe soltanto vaga e impermanente, un sogno che non potremmo distinguere dai nostri sogni perché non ci sarebbero basi su cui operare la distinzione. È la ricerca di questa speciale bellezza classica, il senso di armonia del cosmo, *che ci fa scegliere i fatti che meglio vi contribuiscono*. L'unica realtà oggettiva non sono i fatti, ma le relazioni tra le cose che sfociano nell'armonia universale.

Ciò che garantisce l'oggettività del mondo in cui viviamo è il fatto che lo condividiamo con altri esseri pensanti. Comunicando con gli altri ne riceviamo ragionamenti armoniosi in cui riconosciamo, *grazie alla loro armonia*, l'opera di esseri ragionevoli come noi. E dato che questi ragionamenti combaciano col mondo delle nostre sensazioni, pensiamo di poterne dedurre che questi esseri ragionevoli vedono le stesse cose che vediamo noi, e così sappiamo di non aver sognato. È questa armonia, questa *Qualità*, se si vuole, l'unico fondamento dell'unica realtà che ci sia mai dato di conoscere.

I contemporanei di Poincaré rifiutarono di riconoscere che i fatti sono preselezionati, perché altrimenti, dissero, la validità del metodo scientifico sarebbe stata distrutta. Secondo loro i «fatti preselezionati» implicavano il concetto che la verità fosse «quel che pare e piace» e definirono «convenzionalismo» le idee di Poincaré. Si ostinarono a ignorare il dato palese che nemmeno il loro stesso « principio di oggettività » è un fatto osservabile, e pertanto, sulla base dei loro stessi criteri, dovrebbe essere messo in uno stato di giudizio sospeso.

Sentirono di dover agire così perché altrimenti l'intero sostegno filosofico della scienza sarebbe crollato. Poincaré non offrì sbocchi a questa impasse. Non si spinse abbastanza a fondo nelle implicazioni metafisiche di ciò che sosteneva. Dimenticò di dire che la selezione dei fatti prima dell'osservazione è « quel che pare e piace » *soltanto in un sistema metafisico dualistico centrato su soggetto e oggetto!* Quando entra in scena la Qualità come terza entità metafisica, la preselezione dei fatti non è più arbitraria. La preselezione dei fatti non è basata sul soggettivo e capriccioso « quel che pare e piace » ma sulla *Qualità*, cioè sulla realtà stessa. In questo modo l'impasse è superata.

Era come se Fedro avesse lavorato a un puzzle di sua invenzione e, per mancanza di tempo, l'avesse lasciato incompiuto.

Anche Poincaré aveva lavorato a un puzzle di sua invenzione. La sua opinione che lo scienziato seleziona i fatti, le ipotesi e gli assiomi sulla base dell'armonia lasciava a sua volta il puzzle incompleto.

Ma dalla metafisica di Fedro sappiamo che l'armonia di cui parlava Poincaré *non è soggettiva*. È la *fonte* di soggetto e oggetto ed esiste in un rapporto anteriore ad essi. *Non è* arbitraria, è la forza che *si oppone* all'arbitrarietà; il principio ordinatore di tutto il pensiero scientifico e matematico che *distrugge* l'arbitrarietà, e senza la quale non può procedere alcun pensiero scientifico. Mi si riempirono gli occhi di lacrime nello scoprire che questi puzzle incompiuti si incastravano perfettamente, creando quella specie di armonia di cui avevano parlato sia Fedro sia Poincaré, un'armonia che produceva una struttura di pensiero completa, capace di unificare in uno solo i linguaggi separati della Scienza e dell'Arte.

Da entrambi i lati della strada le montagne sono più ripide; formano una lunga, stretta valle che arriva serpeggiando fino a Missoula. Il vento contrario mi ha spossato. Chris mi batte sulla spalla e indica una collina con una grande M dipinta sopra. Annuisco. Questa mattina, partendo da Bozeman, ne abbiamo vista un'altra. Un frammento mi si presenta alla memoria: le matricole di tutte le scuole vanno lassù tutti gli anni a dipingere la M.

A un distributore un uomo con un rimorchio, che trasporta due cavalli, attacca discorso. Pare che la maggior parte della gente che ama i cavalli sia contro le motociclette, ma questo, che mi fa un sacco di domande, non lo è. Chris continua a chiedermi di portarlo alla M, ma si vede fin da qui che la strada è ripida e sconnessa. Con la nostra moto da autostrada, e carichi come siamo, non voglio correre rischi. Ci sgranchiamo le gambe e poi, un po' stancamente, usciamo da Missoula diretti verso Lolo Pass.

Ormai ogni traccia dell'est è scomparsa, perlomeno nella mia immaginazione. Qui tutta la pioggia viene dai venti del Pacifico e tutti i fiumi e i ruscelli ritornano al Pacifico. Dovremmo arrivare all'oceano nel giro di due o tre giorni.

A Lolo Pass vediamo un ristorante e ci fermiamo accanto a una vecchia Harley veterana. Sul retro ha un portapacchi fatto in casa e il contachilometri segna cinquantasettemila chilometri. Un vero e proprio appassionato.

Dopo mangiato, mentre stiamo per partire vediamo accanto alle motociclette quello della Harley con la moglie e lo salutiamo. È del Missouri e dall'espressione rilassata della moglie capisco che il viaggio è andato bene.

« Ve lo siete beccato anche voi quel vento fino a Missoula? » mi chiede l'uomo.

Annuisco. « Doveva essere almeno cinquanta all'ora ».

« Come minimo » mi fa lui.

Parliamo un po' di campeggio. Quando stavano ancora nel Missouri, non si immaginavano assolutamente che d'estate potesse fare così freddo, nemmeno sulle montagne. Hanno dovuto comprare indumenti e coperte.

« Questa notte non dovrebbe fare troppo freddo » faccio io. « Siamo solo a millecinquecento metri ».

« Ci accamperemo un po' più giù, sulla strada » interviene Chris.

« In un campeggio? ».

« No, da qualche parte vicino alla strada » rispondo.

Non accennano a volersi unire a noi; passa ancora un momento, poi schiaccio il bottone della messa in moto e ce ne andiamo salutandoli con la mano.

L'ombra degli alberi si allunga sulla strada.

Dopo cinque o dieci miglia imbocchiamo la strada sabbiosa di un cantiere di disboscamento; metto una marcia bassa e tengo i piedi fuori per prevenire gli slittamenti. Imbocchiamo un sentierino laterale, e dopo circa mezzo miglio troviamo un albero caduto in mezzo alla strada. Buon segno, vuol dire che il sentiero è abbandonato.

« Eccoci qua » dico a Chris, e lui scende. Dal pendio dove ci troviamo possiamo spaziare su miglia e miglia di foresta ininterrotta.

Chris è impaziente di esplorare i dintorni, ma io sono troppo stanco. « Va' tu » gli dico.

« No, dài, vieni! ».

« Sono davvero stanco, Chris. Andremo in giro domattina ».

Metto a terra i sacchi a pelo. Chris si allontana, io mi allungo per terra e la stanchezza mi fiacca braccia e gambe. Silenziosa, splendida foresta...

Dopo un po' Chris ritorna e dice che ha la diarrea.

« Ah » faccio e mi alzo. « Devi cambiarti? ».

« Sì ». È imbarazzato.

« Bene, la biancheria è nella sacca anteriore. Càmbiati e prendi un pezzo di sapone dalle borse laterali, che scendiamo al torrente a lavare la biancheria sporca ». Chris si vergogna un po' e adesso è ben contento di prendere ordini.

Scendendo dobbiamo piantare i piedi a terra pesantemente. Dopo che Chris ha lavato tutto per bene torniamo su. Mi coglie all'improvviso la sensazione deprimente di aver risalito questo sentiero per tutta la vita.

« Papà? ».

« Che c'è? ». Un uccellino si leva in volo da un albero.

« Come dovrei essere da grande? ».

L'uccellino scompare al di là di una cresta lontana. Non so cosa dire. « Onesto » rispondo alla fine.

« No, che lavoro dovrei fare? ».

« Uno qualsiasi ».

« Perché ti arrabbi tanto quando te lo chiedo? ».

« Non sono arrabbiato... sto solo pensando... non lo so... sono troppo stanco per pensare... non ha importanza quello che farai ».

Dopo un po' mi accorgo che Chris è rimasto indietro.

Il sole adesso è sceso sotto l'orizzonte e il crepuscolo cala su di noi. Risaliamo separatamente verso il sentiero e quando arriviamo alla motocicletta ci infiliamo nei sacchi a pelo e ci addormentiamo senza una parola.

23

Eccola, in fondo al corridoio: una porta a vetri. Dietro c'è Chris tra suo fratello e sua madre. Mi riconosce e mi fa ciao con la mano. Gli rispondo e mi avvicino.

Tutto è silenzioso, come guardare un film quando è saltato il sonoro.

Chris alza gli occhi verso sua madre e sorride. Lei gli restituisce il sorriso, ma mi accorgo che sta solo cercando di nascondere il suo dolore. Qualcosa la angoscia, ma non vuole che i bambini se ne accorgano.

Adesso capisco cos'è la porta a vetri. È la porta di una bara — la mia.

Non una bara, un sarcofago. Mi trovo in una cripta enorme, sono morto, e loro sono venuti a porgermi l'estremo saluto.

Gentile da parte loro. Non erano obbligati. Sono pieno di gratitudine.

Ora Chris mi fa segno di aprire la porta. Vedo che vuole parlarmi. Forse vuole che gli dica com'è la morte. Sento il desiderio di farlo, di dirglielo. È stato così gentile a venirmi a salutare che gli dirò che non è poi tanto male. Ma ci si sente soli.

Sto per aprire la porta, ma lì accanto, nell'ombra, una figura scura mi fa segno di non toccarla. Un dito si posa su labbra che non vedo. Ai morti non è permesso parlare.

Loro però vogliono che parli. C'è ancora bisogno di me! Non vede? Dev'esserci un errore. Non vede che hanno bisogno di me? In tono implorante dico alla strana figura che devo parlare con loro. Non è ancora finita. Devo dir loro delle cose. Ma la figura nell'ombra fa come se non avesse sentito.

« CHRIS! » grido attraverso la porta. « CI VEDIA-MO! ». La figura scura mi si fa incontro minacciosa, ma riesco a sentire la voce di Chris, debole e distante, che chiede: « Dove? ». Mi ha sentito! E la sagoma scura, infuriata, tira una tenda sulla porta.

Non sulla montagna, penso, la montagna non c'è più. « IN FONDO AL MARE!!! » grido.

E ora sono tutto solo tra le rovine abbandonate di una città. Mi circondano da ogni parte, senza fine, in tutte le direzioni. Devo attraversarle da solo.

24

Il sole brilla.

Per un attimo non so bene dove sono.

Siamo in una foresta.

Un brutto sogno. Di nuovo la porta a vetri.

Accanto a me luccicano le cromature della moto, poi vedo dei bei pini e mi torna in mente l'Idaho.

Mi tornano in mente il sogno e le parole « Ci vediamo in fondo al mare » e mi domando che cosa volessero dire. Ma i pini e la luce del sole sono più forti di qualsiasi sogno e le domande svaniscono. Cara, vecchia realtà.

Esco dal sacco a pelo. Fa freddo, mi vesto in fretta. Chris dorme. Gli giro intorno e mi incammino nel bosco. Per riscaldarmi faccio un po' di footing. Bene, bene, bene, bene, bene. Degli uccelli si alzano dalla collina in ombra e volano verso il sole. Bene, bene, bene, bene, bene. La ghiaia scricchiola sulla strada. Bene, bene. La sabbia è di un giallo intenso nel sole. Bene, bene, bene.

A un certo punto rimango proprio senza fiato. Torno alla motocicletta un po' più lentamente; preparo i bagagli in quattro e quattr'otto. Ormai sono talmente abituato a mettere ogni cosa al suo posto che lo faccio quasi automaticamente. Alla fine ho bisogno del sacco a pelo di Chris, così lo scuoto un po', non troppo forte, dicendogli: « Giornata fantastica! ».

Chris si guarda intorno disorientato. Esce dal sacco a pelo e, mentre lo ripiego, si veste senza neanche rendersi conto di quello che fa.

« Mettiti il maglione e la giacca » gli dico. « Farà freddo, in moto ».

Lungo Chautauqua, oggi. È tutto il viaggio che lo aspetto.

Metto la seconda e poi la terza. Non troppo forte, con queste curve. La luce del sole è bellissima.

Finora ho lasciato in sospeso un problema di fondo; il primo giorno ho parlato dell'importanza di tenere a quello che si fa, poi mi sono reso conto di non poter dir niente di significativo a questo proposito fino a quando non fosse chiaro il rovescio della questione, la Qualità. Penso che ora sia importante collegare le due cose, sottolineando che si tratta dell'aspetto interno e di quello esterno del medesimo fenomeno. Una persona che vede la Qualità e la sente mentre lavora è una persona che ci tiene. E una persona che tiene a quello che vede e fa è destinata ad avere alcune caratteristiche di Qualità.

Torniamo dunque all'impasse del problema tecnologico: in ultima analisi tutto dipende dal fatto che sia i tecnologi sia gli antitecnologi non tengono a quello che fanno, e non tengono a quello che fanno perché nella tecnologia non percepiscono la Qualità. La ricerca di Fedro del significato razionale, analitico e pertanto *tecnologico* della parola ' Qualità ' era in realtà la ricerca di una risposta al disperante problema della tecnologia. Almeno così mi pare.

Adesso, dopo un lungo itinerario che partiva dalla spaccatura tra classico e romantico per risalire fino alla metafisica e alla ragione formale, siamo finalmente tornati a ciò cui tendevo fin dall'inizio; ora però abbiamo a disposizione dei concetti che alterano completamente l'interpretazione delle cose. La Qualità è il Buddha. La Qualità è la realtà scientifica. La Qualità è il fine dell'arte. Non ci resta che calare questi concetti in un contesto pratico, terra terra, e cosa c'è di più pratico e terra terra di quello di cui ho parlato fin dall'inizio — la riparazione di una vecchia motocicletta?

La strada continua a scendere serpeggiando lungo il canyon; oltrepassiamo una piccola insegna che annuncia un ristorante tra un chilometro. « Hai fame? » grido a Chris.

« Sì ». Ci fermiamo e entriamo. Il pavimento di legno fa un bel rumore sotto gli stivali da motocicletta. Ci sediamo a una tavola apparecchiata con la tovaglia e ordiniamo uova, paste calde, sciroppo d'acero, latte, salsicce e succo d'arancia. Il vento ci ha fatto venire una gran fame.

« Voglio scrivere una lettera alla mamma » dice Chris.

Mi sembra una buona idea. Vado a farmi dare dei fogli di carta intestata e glieli do insieme alla mia penna. L'aria frizzante della mattina ha dato un po' di energie anche a lui. Chris si mette il foglio davanti, agguanta la penna e si concentra per un po' sul foglio bianco.

Alza gli occhi. « Che giorno è? ».

Glielo dico. Annuisce e lo scrive.

Poi lo vedo scrivere: « Cara mamma, ».

Fissa il foglio un momento.

Alza gli occhi di nuovo. « Cosa devo dire? ».

Mi scappa un sorriso. Dovrei fargli descrivere per un'ora la faccia di una moneta. A volte lo vedo come uno studente, ma non come uno studente di retorica.

« Su, aiutami! » insiste.

« D'accordo » faccio io. Gli dico che restare bloccati è uno dei guai più comuni. Di solito, continuo, la testa si blocca quando si vogliono fare troppe cose alla volta. La cosa migliore è non cercare le parole a tutti i costi. È troppo difficile pensare a *cosa dire* e contemporaneamente a cosa dire *prima*. Meglio separare le due cose e fare una lista di tutto quello che si vuole raccontare così come viene. Poi si stabilirà l'ordine giusto.

« Sì, ma che *cosa*? » mi chiede.

« Be', cos'è che vuoi raccontarle? ».

« Il viaggio ».

« Ma cosa le vuoi raccontare del viaggio? ».

Si concentra un po'. « La montagna che abbiamo scalato ».

« D'accordo, allora segnatelo » gli dico.

Poi vedo che mentre finisco la sigaretta e il caffè

271

segna un altro argomento, poi un altro ancora. Riempie tre fogli.

« Mettili via, » gli dico « ci lavoreremo sopra più tardi ».

« Non ci staranno mai in una lettera sola » mi risponde.

Mi vede ridere e si acciglia.

« Scegli le cose migliori » gli dico. Usciamo e montiamo di nuovo sulla motocicletta.

Il blocco, ecco di che cosa voglio parlare oggi.

Ricorderete che ho parlato di come il metodo scientifico formale potesse applicarsi alla riparazione della motocicletta studiando le concatenazioni di causa ed effetto e applicando a queste concatenazioni il metodo sperimentale. L'intento era quello di mostrare cosa si intende per razionalità classica.

Ora voglio dimostrare che quel modello classico di razionalità può essere ampliato e reso molto più efficace tramite il riconoscimento formale della Qualità nella sua applicazione. Comunque, prima di farlo, dovrei soffermarmi su alcuni aspetti negativi della manutenzione tradizionale.

Al primo posto viene il blocco, un blocco mentale che accompagna il blocco materiale relativo a quello a cui state lavorando. Lo stesso problema che affliggeva Chris. Per esempio, c'è una vite bloccata in una copertura laterale. Controllate sul libretto di istruzioni per vedere se può esserci un motivo particolare per cui questa vite resiste tanto, ma il libretto dice soltanto: « Smontare la copertura laterale » in quello stile tecnico meravigliosamente conciso che non dice mai quel che si vuol sapere.

Se siete esperti, a questo punto userete un liquido penetrante e un cacciavite a percussione. Ma mettiamo che non lo siate, e che usiate una pinza autobloccante facendo forza sul manico del cacciavite e che giriate forte. È un metodo che in altri casi ha funzionato, ma questa volta riuscite soltanto a rovinare la testa della vite.

La vostra mente era già più in là, stava già pensando a cosa fare dopo aver tolto la copertura, così vi ci vuole un po' di tempo per rendervi conto che questo scocciante, futile incidente non è solo futile e scocciante. Siete bloccati, non c'è più modo di riparare la motocicletta. Questo è il momento zero della coscienza. Emotivamente è un'esperienza molto brutta. Siete incompetenti. Non sapete quello che state facendo. Dovreste andare da un *vero* meccanico, lui sì che se la saprebbe cavare. A questo punto sopravviene la sindrome rabbia-paura che vi fa venir voglia di prendere la copertura a martellate. È oltraggioso che una miserabile testa di vite possa infliggervi una sconfitta così totale.

Ciò che avete contro è il grande sconosciuto, il vuoto di tutto il pensiero occidentale. Avete bisogno di qualche idea, di qualche ipotesi. Sfortunatamente, il metodo scientifico tradizionale non si è mai preso la briga di dire esattamente dove cercarle. Il metodo scientifico tradizionale può avere, nel *migliore* dei casi, dieci decimi di visione *a posteriori*. Ma la creatività, l'originalità, l'inventiva, l'intuizione, l'immaginazione − il contrario del blocco, in altre parole − esulano completamente dal suo ambito.

Continuiamo a scendere per il canyon, con le orecchie che ci fanno male per lo sbalzo di quota. È l'addio alle montagne. Qui le curve sono meno strette e i tratti diritti sono più lunghi. Metto la marcia più alta, ma poi ci fermiamo per toglierci giacca e maglione. Chris vuole arrampicarsi su per un sentiero e lo lascio andare. Io mi metto all'ombra a riposare.

Dopo un po' lo scricchiolio della ghiaia mi dice che Chris sta tornando. Non ha fatto molta strada. Quando arriva dice: « Andiamo? ».

Siamo ancora bloccati e l'unico modo di venirne

fuori è smettere di esaminare la vite alla luce del metodo scientifico tradizionale. Non funzionerà. Quel che dobbiamo fare, invece, è esaminare il metodo scientifico tradizionale alla luce della vite bloccata.

Abbiamo considerato la vite ' oggettivamente '. Secondo la dottrina dell' ' oggettività ', che è parte integrante del metodo scientifico tradizionale, il fatto che quella vite sia più o meno di nostro gusto non ha niente a che vedere con il processo mentale corretto. Non dovremmo dare un giudizio di valore su quel che vediamo. La nostra mente deve essere una tabula rasa che la natura riempie per noi, e noi dobbiamo ragionare in modo distaccato basandoci sui fatti che osserviamo.

Ma se applichiamo questo metodo a questa vite bloccata ci rendiamo conto che l'idea dell'osservazione distaccata è sciocca. *Dove sono* i fatti? Cos'è che dobbiamo osservare in modo distaccato? La testa rovinata? La copertura che non si muove? Il colore della vernice? Il tachimetro? Come avrebbe detto Poincaré, i fatti riguardanti la motocicletta sono infiniti, e quelli giusti non ci corrono affatto incontro a passo di danza. I fatti che ci occorre veramente vedere non solo sono passivi, sono maledettamente *elusivi*, e starsene lì impalati a ' osservarli ' non serve a niente. Quel che dobbiamo fare è *cercarli*, o ne avremo per un bel pezzo. Per sempre. Come sottolineò Poincaré, *deve* esistere una selezione subliminale dei fatti da osservare.

La differenza tra un buon meccanico e un cattivo meccanico, come quella tra un buon matematico e un cattivo matematico, sta esattamente nella capacità di *selezionare* i fatti buoni sulla base della Qualità. Un buon meccanico deve *tenerci*! E questa è una capacità a proposito della quale il metodo scientifico tradizionale non ha nulla da dire. È ormai tempo di decidersi a dare un'occhiata più attenta a questa preselezione che è stata così scrupolosamente ignorata da chi attribuisce tanta importanza ai fatti dopo che sono stati ' osservati '. Credo che si finirà con lo scoprire che un riconoscimento formale del ruolo della Qualità nel procedimento scientifico non distrugge affatto la visione empirica. Semmai la amplia, la rafforza e la avvicina molto di più alla pratica scientifica effettiva.

Credo che l'errore fondamentale che soggiace al problema del blocco sia l'insistenza della razionalità tradizionale sull' ' oggettività ', una dottrina che vuole che ci sia una realtà divisa tra soggetto e oggetto. E perché la scienza si possa chiamare tale, questi due elementi devono essere rigidamente separati. « Tu sei il meccanico, qui c'è la motocicletta. Voi due sarete per sempre separati l'uno dall'altro. Tu fai alla moto questo e quello, e questi saranno i risultati ».

Questa maniera eternamente dualistica, da soggetto a oggetto, di avvicinarsi alla motocicletta ci sembra giusta perché ci siamo abituati. Invece non lo è. È sempre stata un'interpretazione artificiale, *sovrapposta* alla realtà. Non è mai stata la realtà stessa. Se la si accetta fino in fondo si distrugge un certo rapporto indiviso tra il meccanico e la motocicletta, la passione artigiana per il lavoro. La razionalità tradizionale che divide il mondo in soggetti e oggetti esclude la Qualità, e quando siete davvero bloccati nessun soggetto o oggetto vi dirà dove dovete andare; la Qualità sì.

Il valore, la punta di diamante della realtà, non è più un'estrinseca conseguenza della struttura, ma ne è il predecessore. È la consapevolezza preintellettuale che gli dà origine. La nostra realtà strutturata è preselezionata sulla base del valore, e in effetti per capire la realtà strutturata è necessaria una comprensione della fonte dei valori da cui deriva questa strutturazione.

Pertanto la comprensione razionale che si può avere di una motocicletta a cui si sta lavorando può modificarsi di minuto in minuto, man mano che si nota che una comprensione razionale diversa e nuova ha più Qualità. Non si rimane più attaccati alle vecchie idee, perché ora si possiede una base razionale immediata per rifiutarle. La realtà non è più statica. Non è un insieme di idee contro le quali bisogna combattere o alle quali bisogna rassegnarsi. È composta, in parte, di idee che si presume crescano con noi, con tutti noi, un secolo dopo l'altro. Quando si comprende davvero la realtà dinamica non si resta mai bloccati: essa ha forme, ma le forme sono capaci di cambiamento.

Per metterla in termini più concreti: se volete costruire una fabbrica, o riparare una motocicletta, o dare un assetto a una nazione senza restare bloccati, allora la conoscenza classica, strutturata, dualistica, benché necessaria, non è sufficiente. Bisogna avere almeno in parte il senso della qualità del lavoro. Bisogna avere l'intelligenza di cos'è buono. È *questo* che vi porta avanti. Questa intelligenza non è una cosa con cui si nasce, benché in effetti *si nasca* insieme ad essa. È anche qualcosa che si può sviluppare. Non è soltanto « intuizione », non è « capacità » o « talento » inspiegabile. È il risultato diretto del contatto con la *realtà* fondamentale — la Qualità — che in passato la ragione dualistica ha cercato di nascondere.

Espressa in questi termini sembra una cosa arcana o assurda. È un colpo scoprire che si tratta di una delle concezioni della realtà più domestiche e terra terra che ci siano. Mi viene in mente, pensate un po', Harry Truman quando, a proposito dei suoi programmi di governo, disse: « Li proveremo... e se non funzionano... be', vuol dire che proveremo qualcos'altro ». La citazione probabilmente non è esattissima, ma la sostanza è questa.

La realtà del governo americano non è statica, disse Truman, è *dinamica*. Se non ci piace cercheremo qualcosa di meglio. Il governo americano non andrà certo a impelagarsi in qualche arbitrario sistema dottrinale.

La parola chiave è ' meglio ' — la Qualità. Si potrebbe obiettare che invece la forma soggiacente del governo americano è bloccata, è incapace di cambiare sotto lo stimolo della Qualità, ma non è questo il punto. Quello che conta è che il Presidente, e chiunque altro, dal rivoluzionario più sfegatato al più sfegatato reazionario, sono d'accordo nel pensare che il governo *dovrebbe* cambiare sulla base della Qualità, anche se ciò non avviene. La concezione di Fedro della realtà come mutevole Qualità, una realtà così onnipotente che interi governi devono cambiare per starle al passo, è una cosa alla quale abbiamo sempre creduto tutti senza eccezione, anche se non lo abbiamo espresso in parole.

Quello che disse Harry Truman non era per nulla diverso dall'atteggiamento pratico, pragmatico di qualunque ricercatore o tecnico o meccanico quando, sul lavoro quotidiano, non pensa ' oggettivamente '.

E adesso torniamo finalmente alla vite.

Proviamo dunque a considerare la situazione da un nuovo punto di vista, supponendo che il blocco, lo zero della coscienza, non sia affatto la peggiore delle situazioni, ma la migliore. Dopotutto è proprio questo blocco, e non altro, che i buddhisti Zen si danno tanto da fare per provocare; con i *koan*, con la respirazione profonda, stando seduti immobili e via dicendo. La vostra mente è vuota, avete l'atteggiamento ' vuoto-flessibile ' della ' mente del principiante '. Pensate, per una volta, che non è un momento da temere ma da coltivare. Se la vostra mente è davvero profondamente bloccata, può anche darsi che voi stiate meglio di quando essa era sovraccarica di idee.

Spesso, in un primo momento, la soluzione del problema sembra insignificante o sgradita, ma lo stato di blocco fa sì che col tempo essa assuma la sua vera importanza. Sembrava così insignificante perché la guardavate alla luce della vostra rigida scala di valori, quella stessa che vi aveva portato al blocco.

Ora, invece, prendete in considerazione il fatto che il blocco è destinato a scomparire indipendentemente dagli sforzi che fate per restarci impegolati. La vostra mente punterà naturalmente e liberamente verso una soluzione. Non riuscirete a impedirlo, a meno che non siate dei veri maestri. La paura del blocco non ha senso, perché quanto più rimanete bloccati tanto più vi si schiuderà la Qualità-realtà che di volta in volta vi libererà dal blocco. Quello che veramente vi blocca è il tentativo di fuggire dal blocco: è come se foste su un treno e correste da un vagone all'altro in cerca di una soluzione che è sul vagone di testa.

Non bisognerebbe evitare i blocchi. La comprensione autentica è sempre preceduta da un blocco. La chiave della comprensione della Qualità sta nell'accettarli umilmente, sia nel lavoro meccanico che in altri campi. È proprio per questa comprensione della Qualità così come la rivela un blocco che spesso i meccanici autodidatti sono tanto superiori ai tecnici formatisi nelle scuole, i quali hanno imparato ad affrontare tutto salvo le situazioni nuove.

Normalmente le viti sono così piccole, semplici e a buon mercato che le considerate trascurabili. Ora invece, man mano che la vostra consapevolezza della Qualità aumenta, vi rendete conto che questa particolare vite non è né piccola, né trascurabile, né a buon mercato. In questo momento la vite ha esattamente lo stesso prezzo della motocicletta. Alla rivalutazione della vite si accompagna la volontà di ampliare la conoscenza che ne avete. Se vi concentrate su di essa, sono disposto a scommettere che a tempo debito arriverete a capire che la vite è sempre meno un oggetto tipico di una classe e sempre più un oggetto unico in sé. Concentrandovi ancora di più, comincerete a non considerarla più un oggetto ma un insieme di funzioni. Il blocco va gradualmente eliminando gli schemi della ragione tradizionale.

In passato, quando separavate soggetto e oggetto in modo definitivo, irrigidivate il vostro modo di pensare. Costituivate una classe chiamata « vite » che sembrava inviolabile e più reale della realtà che avete sotto gli occhi. E non riuscivate a immaginare come liberarvi dal blocco perché non riuscivate a pensare niente di nuovo, perché non riuscivate a *vedere* niente di nuovo.

Ora, per togliere quella vite, non vi interessa sapere che cosa essa *è*. Questa ha cessato di essere una categoria di pensiero. Quello che vi interessa è che cosa essa *fa* e perché lo fa. Porrete quindi delle domande. Alle domande si accompagnerà una discriminazione subliminale della Qualità, identica alla discriminazione della Qualità che condusse Poincaré alle funzioni fuchsiane.

Non importa a quale soluzione arriverete, fintanto che avrà della Qualità. Pensare alla vite come combinazione di rigidità e adesività, pensare al passo elicoidale può condurre naturalmente a soluzioni che implicano percussioni e l'uso di solventi. Un'altra soluzione potrebbe essere quella di andare in biblioteca a cercare un catalogo di strumenti meccanici per vedere se trovate un estrattore in grado di risolvere il problema. Oppure, chiamare un amico che si intende di meccanica. O anche estrarre la vite con un trapano, o eliminarla con la fiamma ossidrica. Oppure, grazie alle vostre meditazioni, potreste scoprire un nuovo metodo a cui nessuno ha mai pensato, brevettarlo e diventare milionari nel giro di cinque anni.

La strada 13 passa per vecchi villaggi cresciuti intorno alle segherie in un paesaggio sonnolento. Talvolta quando si passa da una strada federale a una statale sembra di tornare indietro nel tempo. Belle montagne, un bel fiume, asfalto un po' dissestato ma piacevole... case vecchie, vecchietti in veranda... strano come gli edifici, gli impianti e gli stabilimenti vecchi e obsoleti — la tecnologia di cinquanta o cent'anni fa — sembrino sempre meglio di quelli fatti adesso. La natura ha una sua geometria non euclidea che pare ammorbidire la deliberata oggettività di questi edifici con una specie di spontaneità casuale che gli architetti farebbero bene a studiare.

Presto abbandoniamo il fiume e le vecchie costruzioni sonnolente per arrampicarci su una specie di altopiano. Sobbalziamo talmente sul fondo pieno di buche che devo rallentare fino a settanta all'ora.

A Grangeville, Idaho, ci ripariamo dal caldo infernale in un ristorante con l'aria condizionata. Mentre aspettiamo i frullati di cioccolato, noto uno studente delle superiori seduto al banco che scambia occhiate con la ragazza che ha accanto. È splendida, e non sono l'unico ad accorgersene. Anche la ragazza dietro al banco li osserva con una rabbia che pensa nessun altro noti. Qualche specie di triangolo. Continuiamo ad attraversare, inosservati, momenti della vita di altra gente.

Usciamo nel caldo e non lontano da Grangeville vediamo che l'altopiano si spacca tutt'a un tratto in un enorme canyon, e la strada scende sempre più giù con almeno cento tornanti fino a un deserto di terra spaccata e spuntoni di roccia. Tocco il ginocchio di Chris mentre facciamo una curva da cui si vede tutto il panorama.

All'inizio della discesa innesto la terza e metto al minimo. Il motore frena, starnutendo un po', e cominciamo la discesa.

25

La strada è arrivata a un grande, rapido fiume, il Salmon, che scorre tra le alte pareti del canyon. Fa un caldo tremendo e il riverbero delle rocce bianche è accecante. Curviamo e curviamo sul fondo del canyon preoccupati dal traffico veloce e oppressi dalla calura.

La bruttezza della tecnologia, parallelo romantico dell'inadeguatezza classica, da cui stavano fuggendo i Sutherland, non è insita nella tecnologia. A loro sembrava così perché è molto difficile individuare che cosa sia tanto brutto nella tecnologia. Ma la tecnologia è semplicemente la produzione di oggetti, e la produzione di oggetti non può essere brutta di per se stessa, altrimenti la bellezza non sarebbe possibile neanche nelle arti, che a loro volta includono la produzione di oggetti. In realtà la radice della parola « tecnologia », *téchne*, in origine significava proprio « arte ». Gli antichi greci non distinguevano concettualmente l'arte dalla manifattura, e quindi non crearono mai due parole diverse per definirle.

La bruttezza non è intrinseca nemmeno ai materiali della tecnologia moderna — affermazione che si sente spesso fare di questi tempi. La plastica e i prodotti sintetici fabbricati in serie non sono brutti di per sé. Rimandano a cose brutte per associazione.

La bruttezza vera non sta negli oggetti tecnologici. Né, secondo la metafisica di Fedro, essa dipende dai soggetti della tecnologia, cioè da chi la produce o da chi la usa, ma sta nel rapporto tra chi produce la tecnologia e le cose prodotte, il quale determina poi un rapporto analogo tra chi usa la tecnologia e le cose usate.

Fedro aveva la sensazione che nel momento in cui si percepisce la Qualità pura, anzi, senza nemmeno la percezione, nel momento della Qualità pura, non c'è soggetto né oggetto. Solo un senso della Qualità dal quale in seguito sorge la consapevolezza di soggetti e oggetti. Al momento della Qualità pura soggetto e oggetto sono identici. Questa è la verità *tat tvam asi* delle Upaniṣad, ma sta anche alla base della capacità artigianale in tutte le arti tecniche. Ed è questa identità che manca alla tecnologia moderna, concepita dualisticamente. Chi crea la tecnologia non sente con essa alcun particolare senso di identità. Lo stesso vale per chi la possiede e per chi la usa. Pertanto, secondo la definizione di Fedro, la tecnologia non ha Qualità.

Il muro che Fedro aveva visto in Corea era un prodotto della tecnologia; era bello, ma non grazie a un magistrale progetto, né a una supervisione scientifica del lavoro, né a spese esornative. Era bello perché gli uomini che lo costruivano vedevano le cose in un modo che li induceva spontaneamente a costruirlo nel modo giusto. Non separavano se stessi dal lavoro in modo da farlo male.

Il modo di risolvere il conflitto tra i valori umani e le necessità tecnologiche non è rifuggire dalla tecnologia, ma abbattere le barriere del pensiero dualistico che impediscono un'autentica comprensione della natura della tecnologia — non sfruttamento della natura, ma fusione della natura e dello spirito umano in una nuova specie di creazione che le trascende. Quando la trascendenza si manifesta in eventi come la prima traversata aerea dell'oceano o il primo allunaggio, c'è una specie di riconoscimento pubblico della natura trascendente della tecnologia che dovrebbe manifestarsi anche a livello individuale, su una base personale, in modo meno drammatico.

Ora le pareti del canyon sono completamente verticali. In molti punti lo spazio per la strada è stato ricavato con la dinamite.

Evidentemente il fatto di trascendere personalmente i conflitti con la tecnologia non deve avere necessariamente a che fare con le motociclette... Si può verificare anche affilando un coltello da cucina, o cucendo un vestito, o aggiustando una seggiola rotta. I problemi soggiacenti sono gli stessi. Comunque c'è sempre un modo di far le cose bene e un modo di farle male, e per arrivare al modo migliore, quello di Qualità più elevata, bisogna saper vedere che cosa « va bene » e capire i metodi soggiacenti che permettono di giungere al « bene ». Una combinazione dell'intelligenza classica e di quella romantica della Qualità.

Data la natura della nostra cultura, se doveste cercare le istruzioni su come svolgere uno qualunque di questi lavori, trovereste sempre e soltanto un solo modo di comprendere la Qualità, quello classico. Vi direbbero come tenere la lama quando affilate il coltello, come usare una macchina per cucire, come mescolare e mettere la colla, partendo dal presupposto che il « bene » segua naturalmente. La capacità di vedere direttamente che cosa « va bene » viene ignorata del tutto.

Il risultato è tipico della tecnologia moderna: una patina di squallore così deprimente che per renderla accettabile è necessario ricoprirla con una vernice di « stile ». E questo, per chi è sensibile alla Qualità romantica, non fa che peggiorare le cose. Il risultato inoltre non solo è di uno squallore opprimente, è anche falso. Mettete insieme le due cose e avrete una descrizione succinta ma piuttosto precisa della moderna tecnologia americana: la bruttezza tecnologica innaffiata con la siropposità romantica. E chi cerca di produrre bellezza, e di far soldi, è gente che, benché dotata di stile, non sa da che parte incominciare perché nessuno gli ha mai detto che esiste la Qualità, come una cosa vera, non come un fatto di stile. La Qualità non serve per decorare soggetti e oggetti come i festoni di un albero di Natale. Dev'essere la loro fonte, la pigna da cui spunta l'albero.

Per arrivare a *questa* Qualità è necessaria una procedura in qualche modo diversa dalle istruzioni del tipo « Punto 1, Punto 2, Punto 3 » che accompagnano la tecnologia dualistica. Ora cercherò di approfondire proprio questo.

Dopo molte curve tra le pareti del canyon ci fermiamo a riposare tra le rocce, sotto qualche alberello stentato. L'erba è bruciacchiata e piena di rifiuti di picnic. Chris non va neanche a vedere il fiume, cosa che di solito avrebbe fatto. È stanco quanto me e si accontenta di starsene seduto alla misera ombra degli alberi.

Dopo un po' ci rinfreschiamo le mani e la faccia nell'acqua del fiume, poi ci rimettiamo in marcia.

E adesso torniamo a quella soluzione. Finora in questo Chautauqua il problema della bruttezza tecnologica è stato considerato in modo negativo. Si è detto che gli atteggiamenti romantici nei confronti della Qualità, come quelli dei Sutherland, sono di per se stessi senza speranza. Non si vive di sola emotività. Bisogna anche lavorare con la forma soggiacente dell'universo, con le leggi della natura che, una volta capite, rendono più facile il lavoro, più rara la malattia, e fanno pressoché scomparire la penuria. D'altra parte si è condannata anche la tecnologia basata sulla pura ragione dualistica, perché essa produce vantaggi materiali riducendo il mondo a un immondezzaio stilizzato. È ora di smetterla con le condanne, bisogna proporre soluzioni.

La soluzione sta nell'opinione di Fedro secondo la quale l'intelligenza classica non dovrebbe venir *rivestita* di grazia romantica; l'uno e l'altro tipo di intelligenza dovrebbero fondersi alla base. In passato il nostro comune universo della ragione non ha fatto che rifuggire dal mondo romantico e irrazionale dell'uomo preistorico. Fin da prima di Socrate è stato necessario rifiutare le passioni e le emozioni per liberare la mente razionale, permettendole così di capire l'ordine della natura allora ignoto. Ora è venuto il momento di approfondire la conoscenza dell'ordine naturale riassimilando le passioni che rifuggivamo. Passioni, emozioni, dominio affettivo della coscienza umana, fanno parte anch'essi dell'ordine naturale. Ne sono la parte centrale.

Attualmente in campo scientifico siamo sommersi da uno strato di irrazionale, dalla cieca raccolta di dati, perché un modello razionale per comprendere cosa sia la creatività scientifica non esiste. Anche nel campo dell'arte siamo sommersi da uno strato di stile: arte priva di consistenza, perché c'è poca assimilazione o estensione nella forma soggiacente. Abbiamo artisti che non sanno nulla di scienza e scienziati che non sanno nulla di arte. Entrambi sono totalmente privi del senso spirituale della gravità; il risultato è non solo brutto, è orribile. L'ora di unire davvero arte e tecnologia è già suonata da un pezzo.

E torniamo ora alla questione della pace mentale. Strumenti di misura, controlli di qualità, controlli finali sono *mezzi* che hanno per scopo la pace mentale, che è ciò che davvero conta: essa è un prerequisito per percepire quella Qualità che va oltre la Qualità romantica e la Qualità classica e le unifica. Per vedere cosa va bene, per capire perché va bene, *ed essere tutt'uno con questo bene* man mano che il lavoro procede, bisogna coltivare una tranquillità interiore, una pace mentale che consentano al bene di trapelare.

Dico pace *interiore* della mente. Una pace che non ha nessun rapporto diretto con le circostanze esterne. La può provare un monaco durante la meditazione, un soldato in combattimento, un meccanico che toglie quell'ultimo centesimo di millimetro. Implica un distacco da se stessi che permetta di identificarsi completamente con le condizioni circostanti. Ci sono svariati livelli di identificazione, così come svariati sono i livelli di quiete, che sono quasi altrettanto profondi e difficili da raggiungere dei livelli, più familiari, di attività. Le montagne del riuscire in ciò che si fa si esplorano qualitativamente in una sola direzione. Sono montagne relativamente insignificanti e spesso inaccessibili, a meno di non appaiarle alle fosse oceaniche della consapevolezza di sé che vengono dalla pace mentale interiore.

Questa pace mentale interiore esiste a tre livelli di comprensione. La quiete fisica sembra la più facile da raggiungere, benché anch'essa sia a più livelli, come dimostra la capacità dei mistici indù di sopravvivere sepolti per molti giorni. La quiete della mente, quella in cui non ci sono pensieri vaganti, sembra più difficile, ma si può raggiungerla. La quiete dei valori, invece, quella in cui non si hanno più desideri vaganti ma ci si limita a eseguire i gesti della vita senza desiderio, sembra la più difficile.

Talvolta ho pensato che questa pace interiore è simile se non identica alla calma che a volte si prova quando si va a pescare, il che spiega gran parte della popolarità di questo sport.

La fusione tra Qualità romantica e Qualità classica la si può vedere *davvero* realizzata in un certo tipo di meccanici e tecnici. Dire che questi meccanici non sono artisti equivale a fraintendere la natura dell'arte. Tengono al loro lavoro, hanno pazienza, mettono attenzione in ciò che fanno, ma soprattutto posseggono una sorta di pace mentale interiore, non indotta, ma derivata da una sorta di armonia con il lavoro in cui non c'è né chi dirige né chi esegue. Il materiale e i pensieri dell'artigiano cambiano in sintonia, in una progressione di mutamenti fluidi e regolari, e la mente riposa nel momento esatto in cui il materiale è a posto.

A noi tutti sono capitati momenti così facendo cose che avevamo davvero voglia di fare. Solo che, in un modo o nell'altro, siamo incappati in una infelice separazione di quei momenti dal lavoro. Il meccanico che intendo io, questa separazione non la opera. Di lui si dice che ciò che fa gli « interessa », che è « coinvolto » nel suo lavoro. E ciò che produce questo coinvolgimento è, sul filo della coscienza, l'assenza di ogni percezione di separazione tra soggetto e oggetto.

I buddhisti Zen parlano di « stare semplicemente seduti », una pratica di meditazione in cui l'idea del dualismo tra l'io e l'oggetto non domina la coscienza. Per la manutenzione della motocicletta si tratta di « semplicemente aggiustare ». Ecco che cosa significa ' tenerci ': non è altro che un senso di identificazione con quello che fai. Quando provi questa sensazione vedi anche il suo rovescio, la Qualità.

Credo che se vogliamo cambiare il mondo per viverci meglio non ci convenga discutere di rapporti di natura politica, inevitabilmente dualistici e pieni di soggetti e oggetti, né dei loro rapporti reciproci; e nemmeno adottare programmi pieni di cose che gli altri devono fare. Questo tipo di approccio, secondo me, parte dalla fine scambiandola per l'inizio. I programmi di natura politica sono importanti *prodotti finali* della Qualità sociale, ma sono efficaci solo se è valida la struttura soggiacente dei valori sociali. I valori sociali sono giusti soltanto se sono giusti quelli individuali. Il posto per migliorare il mondo è innanzitutto nel proprio cuore, nella propria testa e nelle proprie mani; è da qui che si può partire verso l'esterno. Altri possono parlare di come ampliare il destino dell'umanità. Io voglio soltanto parlare di come si aggiusta una motocicletta. Credo che quel che ho da dire io abbia un valore più duraturo.

Compare una cittadina che si chiama Riggins dove vediamo un sacco di motel; poi la strada si allontana dal canyon seguendo un corso d'acqua più piccolo. Saliamo e saliamo sempre più in alto verso prati inaspettatamente gradevoli e freschi circondati da foreste di pini. In un posto che si chiama New Meadows facciamo di nuovo il pieno e compriamo due lattine d'olio, ancora sorpresi dal cambiamento. Uscendo da New Meadows però noto che il sole è basso e incomincio ad avvertire la tipica depressione da tardo pomeriggio. In un altro momento della giornata questi prati montani mi avrebbero rinfrancato di più, ma abbiamo viaggiato troppo. Oltrepassiamo Tamarack e la strada abbandona i prati verdi e scende verso una regione arida e sabbiosa.

Strana sensazione, la luce aranciata su questo paese sabbioso e arido così lontano da casa. Mi chiedo se la prova anche Chris. Una specie di tristezza inesplicabile che arriva ogni pomeriggio, quando il nuovo giorno scompare definitivamente e davanti abbiamo soltanto l'oscurità che cresce.

L'arancione si trasforma in un'opaca luce di bronzo e lo strano paesaggio si rabbuia. Per la gente che abita qui la giornata di lavoro è finita. È l'ora della cena, della famiglia, della distensione e delle intimità tra le mura di casa. Passiamo inosservati per la strada vuota di questa strana regione che non ho mai visto, e adesso la sensazione di solitudine e di isolamento si fa sempre più forte e il mio umore declina col sole.

Ci fermiamo nel cortile di una scuola abbandonata e cambio l'olio sotto un enorme pioppo. Chris è irritabile, si chiede come mai ci fermiamo tanto; forse non sa che è soltanto l'ora a renderlo così. Gli do la carta da studiare mentre cambio l'olio, e quando ho finito la guardiamo insieme e decidiamo di cenare al primo buon ristorante che troviamo e di fermarci al primo buon campeggio. È un po' più contento.

Ceniamo a Cambridge e poi fuori è già buio. Seguiamo il fascio di luce del fanale giù per una strada secondaria che va verso l'Oregon, fino alla piccola insegna del CAMPING BROWNLEE. Al buio è difficile giudicare com'è il paesaggio. Seguiamo tra gli alberi una strada non asfaltata fino allo spiazzo del campeggio. Sembra che non ci sia nessun altro. Spengo il motore e mentre disfiamo i bagagli sento lo scroscio di un torrentello. Nessun altro rumore, salvo il cinguettio di qualche uccellino.

« Mi piace, qui » dice Chris.

« È molto tranquillo ».

« Dov'è che andiamo domani? ».

« Nell'Oregon ». Gli do la pila perché mi faccia luce mentre disfo i bagagli.

« Ci sono già stato? ».

« Può darsi, non sono sicuro ».

Tiro fuori i sacchi a pelo e sistemo Chris su un tavolo da picnic. La novità lo affascina. Dopo un po', dal suo respiro profondo capisco che sta già dormendo.

Almeno sapessi cosa dirgli, o cosa domandargli. Certe volte mi sembra così vicino, ma questa sensazione non ha niente a che vedere con le domande o le parole. Altre volte invece mi sembra lontanissimo, come se mi osservasse e io non sapessi da dove. Altre volte ancora è infantile e basta, e tra noi non c'è alcun rapporto.

Certe volte penso che l'idea che la mente di una persona sia accessibile a quella di un'altra è soltanto una finzione verbale, un modo di dire, un'ipotesi che fa sembrare plausibile una specie di scambio tra creature fondamentalmente estranee, quando invece il rapporto tra due persone è, in ultima analisi, insondabile. Lo sforzo di scandagliare la mente di un altro distorce l'immagine che ne riceviamo. Sto cercando di far emergere qualcosa che non sia distorto, suppongo. Con la sua mania di fare tutte quelle domande, non so.

26

Mi sveglia una sensazione di freddo. Sbircio fuori dal sacco a pelo e vedo che il cielo è di un grigio cupo. Ricaccio dentro la testa e chiudo gli occhi.

Più tardi vedo che il grigio si è schiarito, ma fa ancora freddo. Si vede il fiato. Mi risveglia il pensiero allarmante che il grigiore sia dovuto a delle nubi di pioggia, ma vedo che è soltanto un'alba grigia. Sembra ancora troppo presto e fa troppo freddo per mettersi in strada; rimango nel sacco a pelo, ma il sonno se n'è andato.

Su di me incombe silenziosa la moto, pronta a partire; sembra abbia aspettato tutta la notte come un guardiano silenzioso.

Grigio argento, cromo e nero — e polverosa. Polvere dell'Idaho, del Montana, del Dakota e del Minnesota. Vista dal basso in alto ha un'aria molto imponente. Nessun fronzolo, tutto ha uno scopo.

Non credo che la venderò mai. Non ce n'è motivo, in realtà. Le moto non sono come le macchine, con una carrozzeria che si arrugginisce in pochi anni. Basta revisionarle e registrarle che durano quanto te, forse di più. La Qualità. Ci ha portato fin qui senza nessun problema.

Sopra il ruscello è apparso un velo di nebbia. Vuol dire che farà più caldo. Rimetto nei bagagli tutto quel che posso senza svegliare Chris, poi mi avvicino al tavolo e gli do qualche scrollone.

Non reagisce. Mi guardo intorno e vedo che è tutto pronto. Rimane solo da svegliare lui. Sono tutto ringalluzzito e smanioso per via dell'aria frizzante del mattino; mi decido e urlo: « SVEGLIA! ». Chris scatta a sedere con gli occhi spalancati.

Faccio subito seguire, come meglio posso, la prima delle *Robá'iyyát* di Omar Khayyâm. Sembra di essere ai piedi di un dirupo nel deserto persiano. Ma Chris non sa nemmeno cosa sto dicendo, e rimane seduto a guardarmi strizzando gli occhi. Bisogna trovarsi in uno stato d'animo particolare per accettare una poesia recitata male. Soprattutto quella.

Poco dopo siamo di nuovo sulla strada piena di curve. Scendiamo tra le pareti di un enorme canyon dagli alti dirupi bianchi. Il vento si fa gelido. La strada sbocca in una zona assolata che mi riscalda fin dentro alla giacca e al maglione, ma poi ci ritroviamo all'ombra del canyon dove il vento è di nuovo gelido. L'aria asciutta del deserto non trattiene il calore. Ho le labbra secche e spaccate dal vento.

Più avanti passiamo una diga e ci inoltriamo in un altipiano semideserto. Siamo entrati nell'Oregon. La strada prosegue a serpentina in un paesaggio che mi ricorda il Rajastan settentrionale, in India, che non è un deserto vero e proprio — ci sono molti pini nani, ginepri ed erba — ma non è neanche un territorio agricolo, salvo nei tratti in cui una valle o una depressione portano un po' più d'acqua.

Le folli quartine di Khayyâm continuano a ronzarmi in testa.

...qualcosa, qualcosa occhieggia in questa striscia erbosa
che separa dal deserto il seminato,
dove schiavo e sultano sono parole sconosciute.
E compiangi Mahmûd, sultano in trono.

Queste parole mi riportano alla mente una visione fugace: le rovine di un antico palazzo Mogul vicino al deserto, dove Fedro aveva visto un cespuglio di rose selvatiche...

...E questo primo mese d'estate che ci dà la rosa.
...Come continuava? Non lo so. Nemmeno mi piace, questa poesia. Ho notato che da quando è cominciato il viaggio, soprattutto dopo Bozeman, questi frammenti di memoria sembrano appartenere sempre meno alla *sua* memoria e sempre più alla mia. Non so bene cosa voglia dire... Credo... non so proprio.

Sulla strada non si vede nessun altro. Chris grida che ha di nuovo la diarrea. Proseguiamo finché vedo un torrente sotto di noi e mi fermo. Ha di nuovo l'aria imbarazzata, ma gli dico che non abbiamo nessuna fretta e gli do un rotolo di carta igienica e un pezzo di sapone raccomandandogli di lavarsi bene le mani quando ha finito.

Mi siedo su una roccia da Omar Khayyâm contemplando il semideserto e mi sento niente male.

...E questo primo mese d'estate che ci dà la rosa.
...Ecco... adesso ricordo...

Ogni mattino porta mille rose, dici,
è vero, ma... e le rose di ieri?
E questo primo mese d'estate che ci dà la rosa,
prenderà con sé Jamshyd e Kaikobad.

...E così via...

Lasciamo perdere Omar e riprendiamo il Chautauqua. La soluzione di Omar è quella di sedersi qua e là e tracannare vino sentendosi triste perché il tempo passa. Il Chautauqua mi sembra molto meglio. Soprattutto il Chautauqua di oggi, che tratta dell'*enthousiasmos*.

Vedo che Chris sta risalendo la collina. Ha un'espressione felice.

La parola greca *enthousiasmos* mi piace perché descrive esattamente quello che succede a chi è in rapporto con la Qualità. Si colma di *enthousiasmos*, che significa letteralmente « pieno di *theos* », cioè Dio, cioè Qualità. Visto?

Chi è pieno di *enthousiasmos* non se ne sta a rimuginare. È arrivato alla piena consapevolezza di sé e ha ben presente la Qualità: così sa cosa lo aspetta e può far fronte a tutto. Questo è l'*enthousiasmos*.

Ti colmi di *enthousiasmos* quando sei stato tranquillo abbastanza da vedere, udire e sentire il vero universo, e non solo le opinioni stantie che hai di esso. Ma non è niente di esotico. Per questo la parola mi piace tanto.

Lo si nota spesso in quelli che tornano da lunghe, tranquille vacanze di pesca. Spesso sono un po' sulla difensiva, perché devono giustificare tanto 'spreco' di tempo: dal punto di vista intellettuale, quello che hanno fatto non ha giustificazioni. Ma il pescatore che ritorna di solito è particolarmente pieno di *enthousiasmos* rispetto a quelle stesse cose di cui fino a qualche settimana prima era stufo marcio. Non ha buttato via il suo tempo. È soltanto la nostra limitatezza culturale che ce lo fa credere.

Se vi accingete a riparare una motocicletta, il primo strumento, e il più importante, è un'adeguata riserva di *enthousiasmos*. Se non ce l'avete, potete anche raccattare tutti gli altri strumenti e metterli via, perché non serviranno a niente. Ma se *ce l'avete* e sapete come continuare ad averlo non c'è motivo al mondo che vi possa impedire di aggiustare la moto. Quindi, ciò che va controllato e tenuto da conto più di ogni altra cosa è proprio l'*enthousiasmos*, tanto più che, riparando una macchina, saltano sempre fuori delle cose — pezzi di qualità scadente, un dito sbucciato, un gruppo rovinato accidentalmente e « insostituibile » — che prosciugano l'*enthousiasmos* e lasciano talmente scoraggiati che vien voglia di piantar lì tutto. Io chiamo queste cose « trappole per l'*enthousiasmos* ».

Ce ne sono cento tipi diversi, forse mille, forse milioni. Quello che mi trattiene dal pensare di essere cascato in tutte è che ogni volta ne scopro di nuove. La manutenzione della motocicletta diventa frustrante. Irritante. Manda in bestia. È questo che la rende interessante.

La carta che ho davanti agli occhi mi dice che poco più avanti c'è Baker. Ci troviamo in una regione agricola più ricca. Piove di più, qui.

Quello che ho in mente adesso è un catalogo dal titolo: « Trappole per l'*enthousiasmos* da me sperimentate ». Voglio fondare un campo accademico assolutamente nuovo, l'enthousiasmologia.

Enthousiasmologia. Esame dei blocchi affettivi, conoscitivi e psicomotori nella percezione dei rapporti di qualità. Mi piacerebbe vedere una cosa del genere sulla guida di qualche College.

Nella manutenzione tradizionale, l'*enthousiasmos* è considerato qualcosa con cui si nasce o che si è acquisito grazie a una buona educazione. È un articolo dato e immutabile.

Nella manutenzione non-dualistica l'*enthousiasmos* è un dato variabile, una riserva di buonumore a cui si può aggiungere o sottrarre qualcosa. Dato che l'*enthousiasmos* è conseguenza della percezione della Qualità, può essere definita trappola per l'*enthousiasmos* qualsiasi cosa faccia perdere di vista la Qualità, e quindi l'entusiasmo per quello che si sta facendo.

Per quanto ne so, ci sono due tipi principali di trappole per l'*enthousiasmos*: quello determinato da circostanze esterne, che definirò « contrattempi », e quello determinato essenzialmente dalla vostra condizione interiore. Per queste non ho un nome specifico: « impedimenti », immagino. Esaminerò per primi i contrattempi.

La prima volta che affrontate un lavoro grosso, direi che quello di cui dovreste preoccuparvi di più è di non montare i pezzi nell'ordine sbagliato. Di solito ci si accorge dell'errore proprio quando si pensa di aver quasi finito. Finalmente, dopo giorni e giorni di lavoro, è tutto a posto... e questo cos'è? *Una bronzina?!* Come avete *fatto* a lasciarla fuori? Oddio, adesso bisogna smontare tutto di nuovo! Si sente quasi il sibilo dell'*enthousiasmos* che si sgonfia. Pssssss.

Non c'è altro da fare che ricominciare daccapo e smontare tutto un'altra volta... dopo un periodo di riposo che può arrivare anche a un mese per abituarvi all'idea.

Per prevenire l'inconveniente del rimontaggio sbagliato io utilizzo due tecniche. Le uso soprattutto quando mi accingo a eseguire un lavoro complesso di cui non so niente.

Dovrei aggiungere qui, tra parentesi, che c'è una scuola di pensiero meccanico che dice che a un lavoro complesso e di cui non so nulla non dovrei accingermi affatto. Secondo questa scuola dovrei affidare il lavoro a uno specialista. È una scuola elitaria che serve solo a se stessa e che mi piacerebbe veder spazzata via. È stato ben uno « specialista » a rompere le alette di questa moto. Io ho redatto per l'IBM dei manuali per i corsi degli specialisti, e posso dire che a corso finito non ne sapevano poi un granché. La prima volta potete essere in svantaggio, magari vi può capitare di guastare dei pezzi e spendere un po' di più; e ci metterete molto più tempo, ma la volta dopo sarete molto più avanti dello specialista. Voi, grazie all'*enthousiasmos*, avete imparato a vostre spese che cos'è il montaggio e vi ritrovate con un bagaglio di buone impressioni che molto difficilmente lo specialista ha.

Comunque, il primo metodo per prevenire la trappola dell'errore di montaggio è quello di scrivere su un quaderno l'ordine seguìto nello smontare i pezzi, annotando poi di volta in volta qualsiasi cosa insolita possa creare problemi per rimontarli. Bisognerebbe annotare con particolare attenzione l'orientamento dei pezzi, a destra, a sinistra, sopra e sotto, il codice dei colori e la posizione dei fili. Se ci sono parti secondarie che sembrano usurate o danneggiate o allentate, questo è il momento di annotarlo in modo da comprare poi tutti i ricambi in una volta sola.

Il secondo metodo sono dei giornali aperti sul pavimento del garage, su cui metterete, da sinistra a destra e dall'alto in basso, tutti i pezzi nell'ordine in cui li avete smontati. In questo modo, rimontando i pezzi nell'ordine inverso, le vitine, gli anelli e le spine che capita facilmente di dimenticare salteranno subito all'occhio.

Comunque capita di rimontare i pezzi nell'ordine sbagliato anche seguendo tutte queste precauzioni, e in questo caso è meglio tener d'occhio l'*enthousiasmos*: cercate di non disperare di quello che vi rimane, altrimenti vi sentirete spinti da una fretta disperata; riguadagnare il tempo perduto vi sembrerà un buon modo per ricostituirlo. Non ne verranno che altri errori. Appena vi accorgerete di dover ricominciare tutto daccapo sarà arrivato il famoso momento della lunga interruzione.

Ci sono anche errori di montaggio dovuti alla mancanza di una determinata informazione. Spesso tutto il processo di rimontaggio diventa un procedimento sperimentale: dopo aver smontato il motore per modificare qualcosa, lo rimontate per vedere se funziona. In caso negativo, niente di male, perché l'informazione acquisita è un vero e proprio progresso.

Se avete fatto un errore di montaggio puro e semplice, un errore vecchio e stupido, potete ancora salvare un po' di *enthousiasmos* mettendovi in testa che probabilmente la seconda volta farete molto più in fretta. Avete inconsciamente memorizzato tutta una serie di dati che non dovrete imparare più.

Da Baker la moto ci ha portato nelle foreste. La strada supera un valico e poi scende in mezzo ad altre foreste.

Lungo il versante della montagna vediamo gli alberi diradarsi ancora e ci ritroviamo nel deserto.

Parleremo ora del guasto intermittente. Questo è il caso in cui la parte guasta ricomincia a funzionare all'improvviso proprio quando vi mettete ad aggiustarla. I corti circuiti appartengono spesso a questa categoria. Il corto circuito si verifica soltanto quando la macchina è su strada. Vi fermate e tutto torna a posto. Non rimane che tentare di riprodurre il guasto; se non ci riuscite, meglio lasciar perdere.

Quando i guasti intermittenti riescono a convincervi che siete davvero riusciti ad aggiustare la macchina, diventano trappole per l'*enthousiasmos*. È sempre meglio aspettare qualche centinaio di chilometri prima di rassicurarvi definitivamente. Quando cominciano a ripresentarsi con una certa frequenza sono scoraggianti, ma voi non siete messi certo peggio di chi va da un meccanico di professione, anzi. Continuare a portare la macchina in officina senza mai ottenere soddisfazione è molto, ma molto più esasperante. Voi potete studiare a lungo la vostra macchina, cosa che un meccanico di professione non può fare, e portarvi appresso gli attrezzi per quando il guasto si verificherà di nuovo. Allora potrete fermarvi e lavorarci sopra.

Quando vi capita un guasto intermittente cercate di collegarlo con altre cose. Per esempio, la moto perde colpi solo sulle cunette, o in curva, o in accelerazione? Solo quando fa caldo? Sono tutti dati per formulare ipotesi di rapporti causali. In alcuni casi bisogna rassegnarsi a una lunga spedizione di pesca che, per quanto tediosa, sarà sempre meglio delle cinque volte di fila dal meccanico di professione. Sarei tentato di addentrarmi nell'argomento dei « guasti intermittenti che mi sono capitati », descrivendo dettagliatamente come li ho risolti di volta in volta, ma sarei come il pescatore che racconta storie di pesca e non capisce come mai tutti gli altri sbadigliano.

Passiamo ora al problema dei pezzi di ricambio. Qui chi fa il lavoro da sé può deprimersi in molti modi. Quando si acquista la macchina non si pensa mai a comprare i ricambi. I rivenditori hanno un inventario ridotto, e i grossisti sono lenti a rifornirsi e in primavera, quando tutti comprano ricambi, sono sempre a corto di materiale.

Il prezzo dei ricambi è la seconda parte di questo tipo di trappola. È noto che, per politica industriale, le case produttrici fissano prezzi competitivi per l'attrezzatura originale — il cliente può sempre rivolgersi altrove — per poi rifarsi coi ricambi. Non solo; per chi non è meccanico di professione il prezzo è ancora superiore. È un accordo astuto che permette al meccanico di far soldi sostituendo pezzi quando non ce n'è bisogno.

Poi c'è un'altra difficoltà. Il ricambio potrebbe non andar bene. Nei listini c'è sempre qualche errore: i cambiamenti di modello e di produzione creano confusione. A volte, una serie di pezzi imperfetti passa i controlli di qualità perché in fabbrica il collaudo non funziona; alcuni dei pezzi sono fabbricati da officine che non hanno accesso ai dati costruttivi necessari. Talvolta è proprio il costruttore a fare confusione sui vari modelli e i diversi anni di produzione. Certe volte il rivenditore butta giù il numero sbagliato, altre siamo noi a darglielo. Ma è sempre una grossa trappola per l'*enthousiasmos* andare a casa e scoprire che il pezzo nuovo non va bene.

Le trappole dei ricambi si superano combinando un certo numero di tecniche. Innanzitutto, se c'è più di un rivenditore in città scegliete senz'altro quello con il commesso più disponibile. Cercate di fare amicizia con lui, è probabile che prima facesse il meccanico e potrà darvi un sacco di informazioni utili.

Date un'occhiata ai negozi che fanno sconti: alcuni hanno delle buone occasioni. I negozi di ricambi auto e le ditte di vendita per corrispondenza a volte tengono i ricambi più comuni a prezzi molto più bassi di quelli dei rivenditori di pezzi per motocicletta. Per esempio, in fabbrica potete comprare la catena di trasmissione a un prezzo molto più basso.

Portatevi sempre dietro il pezzo vecchio per evitare di prenderne uno sbagliato. Portatevi anche il calibro per confrontare le misure.

Infine, se siete esasperati quanto me dal problema dei ricambi e avete un po' di soldi da investire, potete dedicarvi allo hobby davvero affascinante di fabbricarveli da soli. Io ho un piccolo tornio da 15 cm per 45 con l'accessorio per fresare e tutto l'occorrente per la saldatura: arco elettrico, cannello ossidrico e mini-saldatore. Con l'attrezzatura per saldare si possono ricostituire superfici usurate usando materiale migliore dell'originale e poi tornirlo a misura con utensili al carburo. Non potete nemmeno immaginare quanto sia versatile questo marchingegno. Se non avete gli strumenti per riprodurre il pezzo, ve li potete fabbricare. Tornire un pezzo a misura con una macchina utensile è un lavoro molto lento. Alcuni pezzi, come i cuscinetti a sfera, non li potrete mai fabbricare, ma rimarrete stupiti nel vedere quanto si possono modificare gli altri così da poterveli fare da voi. D'altra parte è un lavoro meno lungo e meno frustrante di quanto non sia aspettare che qualche ricambista con la puzza sotto il naso vi faccia venire il pezzo dalla fabbrica. Inoltre il lavoro vi *carica* di *enthousiasmos*, invece di distruggerlo. E guidare sapendo di usare pezzi fatti da voi vi dà una sensazione particolare.

Cominciano i cespugli di salvia e la sabbia del deserto; il motore comincia a rifiutare. Metto la riserva e studio la carta. Facciamo il pieno a Unity e poi ce ne andiamo giù per la strada nera e calda, in mezzo ai ciuffi di salvia.

È venuto il momento di parlare di alcune delle trappole *interne* per l'*enthousiasmos*. Si possono suddividere in tre tipi: quelle che bloccano la comprensione affettiva, dette « trappole del valore »; quelle che bloccano la comprensione conoscitiva, dette « trappole della verità »; e quelle che bloccano il comportamento psicomotorio, dette « trappole muscolari ». Le trappole del valore costituiscono senz'altro il gruppo più ampio e più pericoloso.

Tra le trappole del valore, la più diffusa e perniciosa è la rigidità, cioè l'incapacità di cambiare il valore dei dati per rimanere fedeli a valori prestabiliti. Nella manutenzione della motocicletta, *devi* riscoprire volta per volta quello che fai.

La situazione tipica è quando la motocicletta non funziona. I fatti li avete proprio sotto gli occhi, ma non li vedete perché non hanno ancora abbastanza *valore*. Era quello che diceva Fedro: la Qualità, il valore, *creano* i soggetti e gli oggetti del mondo. I fatti non esistono finché il valore non li ha creati. Se avete valori rigidi non potete imparare fatti nuovi.

Quando si fanno diagnosi premature si rimane bloccati spesso. Allora bisogna cercare nuovi indizi, e svuotarsi la testa delle vecchie opinioni.

La nascita di un fatto nuovo è sempre un'esperienza meravigliosa. La si chiama dualisticamente « scoperta » perché si suppone che il fatto esista indipendentemente da chi ne prende coscienza. Sulle prime un fatto nuovo ha sempre scarso valore. Poi, a seconda della sua Qualità potenziale e dell'elasticità dell'osservatore, il valore aumenta più o meno rapidamente, oppure decresce e il fatto scompare.

La stragrande maggioranza dei fatti e tutto ciò che è nella nostra memoria non ha Qualità, anzi ne ha una negativa. Se fossero tutti presenti allo stesso tempo, la nostra coscienza sarebbe talmente sopraffatta da dati insignificanti che non potremmo né pensare né agire. Così preselezioniamo sulla base della Qualità, o, per dirla con le parole di Fedro, è la Qualità stessa a preselezionare i dati di cui saremo coscienti, e opera questa selezione in modo tale da creare la massima armonia tra ciò che siamo e ciò che stiamo diventando.

Se vi capita di rimanere presi nella trappola della rigidità dei valori, dovete rallentare il vostro ritmo — tanto dovrete rallentare comunque, vi piaccia o no — e percorrere un terreno che già conoscete per vedere se ciò che giudicavate importante lo era davvero e per... be'... per *guardare* la macchina. Non c'è niente di male, in questo. Restate con lei per un po'. Guardatela come guardereste la lenza. E dopo un po', sicuro come l'oro, qualcosa vi tirerà per la manica, un fatto minuscolo che vi chiede umilmente e timidamente se vi può interessare.

La strada ci ha riportato in mezzo ai pini, ma vedo dalla carta che non sarà per molto. Lungo la strada ci sono dei cartelloni che reclamizzano luoghi di villeggiatura e, dietro, come fossero parte della pubblicità, dei bambini che raccolgono pigne. Ci fanno ciao con la mano e il più piccolo per salutarci le fa cadere tutte.

Andare a pesca di fatti: mi par di vederlo uno che mi chiede frustratissimo: « Sì, ma *quali* fatti? Non può essere così semplice ». La risposta è che se sapete già che fatti pescare, vuol dire che li avete già pescati.

L'esempio più efficace contro la rigidità dei valori è quello della vecchia trappola indiana per le scimmie. La trappola consiste in una noce di cocco svuotata e legata a uno steccato con una catena. La noce di cocco contiene del riso che si può prendere attraverso un buco. L'apertura è grande quanto basta perché entri la mano della scimmia, ma è troppo piccola perché ne esca il suo pugno pieno di riso. La scimmia infila la mano e si ritrova intrappolata — esclusivamente a causa della rigidità dei suoi valori. Non riesce a cambiare il valore del riso. Non riesce a vedere che la libertà senza riso vale di più della cattura con.

Prairie City si trova su un territorio arido attraversato da una larga strada principale che sbocca nella prateria. Troviamo un ristorante e ordiniamo del latte di malto. Mentre aspettiamo do a Chris la scaletta della sua lettera. Vedo con sorpresa che si mette al lavoro senza molte domande.

Non riesco a togliermi dalla testa che anche per quanto riguarda Chris i fatti che cerco di pescare ce li ho proprio sotto gli occhi. È la rigidità dei miei valori che mi impedisce di vederli. A volte sembra che ci muoviamo in parallelo piuttosto che in combinazione e poi, nei momenti più strani, avviene la collisione.

I suoi problemi in famiglia cominciano sempre quando mi imita, quando cerca di comandare gli altri come io faccio con lui, soprattutto suo fratello minore. Naturalmente gli altri non sono affatto disposti a prendere ordini da lui, e Chris non riesce a capire che hanno il diritto di non dargli retta. A questo punto è l'inferno.

Sembra che non gli importi niente di essere benvoluto. Vuole esserlo soltanto da me; è ora che cominci il lungo processo del distacco. Dovrebbe essere il meno doloroso possibile, ma deve comunque avvenire. È ora che stia in piedi da solo. Prima succede meglio è.

E adesso che l'ho pensato, non ci credo più. Non so qual è il problema. Quel sogno ricorrente mi ossessiona perché non riesco a sfuggire al suo significato: per lui io sono eternamente al di là di una porta a vetri, e vuole che io la apra.

Dopo un po' Chris dice che è stanco di scrivere. Ci alziamo, vado a pagare al banco e ce ne andiamo.

Eccoci in strada, di nuovo a parlare di trappole per l'*enthousiasmos*.

Quella che viene ora è importante. È la trappola interiore dell'ego. L'ego non è del tutto scollegato dalla rigidità dei valori, anzi è una delle sue molte cause.

Un'eccessiva stima di voi stessi indebolisce la capacità di riconoscere i fatti nuovi. L'ego isola dalla realtà della Qualità. Quando i fatti vi dimostrano che avete preso un granchio non siete inclini ad ammetterlo. Quando false informazioni vi fanno sembrare bravo, siete inclini a crederci. In qualsiasi lavoro di riparazione meccanica, l'ego è destinato a subire un trattamento piuttosto duro. Se conoscete un numero di meccanici sufficiente per averne un'opinione complessiva, credo che condividerete la mia: sono quasi tutti persone tranquille e senza pretese. E scettiche. Attente, ma scettiche.

...Stavo per dire che la macchina non reagisce alla vostra personalità, mentre invece reagisce, eccome. Solo che la personalità a cui reagisce è la vostra personalità *vera*, quella che sente, ragiona e agisce genuinamente; alle immagini false e gonfiate di una personalità che il vostro ego può inventare di sana pianta invece non reagisce affatto. Queste false immagini si sgonfiano così in fretta e così totalmente che se il vostro *enthousiasmos* viene dall'ego e non dalla Qualità vi aspetta un grande scoramento.

Se la modestia non vi viene facile o naturale, un modo per uscire dalla trappola è quello di simularla. Se decidete di accettare l'ipotesi di non essere un granché, e se i fatti ne dimostrano l'esattezza, ecco una spinta per il vostro *enthousiasmos*: potete continuare a lavorare finché viene il momento in cui i fatti dimostrano che l'ipotesi è sbagliata.

L'*ansietà*, altra trappola, è in qualche modo l'opposto dell'ego. Siete talmente sicuri di sbagliare che non osate muovere un dito. Spesso è proprio questa, e non la ' pigrizia ', la vera ragione per cui è tanto difficile incominciare qualcosa. La trappola dell'ansietà può condurre ad ogni tipo di errore per eccesso di zelo. Aggiustate cose che non hanno bisogno di essere aggiustate e vi agitate per guai immaginari. Questi errori, una volta commessi, sono del tipo che conferma la tendenza originale a sottovalutarvi. E così via.

Il modo migliore per spezzare questo circolo vizioso credo sia quello di dar sfogo alle vostre ansie sulla carta. Leggete tutti i libri e le riviste possibili sull'argomento. L'ansietà vi rende il compito facile, e più leggete più vi calmate. Dovreste ricordare che cercate la pace della mente, e non soltanto di riparare la moto.

Quando iniziate un lavoro di riparazione potete elencare le cose che farete su dei foglietti che poi metterete nell'ordine giusto. Il tempo così impiegato di solito viene ripagato ampiamente dal tempo che risparmiate sul lavoro e dalle idee che vi verranno scrivendo, e vi impedisce di fare cose affrettate.

Potete anche ridurre l'ansietà pensando che tutti i meccanici sbagliano una volta o l'altra, e che voi pagate i loro errori con delle maggiorazioni del conto. Quando siete voi a sbagliare, c'è per lo meno il vantaggio che imparate qualcosa.

Poi c'è la trappola della *noia*. È il contrario dell'ansietà e, di solito, è legata a problemi dell'ego. Essere stufi significa perdere di vista la Qualità, non vedere le cose con freschezza, non avere più la « mentalità del principiante »: la vostra motocicletta corre gravi pericoli.

Quando siete annoiati, *fermatevi*! Andate al cinema, accendete la TV. Decidete che avete lavorato abbastanza. Fate qualsiasi cosa ma non lavorate più alla moto.

La cura che preferisco per la noia è il sonno. È molto facile addormentarsi quando si è annoiati e molto difficile annoiarsi dopo un lungo riposo. Subito dopo viene il caffè. Di solito tengo una macchinetta pronta mentre lavoro. Se nessuna delle due cose funziona può significare che siete afflitti da problemi di Qualità più profondi, i quali vi distraggono da ciò che avete davanti. La noia segnala che dovreste rivolgere la vostra attenzione a questi problemi — comunque, lo state già facendo — e controllarli prima di continuare il lavoro.

Per me la cosa più noiosa è pulire la moto. Sembra una gran perdita di tempo. Si sporca tutta di nuovo non appena la si usa. John la sua BMW la teneva sempre lucida come uno specchio: aveva proprio un'aria come si deve, mentre la mia è sempre un po' trasandata. Questo è l'intelletto classico al lavoro; dentro funziona bene, ma in superficie sembra sempre un po' squallido.

Una soluzione contro la noia per certi tipi di lavoro come l'ingrassaggio, il cambio dell'olio o la messa a punto del motore consiste nel trasformarli in una specie di rituale. C'è un criterio estetico per le cose che non sono familiari, e un altro per quelle familiari. Ho sentito dire che ci sono due tipi di saldatori: i saldatori da produzione, che non amano le situazioni intricate e preferiscono fare lo stesso lavoro più volte; e quelli da manutenzione, che detestano fare due volte lo stesso lavoro. Se ne chiamate uno vi consiglio di cercare di scoprire di che tipo è: non sono intercambiabili. Io appartengo alla seconda categoria, e probabilmente è per questo che preferisco individuare i guasti e detesto la pulizia.

Lo Zen ha da dire qualcosa sulla noia. La sua pratica principale dello « star semplicemente seduti » dev'essere l'attività più noiosa del mondo — tranne forse quella pratica indù di farsi seppellire vivi. Tuttavia, al centro di tutta questa noia c'è proprio ciò che il buddhismo Zen cerca di insegnare. Cos'è?

L'*impazienza* è simile alla noia ma spesso ha una causa: la sottovalutazione del tempo richiesto da un lavoro. L'impazienza è la prima reazione contro un intralcio e, se non si sta attenti, può trasformarsi presto in rabbia.

I modi migliori per tenere l'impazienza sotto controllo sono: concedere al lavoro un tempo indefinito, soprattutto nel caso di lavori nuovi che richiedono procedimenti tecnici poco familiari; raddoppiare il tempo previsto quando le circostanze costringono a prevedere un orario; ridurre il campo d'azione. Gli obiettivi di fondo devono essere ridotti in valore e quelli immediati rivalutati: è necessaria, cioè, un'elasticità di valori. Di solito le variazioni dei valori sono accompagnate da una certa perdita di *enthousiasmos*, ma è un sacrificio necessario. Non è niente in confronto alla perdita di *enthousiasmos* che sperimenterete se per impazienza commetterete un Grande Errore.

Il mio esercizio preferito per allenarmi a ridurre il campo d'azione è quello di pulire dadi, bulloni, perni e fori filettati. Ho una vera e propria fobia per le filettature rigate, forzate, sporche di ruggine o di polvere, che bloccano i dadi; quando ne trovo una, prendo la misura con un calibro per filettature, svito maschio e filiera, riincido la filettatura, la esamino, ci passo l'olio, e a questo punto riguardo alla pazienza ho una prospettiva completamente nuova. Un altro esercizio è mettere in ordine gli strumenti usati e non riposti, che ingombrano. È un buon esercizio perché uno dei segni premonitori dell'impazienza è il senso di frustrazione che si prova quando non si riesce a trovare l'attrezzo che serve. Se vi fermate a rimettere in ordine gli attrezzi riuscirete a trovare quello che vi serve e ridurrete l'impazienza senza sprecare tempo o fare danni.

Stiamo entrando a Dayville e ho il sedere che sembra di cemento.

Bene, per le trappole del valore può bastare. Ho solo sfiorato l'argomento, naturalmente. Del resto siete destinati a scoprirne parecchie sulla vostra pelle ogni volta che farete un lavoro.

Alla stazione di servizio di Dayville aspettiamo il benzinaio. Non arriva nessuno; irrigiditi, senza nessuna voglia di risalire sulla moto, ci mettiamo a fare dei piegamenti all'ombra degli alberi. Grandi alberi che coprono quasi completamente la strada. Strano, in questo posto desertico.

Il benzinaio tarda, ma il suo concorrente dall'altra parte dell'incrocio ci vede e dopo un po' viene a riempirci il serbatoio. « Non so dov'è John » ci dice.

John arriva, ringrazia l'altro benzinaio e dice tutto fiero: « Ci diamo sempre una mano, io e lui ».

Gli chiedo se c'è un posto per riposare e lui mi risponde che possiamo fermarci sul prato davanti a casa sua. Ci allunghiamo sull'erba alta e noto che erba e alberi sono irrigati da un fosso dove scorre dell'acqua limpida.

Dormiamo per una mezz'oretta e poi vediamo John accanto a noi, su una sedia a dondolo. Parla con un pompiere seduto su un'altra seggiola. Li sto ad ascoltare. È una conversazione che mi incuriosisce. Non ha nessuno scopo preciso, solo riempire il tempo. È dagli anni Trenta che non sento una conversazione così lenta e pacata, dai tempi in cui nonno, bisnonno, zii e prozii conversavano in questo modo: una frase dopo l'altra senza altro scopo che quello di riem-

pire il tempo, come l'oscillare di una sedia a dondolo.

John si accorge che sono sveglio e scambiamo qualche parola. Mi dice che l'acqua d'irrigazione viene
dal « fosso del cinese ». « Nessuno sarebbe riuscito a
far scavare un fosso così a dei bianchi » aggiunge.
« L'hanno scavato ottant'anni fa, quando pensavano
che qui ci fosse l'oro. Al giorno d'oggi un fosso come
quello non lo farebbe nessuno ». Per questo, dice,
gli alberi sono così grandi.

Gli raccontiamo un po' da dove veniamo e dove
stiamo andando. Quando partiamo dice che è contento di averci conosciuto e spera che ci siamo riposati. Ci allontaniamo sotto i grandi alberi e Chris
gli fa un cenno di saluto; John sorride e saluta anche
lui.

La strada deserta passa per colline e gole rocciose.
È la regione più arida che abbiamo incontrato finora.

Ora voglio parlare delle trappole della verità e delle trappole muscolari e poi, per oggi, interrompere il
Chautauqua.

Le trappole della verità hanno a che fare con i dati
che si imparano nelle aule dell'intelligenza classica.
I problemi suscitati da questi dati vengono trattati
in modo appropriato utilizzando la logica dualistica
convenzionale e il metodo scientifico. C'è però una
trappola che sfugge — la trappola della logica sì-no,
la logica binaria.

Sì o no... questo o quello... uno o zero. L'intera conoscenza umana è costruita sulla base di questa discriminazione elementare a due termini. Ne è una dimostrazione la memoria dei calcolatori, che immagaz-
zinano tutta la loro conoscenza sotto forma di informazione binaria. Tanti uno e tanti zero, nient'altro.

Dato che non ci siamo abituati, di solito non ci accorgiamo che esiste un terzo termine logico possibile
equivalente al sì e al no, il quale è in grado di espan-

dere la nostra conoscenza in una direzione non riconosciuta. Non esiste nemmeno il termine per indicarlo, per cui dovrò usare la parola giapponese *mu*.

Mu significa « nessuna cosa ». Come « Qualità »,
mu punta il dito fuori dal processo di discriminazione dualistica, dicendo semplicemente: nessuna classe,
« non uno, non zero, non sì, non no ». Afferma che
il contesto della domanda è tale per cui la risposta
sì o la risposta no sono errate e non dovrebbero essere
date. Il suo significato è: « Non fare la domanda ».

Mu è appropriato quando il contesto della domanda diviene troppo angusto per la verità della risposta. Quando chiesero a Joshu, monaco Zen, se un cane
avesse una natura-Buddha, questi rispose: « Mu », intendendo che se avesse risposto sì o no avrebbe risposto in modo scorretto. La natura-Buddha non si può
cogliere con domande che richiedono come risposta
un sì o un no.

Che il *mu* esista nel mondo naturale in cui la scienza indaga è evidente. Solo che, come al solito, il nostro retaggio ci impedisce di vederlo. Per esempio, è
stabilito una volta per sempre che i circuiti del calcolatore hanno solo due condizioni, un certo potenziale per « uno » e un altro per « zero ». È una sciocchezza!

Qualsiasi tecnico elettronico addetto ai calcolatori
sa che le cose stanno diversamente. Cercate di trovare
il potenziale che rappresenti uno o zero quando non
c'è alimentazione! I circuiti sono in uno stato *mu*. La
lettura del voltmetro in molti casi indicherà un circuito di massa aperto. In questo caso il tecnico non
legge affatto le caratteristiche dei circuiti del calcolatore, ma quelle del voltmetro stesso. La condizione di alimentazione spenta è parte di un contesto più
ampio di quello in cui le condizioni uno-zero sono considerate universali. La domanda per l'uno o lo
zero è « non fatta ». Ci sono moltissime altre condizioni del calcolatore oltre a quella dell'alimentazione
spenta in cui si riscontrano risposte *mu*.

La mente dualistica tende a pensare che il verificarsi del *mu* in natura sia una specie di imbroglio contestuale, o comunque un fatto non pertinente, ma il *mu* lo si trova dappertutto nell'indagine scientifica e la natura non imbroglia: nessuna risposta della natura è non pertinente. È un grave errore, una specie di disonestà, sbarazzarsi alla leggera delle risposte *mu* della natura. Riconoscerle e valutarle sarebbe di grande aiuto nell'avvicinare la teoria logica alla pratica sperimentale. Ogni scienziato di laboratorio sa che molto spesso i risultati sperimentali forniscono risposte *mu* alle domande sì-no per cui gli esperimenti erano studiati. In questi casi egli dà la colpa alla cattiva impostazione degli esperimenti e si rimprovera per la propria stupidità.

Invece, la risposta *mu* è importante perché ha detto allo scienziato che il contesto della domanda è troppo angusto per ottenere risposte dalla natura, e che quindi egli deve ampliarlo. Così, la conoscenza che lo scienziato ha della natura viene incredibilmente accresciuta, e proprio questo, fin dall'inizio, era lo scopo dell'esperimento. L'affermazione che la scienza cresce più grazie alle risposte *mu* che non grazie a quelle sì-no è assolutamente fondata. Il sì o il no confermano o smentiscono un'ipotesi. Il *mu* dice che la risposta è *al di là* dell'ipotesi. Il mu è il « fenomeno » che fondamentalmente ispira la ricerca scientifica!

Nella manutenzione della motocicletta la risposta *mu* è una delle principali ragioni di calo di *enthousiasmos*. *Non dovrebbe* esserlo! Quando ottenete una risposta indeterminata, delle due l'una: o le procedure sperimentali non fanno quel che voi credete, oppure dovete ampliare il contesto della vostra ricerca. Controllate gli esperimenti e ristudiate le domande. Non gettate via le risposte *mu*! Sono quelle su cui potete *crescere*!

...Mi sembra che la motocicletta si stia surriscaldando... ma immagino che sia perché ci troviamo in una zona calda e arida... lascerò la risposta a questo problema in uno stato *mu*... finché migliora o peggiora...

Ci fermiamo per berci un bel frullato di cioccolato a Mitchell, una cittadina annidata tra colline aride. Sono tutto indolenzito, e mi sento davvero stanco. Anche Chris ha l'aria stanca. E un po' depressa. Credo che forse... be'... lasciamo perdere...

Per adesso l'unica cosa su cui voglio soffermarmi a proposito delle trappole della verità è l'ampliamento del *mu*. È ora di passare alle trappole psicomotorie.

In questo caso, la trappola per l'*enthousiasmos* più frustrante in assoluto è l'attrezzatura inadeguata. Comprate gli attrezzi migliori, relativamente alle vostre possibilità, e non ve ne pentirete. Se volete risparmiare non trascurate gli annunci sul giornale. Di regola gli attrezzi buoni non si deteriorano, e un attrezzo di seconda mano è decisamente preferibile a un attrezzo nuovo più scadente. Studiate i cataloghi, potete trarne un sacco di insegnamenti.

A parte gli attrezzi scadenti, un'altra trappola fondamentale per l'*enthousiasmos* è la scomodità. Badate di avere un'illuminazione adeguata. È incredibile il numero di errori che si evitano con un po' di luce. Un certo disagio fisico è inevitabile, ma troppo, come nel caso di ambienti troppo caldi o troppo freddi, può sviare enormemente le vostre valutazioni, se non state attenti. Se avete troppo freddo, per esempio, cercherete di sbrigarvi e probabilmente farete degli errori. Se avete troppo caldo, la vostra « soglia di rabbia » scende di molto. Quando è possibile evitate di lavorare in posizioni scomode. Uno sgabellino da tutte e due le parti della moto aumenterà enormemente la vostra pazienza, e sarà molto meno facile danneggiare le parti alle quali lavorate.

Una di queste trappole, l'insensibilità muscolare, è responsabile di gravi danni. In parte è dovuta a una carenza di cinestesia, all'incapacità di rendersi conto che, benché le parti esterne di una motocicletta siano robuste, dentro il motore ci sono delicati ingranaggi di precisione che possono essere danneggiati facilmente. Esiste il cosiddetto ' tocco del meccanico ', una cosa ovvia per chi sa cos'è, ma difficile da descrivere a chi non lo sa; comunque veder lavorare su una macchina qualcuno che non ce l'ha è una vera sofferenza.

Il tocco del meccanico nasce da una profonda sensibilità cinestetica all'elasticità dei materiali. Alcuni materiali, come la ceramica, ne hanno pochissima, per cui maneggiando una parte di ceramica si fa molta attenzione a non esercitare troppa pressione. Altri materiali, come l'acciaio, hanno un'elasticità incredibile, superiore a quella della gomma, ma essa è evidente soltanto quando si impiegano forze meccaniche di grande intensità.

Le viti e i bulloni, per esempio, esercitano forze di grande intensità. Naturalmente è molto importante saper distinguere il limite minimo e quello massimo. Quando avvitate una vite c'è un grado detto « stretto a mano » in cui c'è contatto ma non deformazione elastica. Poi c'è il « serrato », in cui è impegnata l'elasticità superficiale. Infine, con lo « stretto », tutta l'elasticità è assorbita. La forza richiesta per raggiungere i tre gradi varia a seconda delle viti e dei dadi, e anche a seconda che si tratti di bulloni lubrificati o di controdadi. La forza varia a seconda che si tratti di acciaio, ghisa, ottone, alluminio, plastica o ceramica. Una persona che abbia il tocco del meccanico sa riconoscere lo « stretto » e si ferma. Chi non ce l'ha va oltre e rovina la filettatura oppure rompe il pezzo.

Il tocco del meccanico implica la capacità di capire non solo l'elasticità del metallo, ma anche la sua morbidezza. Alcune parti interne di una motocicletta hanno superfici con una tolleranza di pochi centesimi di millimetro. Se le fate cadere, le sporcate, le graffiate o date loro dei colpi perderanno quella precisione. È importante capire che il metallo *dietro* le superfici di solito può sopportare uno sforzo e dei colpi molto forti, ma le superfici stesse no. Manipolando parti di precisione bloccate o difficili da maneggiare, chi ha il tocco del meccanico eviterà di danneggiare le superfici e, quando sarà possibile, lavorerà sulle superfici non di precisione. Se bisogna lavorare proprio sulla superficie, si useranno sempre attrezzi fatti di materiali più morbidi. Ci sono martelli di ogni tipo: di ottone, di plastica, di legno, di gomma e di piombo. Usateli. Le ganasce della morsa si possono ricoprire con mordacce di plastica, di rame o di piombo. Usate anche queste. Trattate con delicatezza i pezzi di precisione. Non ve ne pentirete mai. Se le cose vi cadono di mano con facilità, metteteci pure più tempo e cercate di avere un po' più di rispetto per la fatica che sta dietro a un pezzo di precisione.

Le lunghe ombre della regione arida che abbiamo attraversato ci hanno messo addosso una specie di cupa depressione...

Forse è la solita depressione della sera, ma dopo tutto quello che ho detto ho come la sensazione di aver girato *intorno* al punto cruciale. Mi si potrebbe chiedere: « Bene, e se riesco a evitare tutte queste trappole per l'*enthousiasmos*, vuol dire che sono a posto? ».

La risposta evidentemente è no, non siete a posto per niente. Conta anche il vostro modo di vivere, che vi dispone a evitare le trappole e a vedere i fatti nella loro vera luce. Volete sapere come si fa a dipingere un quadro perfetto? È facile. Fatevi perfetti, poi basta dipingere naturalmente. È così che fanno tutti gli esperti. Creare un quadro o riparare una motocicletta non sono attività separate dal resto della vostra esistenza. Se siete dei cattivi pensatori per sei giorni alla settimana, quando non vi occupate della moto, come farete a diventare dei dritti il settimo?

Però se siete dei cattivi pensatori per sei giorni

alla settimana e il settimo vi sforzate davvero di diventare dei dritti, può anche darsi che i sei giorni successivi non siano loffi quanto i precedenti. Con queste trappole per l'*enthousiasmos*, immagino, sto cercando delle scorciatoie per un giusto modo di vivere.

La vera motocicletta a cui state lavorando è una moto che si chiama voi stessi. La macchina che sembra « là fuori » e la persona che sembra « qui dentro » non sono separate. Crescono insieme verso la Qualità o insieme se ne allontanano.

Arriviamo a Prineville Junction con poche ore di luce davanti a noi. Siamo all'incrocio con la Statale 97 e svoltiamo a sud. Faccio il pieno e poi mi ritrovo così stanco che mi accascio sul marciapiede. Chris fa lo stesso. Non ci diciamo una parola, ma non ci siamo mai sentiti così depressi. Dopo tutti questi bei discorsi sulle trappole per l'*enthousiasmos* ci sono cascato in pieno. La stanchezza, forse. Bisogna che dormiamo un po'.

Guardo passare le macchine. Danno un senso di solitudine. Peggio: non danno niente, non hanno niente. Come l'espressione del benzinaio quando riempiva il serbatoio. Niente.

Anche nei guidatori c'è qualcosa che non va: guardano dritto davanti a sé in una trance privata tutta loro. Da quella volta con Sylvia non l'avevo più notato. Sembrano un corteo funebre.

Ogni tanto uno ci lancia un'occhiatina, poi distoglie lo sguardo facendo finta di niente, come se lo imbarazzasse l'idea che ci siamo accorti che ci guardava. Lo noto perché era molto tempo che eravamo lontani da questo genere di cose. Anche il modo di guidare sembra diverso. Sembrano tutti fissi sulla velocità massima in città, come se volessero arrivare a tutti i costi, come se quello che li circonda fosse soltanto qualcosa da attraversare.

Ecco cos'è! Siamo arrivati sulla West Coast! Siamo

di nuovo tutti estranei! Ragazzi, ho dimenticato la peggior trappola per l'*enthousiasmos*. Il corteo funebre! Quello in cui ci troviamo tutti: questo stile di vita alla vaffanculo, egoista, anfetaminico, supermoderno, che crede di avere in mano questo paese. Ne siamo stati fuori così a lungo che me ne ero completamente dimenticato.

Ci immettiamo nel traffico che va verso sud e sento il pericolo anfetaminico chiudermisi intorno. Vedo nello specchietto un bastardo che mi sta tallonando ma non vuole superarmi. Accelero, supero i cento e quello mi rimane appiccicato. Centotrenta e finalmente ci stacchiamo. Che brutta sensazione.

A Bend ci fermiamo e ceniamo in un ristorante moderno; anche qui la gente va e viene senza guardarsi in faccia. Il servizio è eccellente ma impersonale.

Più a sud troviamo una foresta di alberi sparuti, suddivisi in piccoli, ridicoli appezzamenti. Proprio una bella miglioria. Piazziamo i sacchi a pelo in uno di quelli più lontani dalla strada e scopriamo che gli aghi di pino coprono a malapena uno strato molto spesso di polvere soffice e spugnosa. Mai visto niente di simile. Dobbiamo stare attenti a come ci muoviamo, o la polvere si spanderà dappertutto.

Mettiamo le incerate sotto i sacchi a pelo. Così va meglio. Chris e io parliamo un po' di questo posto e di dove stiamo andando. Guardo la carta alla luce del crepuscolo, poi accendo la pila. Oggi abbiamo fatto quattrocentottanta chilometri. Un bel pezzo. Chris sembra esausto quanto me.

PARTE QUARTA

27

Perché non esci dall'ombra? Come sei fatto? Hai paura di qualcosa, vero? Di che cosa?

Oltre la figura nell'ombra c'è la porta a vetri. Chris è dall'altra parte e mi fa segno di aprirla. È più grande, adesso, ma ha ancora un'espressione implorante. « *Cosa devo fare?* ». *Lo vuole sapere da me.*

Studio la figura nell'ombra. Non è onnipotente come mi sembrava una volta. « *Chi sei?* » *domando.*

Nessuna risposta.

« *Per quale ragione quella porta deve restare chiusa?* ».

Ancora nessuna risposta. La figura tace, ma si ritrae. Ha paura! Di me.

« *C'è di peggio che nascondersi nell'ombra. È così? Per questo non parli?* ».

Sembra che stia tremando, che indietreggi, come se intuisse quel che sto per fare.

Aspetto un attimo, poi mi avvicino. Brutta cosa odiosa, scura, cattiva. Ancora più vicino, con gli occhi sulla porta a vetri per non insospettirla. Mi fermo di nuovo, raccolgo le forze e poi, via! mi butto.

Le mie mani affondano in qualcosa di morbido do-

*ve dovrebbe esserci il suo collo. La cosa si contorce
e io stringo ancora di più, come se avessi tra le mani un serpente. E ora, tenendola sempre più stretta,
la porterò alla luce. Ecco! ADESSO VEDREMO LA
SUA FACCIA!*

« Papà! ».

« Papà! ». *Sento la voce di Chris attraverso la porta?
Sì! Per la prima volta!* « Papà! Papà! ».

« Papà! Papà! ». Chris mi tira la camicia. « Papà!
Svegliati! Papà! ».

Sta piangendo, singhiozza. « Basta, papà! Svegliati! ».

« Non è niente, Chris ».

« Papà! Svegliati! ».

« Sono sveglio ». Alla luce dell'alba riesco a stento
a distinguere la sua faccia.

« Sto bene, era solo un brutto sogno ».

Chris continua a piangere e gli sto seduto accanto
per un po', senza parlare. « Non è niente » gli dico,
ma non riesco a farlo smettere. Si è preso un bello
spavento.

Anch'io.

« Cosa stavi sognando? ».

« Stavo cercando di vedere la faccia di qualcuno ».

« Gridavi che mi avresti ucciso ».

« No, non te ».

« Chi? ».

« Quello del sogno ».

« E chi era? ».

« Non sono sicuro ».

Smette di piangere, ma continua a tremare dal freddo. « Hai visto la faccia? ».

« Sì ».

« E com'era? ».

« Era la mia, Chris, è stato lì che ho gridato...
Era solo un brutto sogno ». Gli dico che sta tremando e che dovrebbe tornare dentro al sacco a pelo.

Alla luce dell'alba si vede il fiato. Chris si rannic-
chia nel sacco a pelo e anch'io mi rimetto sotto.

Non dormo.

Non sono io a sognare.

È Fedro.

Si sta svegliando.

Una mente divisa contro se stessa... io... sono io la
malvagia figura nell'ombra. Sono io lo spregevole...

Ho sempre saputo che sarebbe tornato...

Adesso non mi resta altro che prepararmi.

Il cielo sotto gli alberi è così grigio, così irrimedia-
bile.

Povero Chris.

28

La disperazione cresce.

Come una di quelle dissolvenze cinematografiche
in cui sai di non essere nel mondo reale, ma ti sembra di esserci lo stesso.

È un freddo giorno di novembre, senza neve. Il
vento solleva la polvere dalle fessure di una vecchia
auto coi finestrini coperti di fuliggine e Chris, sei
anni, siede accanto a lui, coperto di maglioni perché
il riscaldamento non funziona. Vanno verso un cielo
grigio, tra edifici grigi e marrone sporco con la facciata di mattoni; i mattoni sono inframmezzati da vetri rotti, le strade sono piene di rifiuti.

« Dove siamo? » chiede Chris e Fedro gli risponde:
« Non lo so ». È vero, non lo sa: ormai è quasi fuori
di senno. Si è perso, va alla deriva nelle strade grigie.

« Dove stiamo andando? » domanda Fedro.

« Da quelli dei letti a castello ».

« E dove stanno? ».

« Non lo so » dice Chris. « Forse se andiamo avanti
li troviamo ».

Fedro vorrebbe fermarsi, appoggiare la testa al volante e riposare. Fuliggine e grigiore gli sono penetrati negli occhi: il cervello non riesce a distinguere quasi più nulla. I nomi delle vie sono tutti uguali. Gli edifici grigiastri sono tutti uguali. Continuano a girare in cerca di quelli dei letti a castello. Ma Fedro sa bene che non li troverà mai.

Chris comincia pian piano a rendersi conto che qualcosa non va, che chi guida non guida veramente, che il capitano è morto e la macchina è senza pilota. Dice: « Fermati », e Fedro si ferma.

Dietro, una macchina suona il clacson, ma Fedro non si muove. Altre macchine suonano, poi altre ancora. Chris dice terrorizzato: « VAI! ». E Fedro in uno spasimo preme lentamente l'acceleratore e riparte come in un sogno.

« Dove abitiamo? » domanda Fedro. Chris è spaventatissimo.

Chris ricorda un indirizzo ma non sa come arrivarci. Gli viene in mente che può domandare a qualcuno e dice: « Ferma la macchina ».

Arrivano a casa dopo ore e ore. Trovano la mamma furiosa perché hanno fatto tardi. Non riesce a capire come mai non hanno trovato quelli dei letti a castello. « Abbiamo cercato dappertutto » dice Chris, ma lancia a Fedro una rapida occhiata impaurita. È lì che è cominciato tutto, per Chris.

Non succederà più...

Penso che la cosa migliore sia andare a San Francisco, mettere Chris su un pullmann per casa, vendere la motocicletta e farmi ricoverare... ma sembra così inutile... non so cosa farò.

Il viaggio non sarà del tutto sprecato. Per lo meno Chris, crescendo, avrà dei buoni ricordi di me. Un pensiero che mi toglie un po' d'angoscia. Mi attaccherò a questo.

Frattanto sarà meglio continuare come se fosse un viaggio normale, con la speranza che vada meglio. Non bisogna gettar via niente. Mai, mai gettar via niente.

Che freddo! Sembra inverno! Dobbiamo essere a una certa altitudine; guardo fuori dal sacco a pelo e questa volta vedo della brina sulla motocicletta. Fa troppo freddo per rimanere sdraiati.

Mi ricordo della polvere sotto gli aghi di pino e infilo gli stivali con cautela per evitare di sollevarla. Disfo tutti i bagagli, metto mutandoni, maglione e giubbotto, ma ho ancora freddo.

Chris dorme ancora. Tanto, finché l'aria non si scalda un po', non potremo muoverci. È il momento buono per registrare la motocicletta. Apro il coperchio sopra il filtro dell'aria e prendo la busta dei ferri. Ho le mani irrigidite dal freddo, col dorso rugoso. Ma delle rughe il freddo non ha colpa. A quarant'anni è la vecchiaia che arriva. Metto la busta dei ferri sulla sella e la apro... eccoli qui... come rivedere dei vecchi amici.

Volevo parlare del sapere tradizionale sulla riparazione della moto, delle centinaia di cose che si imparano col tempo, che arricchiscono non solo praticamente ma anche esteticamente quello che si fa, ma adesso sembra troppo banale, anche se non dovrei dirlo.

Voglio invece prendere un'altra direzione, una direzione che completa la *sua* storia. Non l'ho mai completata veramente perché non lo ritenevo necessario, ma credo che adesso sia ora di farlo.

Queste chiavi inglesi sono talmente fredde che mi fanno male alle mani. Ma è un bel dolore. È reale, non immaginario, ed è qui, senza equivoci, sulle mie mani.

Seguendo il suo sentiero alla ricerca di una concezione della Qualità, Fedro continuava a vederne altri che a quanto pareva conducevano tutti nello stesso posto. Quel posto lui pensava di conoscerlo già.

Era l'antica Grecia. Ora però si chiedeva se qualcosa non gli fosse sfuggito.

Aveva chiesto a Sarah, che molto tempo prima col suo innaffiatoio gli aveva messo in testa l'idea della Qualità, dove mai nell'ambito della letteratura inglese si insegnasse la Qualità come materia di studio.

« Santo cielo, non lo so, io non studio inglese » gli aveva risposto lei. « Ho studiato lettere classiche, la mia materia è il greco ».

Allora le aveva chiesto se la Qualità avesse un posto nel pensiero greco.

« La Qualità ha *tutti* i posti nel pensiero greco » aveva risposto Sarah, e Fedro ci aveva riflettuto sopra. Certe volte, dietro a quel suo modo di parlare da vecchia signora, gli pareva di intravvedere un'astuzia segreta, quasi alludesse a significati nascosti, come l'oracolo delfico. Però non poteva esserne sicuro.

Gli antichi greci. Strano che per loro la Qualità fosse tutto, mentre oggi anche solo affermare che la Qualità è reale sembra inverosimile. Che cosa era cambiato?

Un secondo sentiero che portava all'antica Grecia veniva messo in luce dall'immediatezza con cui la domanda: « Cos'è la Qualità? » era stata scaraventata nella filosofia sistematica. Fedro credeva di aver chiuso con quel settore, ma la « Qualità » aveva rimesso tutto in discussione.

La filosofia sistematica è greca. Furono gli antichi greci a inventarla, e a imprimerle quindi il loro marchio incancellabile. L'affermazione di Whitehead secondo la quale l'intera filosofia non è altro che una serie di glosse a Platone può essere sostenuta a buon diritto. La confusione sulla realtà della Qualità deve essere incominciata proprio a quei tempi.

Un terzo sentiero si delineò quando Fedro decise di lasciare Bozeman per prendere il dottorato che gli serviva per insegnare all'università. Voleva continuare la ricerca sul significato della Qualità a cui il suo insegnamento dell'inglese aveva dato il via. Ma dove? E in quale disciplina?

Era evidente che il termine « Qualità » non era inerente a nessuna disciplina, a meno che non si trattasse della filosofia, e Fedro sapeva che nella filosofia, con molta probabilità, non avrebbe scoperto niente riguardo a un termine che sembrava appartenere alla mistica del corso di composizione.

Sapeva che probabilmente non esistevano corsi di studio che gli avrebbero permesso di studiare la Qualità come lui la intendeva. La Qualità non solo era esterna a qualsiasi disciplina accademica, era anche oltre la portata di tutti i metodi della Chiesa della Ragione. Ci voleva altro che un'università per accettare una tesi di dottorato in cui il candidato rifiutava di definire il termine fondamentale da lui usato.

Passò molto tempo a leggere da cima a fondo le guide delle università prima di scoprire che a Chicago c'era un programma interdisciplinare di « Analisi delle idee e studio dei metodi ». Del programma si occupava una Commissione di cui facevano parte un professore d'inglese, uno di filosofia e uno di cinese, più il direttore, che, guarda un po', insegnava greco antico.

Adesso il motore è a posto, dobbiamo solo cambiare l'olio. Sveglio Chris, facciamo i bagagli e partiamo. È ancora addormentato, ma l'aria fredda lo risveglia.

La strada prosegue tra i pini. Stamane non c'è più tanto traffico. Tra gli alberi spuntano rocce scure e vulcaniche. Chissà se era polvere vulcanica quella su cui abbiamo dormito? Ma esiste, poi, la polvere vulcanica? Chris dice che ha fame e ho fame anch'io.

A La Pine ci fermiamo. Dico a Chris di ordinarmi le uova al prosciutto mentre io sto fuori a cambiare l'olio.

Quando lo raggiungo Chris mi accoglie con un: « Che fame! ».

« Faceva freddo, stanotte » gli dico. « Abbiamo bruciato un sacco di calorie solo per vivere! ».

Le uova sono buone, e anche il prosciutto. Chris parla del sogno, della paura che ha avuto, poi anche questa è passata. Mi guarda come se stesse per farmi una domanda, ci ripensa, guarda fuori dalla finestra per un po' e finalmente si decide.

« Papà? ».

« Che c'è? ».

« Perché andiamo sempre in giro? ».

« Non so, per vedere il paese... vacanze ».

La risposta non sembra soddisfarlo. Ma pare che non riesca a dire cosa c'è che non va.

Mi colpisce un'improvvisa ondata di disperazione, come all'alba. Gli *mento*. Ecco cos'è che non va.

« Continuiamo a andare in giro senza fermarci mai » mi fa.

« Certo, cosa vorresti fare, invece? ».

Non sa cosa rispondere.

Neanch'io.

Per strada la risposta arriva. Stiamo facendo la cosa di Qualità più elevata alla quale riesco a pensare in questo momento, ma Chris non ne sarebbe molto più soddisfatto. Che altro potrei dirgli? Prima o poi, prima di dirci addio, se così deve essere, dovremo parlare un po'. Può anche darsi che proteggerlo dal passato gli faccia più male che bene. Dovrà sapere di Fedro, anche se molte cose non le potrà sapere mai. La fine che ha fatto, in particolare.

Fedro arrivò all'Università di Chicago già immerso in un mondo di idee talmente diverso da quello che potrebbe essere il vostro o il mio che sarebbe difficile descriverlo anche se me lo ricordassi perfettamente. So che il vicedirettore lo ammise in assenza del direttore sulla base della sua esperienza d'insegnamento e della sua evidente capacità di sostenere conversazioni intelligenti. Dopodiché Fedro aspettò il direttore nella speranza di ottenere una borsa di studio. Il colloquio che ebbero consistette essenzialmente di un'unica domanda a cui non ci fu risposta.

Il direttore domandò: « Quali sono i contenuti del suo campo di ricerca? ».

« Composizione inglese » rispose Fedro.

« Ma questo è un campo metodologico! » urlò il direttore. E questa fu la fine del colloquio. Dopo qualche frase sconnessa Fedro incespicò, si scusò, e ritornò sulle montagne. Ancora una volta si era bloccato su una domanda e non era più riuscito a pensare a nient'altro, e ancora una volta era costretto a lasciare l'università. Ma ora, comunque, aveva tutta l'estate per pensare perché mai la sua ricerca dovesse essere metodologica *oppure* avere dei contenuti.

Nella foresta mangiò formaggio svizzero, dormì su letti di frasche di pino, bevve acqua di ruscelli montani e pensò alla Qualità, ai contenuti e ai metodi.

La sostanza non cambia. Il metodo non ha in sé alcuna permanenza. La sostanza è inerente alla forma dell'atomo. Il metodo è inerente a quello che l'atomo fa. In un testo a carattere tecnico esiste una distinzione simile tra descrizione fisica e descrizione funzionale. Applicare però queste classificazioni a un'intera branca della conoscenza come la composizione inglese sembrava arbitrario e poco pratico. Nessuna disciplina accademica è priva sia di contenuti sostanziali sia di metodologia. E, per quanto ne sapeva Fedro, la Qualità non aveva rapporto alcuno con queste cose. La Qualità non è una sostanza, e non è nemmeno un metodo. È esterna ad entrambi. Se si costruisce una casa usando il metodo del filo a piombo e della livella, è perché una parete diritta ha meno probabilità di crollare e pertanto ha una Qualità più elevata di una inclinata. La Qualità non è il metodo. È il fine verso cui il metodo volge.

Sostanza e contenuti corrispondevano in realtà all'oggetto e rappresentavano quello che Fedro aveva rifiutato per giungere a un concetto non-dualistico della Qualità. Quando tutto è diviso tra sostanza e metodo, così come succede quando tutto è diviso tra soggetto e oggetto, non c'è davvero spazio per la Qualità. E la sua tesi non poteva esser parte di un campo di soli contenuti sostanziali, perché accettare una spaccatura tra sostanziale e metodologico equivaleva a negare l'esistenza della Qualità. Perché perdurasse la Qualità, il concetto di sostanza e quello di metodo dovevano scomparire. Ci sarebbe stato da discutere con la Commissione, cosa che Fedro non desiderava affatto. Tuttavia era infuriato all'idea che alla prima domanda gli avessero fatto crollare tra le mani tutto il significato di quello che intendeva dire.

Decise allora di esaminare la base culturale della Commissione. Aveva l'impressione che tra la struttura di pensiero di questa e la sua non ci fosse nessun punto di incontro. Spiegazioni, obiettivi, descrizione del lavoro erano tutti molto confusi, esposti in una strana struttura linguistica in cui parole piuttosto ordinarie si trovavano affiancate in modo inusitato, dando una falsa idea di complessità.

Fedro passò allora alle pubblicazioni del direttore. Vi ritrovò la medesima struttura linguistica, il che lo sconcertò, perché essa dava un'impressione totalmente diversa da quella che lui aveva avuta nel corso del loro incontro. Durante quel breve colloquio il direttore l'aveva colpito per la sua straordinaria prontezza e per il suo piglio sbrigativo. Eppure qui si trovava davanti frasi chilometriche che lasciavano soggetto e predicato lontanissimi l'uno dall'altro. C'erano parentesi all'interno di altre parentesi a loro volta inserite in frasi la cui attinenza al contesto era assolutamente opinabile. Per non parlare delle innumerevoli categorie astratte che rimanevano astratte e oscure anche dopo fiumi di parole.

Fedro le pensò tutte. Forse non era sufficientemente preparato per capire quel tipo di testi, ma quest'ipotesi non aveva senso, dato che si trattava di testi divulgativi. Forse il direttore era un ' tecnico ', parola con la quale Fedro indicava un autore così immerso nella propria materia da aver perso la capacità di comunicare con chi ne fosse al di fuori. Ma allora perché il programma di « Analisi delle idee e studio dei metodi » si era definito in modo tanto generale?

Alla fine capì. Le affermazioni del direttore erano circondate da gigantesche difese — da enormi, labirintiche fortificazioni che si susseguivano con tale massiccia complessità da rendere pressoché impossibile scoprire che cosa diavolo difendessero. Era quel tipo di imperscrutabilità che ti trovi di fronte quando entri all'improvviso in una stanza dove è appena finito un furioso alterco. Nessuno apre bocca.

Ho un singolo, fugace frammento di Fedro in un corridoio dell'Università di Chicago che dice al vicedirettore, come un detective alla fine di un film: « Nella sua descrizione del programma, lei ha omesso un nome importante ».

« Sì? ».

« Sì » ripete Fedro in tono onnisciente. « Aristotele... ».

L'altro rimane a bocca aperta per un attimo, poi, come un imputato che è stato scoperto ma non ha nessun senso di colpa, scoppia in una lunga, sonora risata.

« Ah, capisco » dice alla fine. « Lei non sapeva... non sapeva niente di... ». Ci ripensa e decide di non dire altro.

Arriviamo alla deviazione per il lago Crater e entriamo nel Parco Nazionale, pulito e ben tenuto. Non dovrebbe essere altrimenti, ma di sicuro anche così non può gareggiare per un premio di Qualità. Sembra un museo. È com'era prima dell'arrivo dell'uomo bianco — bellissime colate di lava, alberi pietrificati e neanche una lattina di birra in giro —, ma adesso che l'uomo bianco è arrivato, sembra tutto finto. L'assenza di lattine dà un senso di angoscia.

Al lago ci fermiamo per sgranchirci le gambe e ci mescoliamo affabilmente alla piccola folla di turisti pieni di macchine fotografiche e di bambini. Ci sono macchine e camper con targhe di tutti gli stati. Ho la sensazione che tutto sia irreale, che i turisti siano fuori posto, che la Qualità del lago sia soffocata proprio perché è messa così in rilievo. La Qualità è una cosa che si vede con la coda dell'occhio.

« Perché siamo venuti qui? » chiede Chris.

« Per vedere il lago ».

La risposta non gli piace. Sente che è falsa e si acciglia cercando di trovare la domanda giusta per metterlo in evidenza. « Mi fa schifo » dice.

Una turista lo guarda prima sorpresa, poi risentita.

« E che cosa possiamo farci, Chris? » gli domando. « Non ci resta che andare avanti finché non scopriamo cos'è che non va, o almeno perché non sappiamo cos'è che non va. Lo capisci, questo? ».

Non risponde. La signora finge di non sentire, ma la sua immobilità rivela che è tutt'orecchi. Ci avviamo verso la motocicletta; cerco di pensare a qualcosa, ma non mi viene in mente niente. Vedo che Chris piange un po' e si gira perché non lo veda.

Usciamo dal parco e andiamo verso sud.

Ho detto che il vicedirettore era rimasto sbalordito. Il fatto era che Fedro ignorava di trovarsi esattamente nel fuoco di quella che, probabilmente, era la più famosa controversia accademica del secolo, quella che il rettore di un'università della California chiamò « l'ultimo tentativo nella storia di cambiare il corso di un'università ».

Cercando in biblioteca Fedro si fece un'idea di quella famosa rivolta contro l'istruzione empirica che aveva avuto luogo agli inizi degli anni Trenta. La Commissione era tutto quel che ne rimaneva. Capi della rivolta erano stati Robert Maynard Hutchins, divenuto rettore dell'Università di Chicago; Mortimer Adler, il cui lavoro sui fondamenti psicologici dell'evidenza era in qualche modo simile al lavoro che Hutchins svolgeva a Yale; Scott Buchanan, filosofo e matematico; e quello che per Fedro era il più importante di tutti, l'attuale direttore della Commissione, che a quel tempo era uno spinoziano e medioevalista alla Columbia University.

Lo studio che Adler aveva fatto dell'evidenza, fertilizzato da letture di classici del pensiero occidentale, lo convinse che negli ultimi tempi l'umana saggezza era avanzata relativamente poco. Il pensiero di san Tommaso D'Aquino, e attraverso la sua sintesi di filosofia greca e fede cristiana quello di Platone e Aristotele, erano per Adler le colonne portanti dell'eredità intellettuale dell'occidente. E quindi offrivano un'unità di misura a chiunque cercasse i libri fondamentali.

Nella tradizione aristotelica, secondo l'interpretazione della scolastica medioevale, l'uomo è ritenuto un animale razionale, capace di cercare e definire la vita virtuosa e di viverla. Una volta che questo « primo principio » sulla natura dell'uomo venne accettato dal rettore dell'Università di Chicago, le ripercussioni sul piano dell'istruzione furono inevitabili. Il famoso programma dei Grandi Libri dell'Università di Chicago, la riorganizzazione della struttura universitaria secondo le linee aristoteliche, e la fondazione di un « College » in cui si iniziavano alla lettura dei classici gli studenti di quindici anni, furono alcuni dei risultati.

Hutchins aveva rifiutato l'idea che un'istruzione scientifica empirica producesse automaticamente una « buona » istruzione. La scienza è « neutrale rispetto ai valori ». L'incapacità della scienza di afferrare la Qualità come oggetto d'indagine le rende impossibile fornire una scala di valori.

Adler e Hutchins si interessavano principalmente ai « doveri » della vita, ai valori, alla Qualità e ai fondamenti della Qualità nella filosofia teoretica. Quindi si erano spinti nella stessa direzione di Fedro, ma in un modo o nell'altro erano approdati ad Aristotele e lì si erano fermati.

Ci fu uno scontro.

Nemmeno quelli che erano disposti ad ammettere l'interesse di Hutchins per la Qualità volevano riconoscere l'autorità decisiva della tradizione aristotelica nella definizione dei valori. Insistevano nell'affermare che nessun valore può venir prefissato e che una filosofia moderna valida non ha bisogno di fare i conti con quelle idee che erano state espresse nei libri dell'antichità e del Medioevo. Per molti tutto ciò non era altro che un nuovo pretenzioso gergo di concetti truccati.

Fedro non sapeva bene come valutare questo scontro. Certamente esso sembrava molto vicino al campo in cui desiderava lavorare. Anche lui pensava che non si possono prefissare i valori ma, allo stesso tempo, non pensava che questa fosse una buona ragione per ignorarli o per negare che essi esistano come realtà. Si sentiva anche lui contro la tradizione aristotelica come arbitra assoluta dei valori, ma aveva l'impressione che si trattasse di una tradizione con cui si doveva fare i conti. La risposta a tutto ciò era in essa profondamente radicata e Fedro voleva saperne di più.

Il direttore, per qualche ragione, non aveva certo fama di genio. Di lui si diceva tra l'altro che faceva laureare soltanto dei duplicati di se stesso, e Fedro ne ebbe una conferma quando, cercando di parlare con qualcuno degli studenti che si erano laureati con lui, scoprì che in tutta la storia del programma i laureati erano stati soltanto due. Nella sua battaglia per la Qualità Fedro se lo sarebbe trovato davanti come avversario irriducibile: la sua visione aristotelica e il suo temperamento intollerante gli rendevano impossibili perfino i passi iniziali.

A questo punto Fedro si mise a tavolino e gli scrisse una lettera che può definirsi soltanto una provocazione a espellerlo dal programma. Aveva deciso di farsi buttare fuori dalla porta principale, probabilmente per sentirsi a posto con la propria coscienza al momento di asciugarsi il sudore della fronte e dire: « Be', io ci ho provato ».

Nella lettera Fedro informava il direttore che ora il suo interesse sostanziale di ricerca non era più la composizione inglese ma la filosofia. Comunque, scriveva, la divisione tra contenuti sostanziali e metodologia era un prodotto della dicotomia aristotelica tra forma e sostanza che ai non-dualisti serviva ben poco.

Disse inoltre che, pur non essendone ben sicuro, aveva l'impressione che la tesi sulla Qualità potesse trasformarsi in una tesi antiaristotelica. E, se era vero, aveva scelto il luogo più adatto per presentarla. Le grandi università procedevano in modo hegeliano e una scuola che non fosse in grado di accettare una tesi che contraddicesse i suoi princìpi era fossilizzata. La sua, affermò, era la tesi che l'Università di Chicago stava aspettando. Se qualcun altro avesse presentato una tesi che si fosse rivelata il punto di congiunzione tra la filosofia orientale e quella occidentale, tra misticismo religioso e positivismo scientifico, lui l'avrebbe considerata di importanza storica fondamentale. In ogni caso, disse, a Chicago nessuno veniva veramente accettato senza che prima eliminasse qualcun altro: adesso era il turno di Aristotele.

Un insulto vero e proprio.

E un bell'attestato di megalomania. Ma Fedro era troppo assorto nel suo mondo della metafisica della Qualità, troppo persuaso dell'urgenza delle sue teorie per preoccuparsi d'altro.

Di solito, da chi ha una nuova idea da presentare in un ambiente accademico si pretendono oggettività e disinteresse, ma l'idea della Qualità metteva tutto in discussione. Queste erano leziosaggini che andavano bene solo per la ragione dualistica. Con l'oggettività si raggiunge la perfezione dualistica, non quella creativa.

In quei giorni Fedro viveva in un universo solitario del discorso. Nessuno lo capiva. E più la gente dava segno di non riuscire a capirlo o di non approvare quel che alla fine capiva, più lui diveniva fanatico e sgradevole.

La lettera ricevette l'accoglienza prevista. Dato che il suo campo era la filosofia, che si rivolgesse al Dipartimento di filosofia.

Fu quello che fece. Poi caricò sulla macchina e sul rimorchio la famiglia e tutto quello che possedeva, salutò gli amici, e proprio mentre chiudeva per l'ultima volta la porta di casa apparve il postino con una lettera. Veniva dall'Università di Chicago. Diceva che non era stato ammesso. Nient'altro.

Ovviamente, chi aveva influenzato la decisione era il direttore.

Fedro si fece prestare della carta da lettere dai vicini e rispose al direttore che, dal momento che *era già stato ammesso* al programma, lì sarebbe *rimasto*. Era una manovra un po' legalistica, ma a questo punto Fedro si era fatto astuto e combattivo. L'espediente di farlo uscire alla chetichella dalla porta della filosofia stava a indicare che, per qualche ragione, il direttore *non era in grado* di sbatterlo fuori alla luce del sole. Questo dava a Fedro una certa sicurezza.

Siamo su una strada a tre corsie lungo la sponda orientale del lago Klamath. È una strada che riecheggia gli anni Venti. Tutte le strade a tre corsie furono costruite allora. Ci fermiamo in una trattoria dello stesso periodo. Gli infissi di legno hanno un gran bisogno di una mano di vernice, la vetrina è piena di insegne al neon per la birra e davanti, invece di un bel prato, ci sono ghiaia e chiazze d'olio.

Il sedile del wc è rotto e il lavabo è tutto macchiato di grasso. Tornando al tavolo do un'occhiata più attenta al proprietario dietro al banco del bar. Una faccia anni Venti. Né complicata, né fredda, né servile. Questo è il suo castello; noi siamo i suoi ospiti, e se i suoi hamburger non ci piaceranno sarà meglio che ce ne stiamo zitti.

Ma gli hamburger sono saporiti e la birra è buona.

Un pasto completo per molto meno di quanto ci sarebbe costato in uno di quei posti da vecchie signore con i fiori di plastica alle finestre. Mangiando do un'occhiata alla carta e mi accorgo che, molto più indietro, abbiamo girato nel punto sbagliato: saremmo potuti arrivare al Pacifico molto prima. Adesso fa caldo, un caldo appiccicoso da West Coast che dopo il calore del deserto è molto deprimente. È il clima che c'era a Chicago quell'estate.

Fedro arrivò a Chicago con la sua famiglia, prese alloggio vicino all'università e, dal momento che non aveva borse di studio, cominciò a insegnare a tempo pieno all'Università dell'Illinois, che allora era nella parte bassa della città, sul Navy Pier, che si spingeva dentro al lago caldo e coperto di foschia.

I corsi erano diversi da quelli del Montana. Gli studenti migliori delle scuole superiori erano stati indirizzati ai campus di Champaign e di Urbana, e quasi tutti i rimasti erano di una mediocrità davvero monotona. Giudicando i loro componimenti col metro della Qualità era difficile distinguerli l'uno dall'altro. Del resto a Fedro il lavoro serviva solo per guadagnarsi da vivere: le sue energie creative erano concentrate altrove.

Si mise in coda per iscriversi all'Università di Chicago, disse il proprio nome al professore di filosofia che riceveva le iscrizioni e notò una leggera fissità nel suo sguardo. Oh, sì, disse il professore, il direttore gli aveva chiesto di iscrivere Fedro a un corso di Idee e Metodi tenuto dal direttore stesso, e lo aveva incaricato di consegnargli l'orario del corso. Fedro vide che il corso del direttore si sovrapponeva a quello del Navy Pier, per cui ne scelse un altro: Idee e Metodi 251, Retorica. Dato che la Retorica era il suo campo, si sarebbe sentito più a suo agio. Inoltre il corso non lo teneva il direttore, ma il professore di filosofia che aveva davanti.

Ora era costretto a studiare come non mai; doveva imparare il pensiero dei classici greci in generale e di uno in particolare: Aristotele. E giunse a odiarli a morte tutti quanti, perché più li studiava, più si convinceva che nessuno aveva ancora denunciato il danno che ci era venuto accettandone inconsapevolmente il pensiero.

La strada sale tra enormi abeti Douglas. La foresta qui è del tutto diversa da quella morta di sete che abbiamo attraversato. Chris vuol fare una passeggiata in mezzo agli alberi e ci fermiamo. Io mi siedo per terra, appoggiato a un abete, e cerco di ricordare...

Per capire come Fedro arrivò a condannare i classici greci è necessario rivedere sommariamente la famosa « contrapposizione tra *mythos* e *logos* », nota a tutti gli studiosi della cultura greca.

Il termine *logos*, radice della parola « logica », si riferisce a tutto ciò che costituisce la nostra comprensione razionale del mondo. Il *mythos* è l'insieme dei miti antichi, storici e preistorici, che hanno preceduto il *logos*. Il *mythos* non include solo i miti greci ma anche l'Antico Testamento, gli Inni Vedici e le antiche leggende di tutte le culture che hanno contribuito alla formazione della nostra attuale visione del mondo. La contrapposizione tra *mythos* e *logos* afferma che la nostra razionalità prende forma da queste leggende, che la nostra conoscenza attuale ha con esse lo stesso rapporto che un albero ha con il virgulto che fu un tempo. Studiando la forma più semplice dell'arboscello si può arrivare a comprendere molto profondamente la complessa struttura dell'albero. Non c'è differenza di genere e nemmeno di identità, solo di dimensioni.

Pertanto, in tutte le culture che annoverano nel loro retaggio l'antica Grecia ci si trova invariabilmente di fronte a una forte differenziazione tra soggetto e oggetto, poiché la grammatica del vecchio *mythos* greco presupponeva una netta divisione naturale tra soggetti e predicati. In culture come quella cinese, dove i rapporti soggetto-predicato non sono definiti rigidamente dalla grammatica, non si trova una rigida polarità soggetto-oggetto. Si può notare che nella cultura giudeo-cristiana, in cui la «Parola» dell'Antico Testamento era intrinsecamente sacra, gli uomini sono pronti a sacrificarsi, a vivere e a morire per le parole. In questa cultura, un tribunale può chiedere a un testimone di dire «la verità, tutta la verità e nient'altro che la verità, con l'aiuto di Dio», e aspettarsi che la verità venga detta. Ma se si trasporta il tribunale in India, come fecero gli inglesi, lo spergiuro è all'ordine del giorno, perché il *mythos* indiano è diverso e il carattere sacrale delle parole non è sentito nello stesso modo. Anche nel nostro paese si sono verificati problemi analoghi nel caso di gruppi minoritari con una diversa base culturale.

La disputa sul *mythos* e il *logos* sottolinea che ogni bambino che nasce è ignorante quanto un cavernicolo. Ciò che impedisce al mondo di ritornare a ogni generazione alla condizione neanderthaliana è la continuità del *mythos*, trasformato in *logos* ma ancora *mythos*, l'enorme corpo di conoscenza comune che unisce le nostre menti come le cellule nel corpo umano.

Un solo tipo di persona, disse Fedro, ha l'alternativa di accettare il *mythos* in cui vive o di rifiutarlo. E la definizione di questa persona, una volta che l'abbia rifiutato, è «pazzo».

Dio mio, mi è venuto in mente solo adesso. Non l'avevo mai saputo.

Il rapporto tra *mythos* e follia. Questo è un frammento chiave. Dubito che una cosa del genere l'abbia mai detta qualcun altro. La pazzia è la *terra incognita* che circonda il *mythos*. E lui lo sapeva! Sapeva che la Qualità di cui parlava stava al di fuori del *mythos*.

Ecco, ora ricordo! Perché la Qualità è la *generatrice* del *mythos*. È questo che Fedro intendeva quando diceva: «La Qualità è lo stimolo continuo con cui il nostro ambiente ci spinge a creare il mondo in cui viviamo. *Tutto* il mondo, fino all'ultima molecola ». Fedro sapeva che, per capire la Qualità, avrebbe dovuto abbandonare il *mythos*. Per questo aveva sentito quel cedimento: sapeva che stava succedendo qualcosa.

Vedo Chris che ritorna. Ha un'aria rilassata e felice. Mi fa vedere un pezzo di corteccia e mi chiede se può tenerla per ricordo. Non mi è mai piaciuto caricare la moto con la paccottiglia che trova e che a casa butterà subito via, comunque questa volta gli dico di sì.

Dopo qualche minuto la strada raggiunge una sella e poi scende a precipizio in una valle che più andiamo avanti più diventa squisita. Non avrei mai pensato di definire così una valle, ma questa parte della costa ha qualcosa di diverso da qualsiasi altra regione montana dell'America. Poco più a sud c'è la zona dove si produce tutto il nostro vino buono. Le colline si piegano e si snodano in un modo diverso — squisito. La strada serpeggia, noi scivoliamo e ondeggiamo con lei, sfiorando le foglie lucide degli alberi. Intorno a noi vigne e cespugli carichi di fiori rossi e violacei; la loro fragranza si mescola al fumo di legna che sale dai vapori lontani del fondo valle. Arriva anche un vago profumo di mare...

...Come può piacermi tanto tutto questo se sono pazzo?...

...Non ci credo!

Il *mythos*. È il *mythos* che è pazzo. Ecco che cosa credeva lui. Il *mythos* secondo il quale le forme di questo mondo sono reali mentre la Qualità è irreale.

E Fedro credeva di aver trovato in Aristotele e negli antichi greci i rozzi personaggi che avevano dato al *mythos* una forma tale da farci accettare come realtà questa pazzia.

Ecco. Ora tutto quadra, tutto ha un nesso. Che sollievo! È così difficile per me rievocare tutto questo che provo come un senso di spossatezza. Certe volte mi convinco che sto inventando tutto di sana pianta. Certe altre non ne sono sicuro. E altre ancora so che non è così. Ma di una cosa sono veramente sicuro. Il *mythos*, la pazzia, la loro centralità — tutto questo viene da *lui*.

Dopo le colline c'è Medford, e da lì un'autostrada porta a Grants Pass. È quasi sera. In salita, un ventaccio contrario ci tiene alla stessa velocità degli altri, anche a tutto gas. Quando stiamo per arrivare a Grants Pass sentiamo uno schianto e ci fermiamo. Il carter, chissà come, è rimasto impigliato nella catena e ora è tutto contorto. Niente di drammatico, ma dobbiamo fermarci per farlo sostituire. Chissà, forse è stupido ripararlo, se fra pochi giorni la moto verrà venduta.

Grants Pass sembra abbastanza grande da avere un meccanico. Ci andremo domattina, adesso cerco un motel.

È da Bozeman che non vediamo un letto. Troviamo un motel con TV a colori, piscina riscaldata, sapone, asciugamani bianchi, doccia piastrellata. Ci sdraiamo sui letti puliti e Chris ci salta sopra per un po'. So dai miei ricordi infantili che mettersi a saltare sui letti è utilissimo per far passare la depressione.

Chissà, forse domani qualcosa riusciremo a risolvere. Ora no. Chris va giù a fare il bagno in piscina mentre io me ne rimango disteso sul letto e scaccio ogni pensiero dalla mente.

29

A forza di tirar fuori la roba dai sacchi e dalle borse e di rimetterla dentro come capita, il nostro equipaggiamento ha un'aria da buttar via. Il sacchetto di plastica delle provviste si è rotto e l'olio ha sporcato un rotolo di carta igienica. I vestiti sono talmente ciancicati che non si capisce come potranno mai riassumere il loro aspetto originario. La crema solare si è sparsa dappertutto lasciando un alone bianco sul fodero del machete e un buon profumo su tutto il resto. Anche il tubo del grasso protettivo per l'impianto elettrico è scoppiato. Che pasticcio. Sul taccuino che tengo nella tasca della camicia scrivo: «Comperare tagliaunghie, crema solare, grasso, carter, carta igienica». Ci vorrà un bel po' di tempo, per cui sveglio Chris e gli dico di alzarsi. Dobbiamo fare gli acquisti e il bucato prima di lasciar libera la stanza.

Alla lavanderia spiego a Chris come funziona la macchina per asciugare, faccio andare la lavatrice e volo via per le altre commissioni.

Trovo tutto, salvo il carter. Il commesso dice che non ce l'hanno e che non me lo può procurare. Mi chiedo se non sia il caso di lasciar perdere, per quel poco tempo che ci rimane, ma sarebbe pericoloso, e ci sporcheremmo tutti di olio. E poi non voglio mettermi in quest'ordine di idee. Mi condiziona.

Lungo la strada trovo l'officina di un saldatore. È la più pulita che abbia mai visto, con un'atmosfera da fabbro del villaggio. Gli utensili sono appesi con cura, tutto è in perfetto ordine, ma non c'è nessuno. Tornerò più tardi.

Vado a prendere Chris, troviamo un ristorante in una strada allegra e animata e lui mi legge ad alta voce un articolo di cross-country su «Cycle News». La cameriera ci guarda un po' incuriosita. Va in cucina e poi esce a darci un'altra occhiata. Suppongo che l'interessiamo tanto perché siamo gli unici clienti. Mentre aspettiamo, infila qualche monetina nel juke-box e quando la colazione arriva — pane tostato, melassa e salsicce, ah! — mangiamo a suon di musica. Chiacchieriamo rilassati, e con la coda dell'occhio vedo che anche questo nostro modo di fare ridesta l'interesse della cameriera.

Mentre ce ne usciamo e andiamo verso la moto, eccola di nuovo sulla soglia. Si sente sola. Probabilmente non si rende conto che facendo così non rimarrà sola a lungo. Metto in moto e, frustrato da chissà cosa, accelero troppo nervosamente e ingolfo il motore. Ci vuole un po' di strada perché riprenda a girare regolarmente.

Torniamo dal saldatore e stavolta troviamo il padrone, un vecchio sui sessanta o settant'anni che mi guarda con un'aria sprezzante. Gli spiego la storia del carter; per un po' non mi risponde, poi dice: « Io non glielo smonto. Se lo smonti da sé ». Lo faccio e glielo porgo. Mi dice: « È tutto sporco di grasso ».

Nello spiazzo sul retro trovo un bastone e lo uso per grattar via il grasso. Restando dov'è il vecchio mi informa: « C'è del solvente in quel recipiente là ».

Quando gli mostro di nuovo il carter annuisce e senza la minima fretta va a regolare l'ossigeno. Poi controlla l'ugello e decide di usarne un altro. Proprio nessuna fretta. Prende una bacchetta di lega e, a questo punto, mi chiedo se ha davvero intenzione di *saldare* la lamiera sottile. Io la lamiera non la saldo. Faccio una brasatura a ottone. Quando la saldo, inevitabilmente faccio dei buchi che poi devo riempire con grosse gocce di lega. « Non fa una brasatura? » domando.

« No » risponde. Un tipo loquace.

Accende la torcia, la regola per avere una fiammella azzurra molto piccola e poi, roba da non credere, vedo il cannello e la bacchetta di lega letteralmente danzare sulla lamiera, ciascuno con il suo ritmo. La zona saldata è di un luminoso giallo-arancione, il cannello e la bacchetta calano sul metallo con perfetta sincronia, poi tornano indietro. Nessun buco. La traccia della saldatura è quasi invisibile. « Splendido lavoro » dico.

« Un dollaro » mi dice senza sorridere. Noto uno strano lampo beffardo nei suoi occhi: magari pensa di avermi chiesto troppo... No, qualcos'altro. Si sente solo, come la cameriera. Probabilmente pensa che lo sto prendendo in giro. Chi apprezza più lavori come questo?

Entro mezzogiorno la moto è carica e partiamo. Ci troviamo presto nella foresta di sequoie che si stende lungo la costa, tra l'Oregon e la California. Il traffico è così intenso che non abbiamo la possibilità di guardarci intorno. Il cielo è coperto e comincia a far freddo; ci fermiamo per infilare il maglione e la giacca. Abbiamo ancora freddo — la temperatura dev'essere intorno ai dieci gradi — e i nostri pensieri sono pensieri da inverno.

Quella gente sola, là in paese. Li ho visti al supermarket, in lavanderia e quando abbiamo pagato il conto del motel. Tutti questi camioncini adatti a camper tra le sequoie, pieni di pensionati solitari che guardano gli alberi in attesa di arrivare sull'oceano. Quello sguardo indagatore... lo cogli un attimo quando un volto nuovo ti guarda, poi, subito, scompare.

Ora di questa solitudine se ne vede molta di più. È paradossale che nelle grandi città costiere, sia all'ovest che all'est, quelle dove la gente vive più affollata, ci sia più solitudine. Dovrebbe essercene di più nell'Oregon occidentale, nell'Idaho, nel Montana, nel Nord e nel Sud Dakota, dove la gente è sparpagliata. Ma è la distanza psichica che conta.

L'America che abbiamo attraversato, l'America delle strade locali, dei canali scavati dai cinesi, dei cavalli, delle grandi catene montuose, delle lunghe meditazioni, dei bambini che raccolgono pigne, era dominata dalla realtà, da quello che avevamo *intorno* a noi; e la solitudine quasi non la sentivi. Probabilmente così doveva essere cento o duecento anni fa. Quasi nessuno intorno, ma poca solitudine.

La responsabilità di questa solitudine viene attribuita in gran parte alla tecnologia — e associata alla TV, ai jet, alle autostrade e così via —, ma spero di aver chia-

340

rito abbastanza che il vero male non sono i prodotti della tecnologia, quanto la tendenza che quest'ultima ha di isolare la gente, di abituarla a degli atteggiamenti di indifferenza al mondo. È l'oggettività, il modo dualistico di considerare le cose insito nella tecnologia, che è responsabile del male. Ecco perché mi è stato tanto difficile dimostrare come si potrebbe impiegare la tecnologia per distruggere il male. Se sai riparare una motocicletta — servendoti della Qualità — hai meno probabilità di rimanere senza amici di uno che non la sa riparare. Gli amici, inoltre, non vedranno in te una sorta di *oggetto*. Qualsiasi lavoro tu faccia, se trasformi in arte ciò che stai facendo, con ogni probabilità scoprirai di essere divenuto per gli altri una persona interessante e non un oggetto. Questo perché le tue decisioni, fatte tenendo conto della Qualità, cambiano anche *te*. Meglio: non solo cambiano te e il lavoro, ma cambiano anche gli altri, perché la Qualità è come un'onda. Quel lavoro di Qualità che pensavi nessuno avrebbe notato viene notato eccome, e chi lo vede si sente un pochino meglio: probabilmente trasferirà negli altri questa sua sensazione e in questo modo la Qualità continuerà a diffondersi.

È così che il mondo continuerà a migliorare. Dio, non voglio più entusiasmarmi per grandi programmi di pianificazione sociale che coinvolgono le vaste masse e che trascurano la Qualità individuale. Si può farne a meno, per un po'. C'è posto anche per loro, ma devono essere costruiti su basi solide: la presenza della Qualità in ciascuno degli individui che li sostengono. In passato questa Qualità individuale esisteva, e noi la sfruttavamo senza saperlo, come fosse una risorsa naturale: ora è quasi esaurita. In noi l'*enthousiasmos* si è pressoché spento. E penso che sia venuto il momento di ricostituire *questa* risorsa americana — il valore del singolo. È una cosa che certi reazionari ripetono da anni. Non sono uno di loro, ma se essi parlano dell'autentico valore dell'individuo, e se i loro discorsi non sono un semplice pretesto per arricchire ulteriormente chi è già ricco, allora io ritengo che abbiano ragione. Abbiamo *davvero* bisogno di riacquistare l'integrità individuale, la fiducia in noi stessi e l'*enthousiasmos* dei vecchi tempi.

Fedro prese un'altra strada. Per me era una strada sbagliata, ma se mi fossi trovato nella sua situazione forse avrei fatto lo stesso. Lui era convinto che la soluzione stesse in una nuova filosofia, anzi, per lui il problema era ancora più vasto: parlava di una nuova *razionalità* spirituale, nella quale le brutture, la solitudine e il vuoto spirituale della ragione tecnologica e dualistica sarebbero divenuti illogici. La ragione non sarebbe più stata « neutrale rispetto ai valori », ma logicamente subordinata alla Qualità. Fedro era certo che avrebbe scoperto perché al tempo dei greci antichi essa non lo era stata. Il loro *mythos* aveva dato alla nostra cultura quella tendenza che sottende tutto ciò che è male nella nostra tecnologia, la tendenza *a fare ciò che è « ragionevole » anche se non fa bene a nessuno*. Qui stava la radice di tutto. Molto tempo fa ho detto che Fedro inseguiva il fantasma della ragione. Ecco ciò che volevo dire. Molto tempo fa, chissà quando, ragione e Qualità si sono staccate e sono entrate in conflitto tra loro; la Qualità è stata schiacciata e la ragione l'ha avuta vinta.

Ha cominciato a piovigginare, ma non tanto da costringerci a fermarci. La strada sbocca dalla foresta di alberi altissimi e ci troviamo sotto un cielo grigio.

Ho riletto Aristotele, cercando tutto il male che appare nei frammenti di Fedro, ma non l'ho trovato. Ci ho trovato invece quasi esclusivamente un'ottusa raccolta di generalizzazioni, molte delle quali ingiustificabili alla luce delle conoscenze moderne; la loro struttura è molto rudimentale e ha un aspetto primitivo, lo stesso degli antichi vasi greci nei musei. Sono sicuro che se ne sapessi di più non la troverei affatto primitiva, ma così non riesco a capire che cosa provocasse la rabbia di Fedro. Certo non vedo in Aristotele una fonte basilare di valori positivi o negativi.

La Retorica è un'arte, incominciava Aristotele, *perché può essere ridotta a un ordine razionale.*

Questa affermazione lasciò Fedro esterrefatto. Era preparato a decodificare messaggi estremamente sottili e sistemi di grande complessità, e invece si trovava davanti una scemenza come quella!

La retorica può essere divisa da una parte in dimostrazioni e argomenti particolari, dall'altra in dimostrazioni generali. Le dimostrazioni particolari possono essere divise a loro volta in metodi dimostrativi e tipi di dimostrazione. I metodi dimostrativi sono le dimostrazioni artificiali e le dimostrazioni non artificiali. Delle dimostrazioni artificiali fanno parte le dimostrazioni etiche, quelle emotive e quelle logiche. Tra le dimostrazioni etiche vi sono la saggezza pratica, la virtù e la buona volontà. I metodi particolari che utilizzano le dimostrazioni artificiali di tipo etico implicanti la buona volontà richiedono la conoscenza delle emozioni; Aristotele, per coloro che le avessero dimenticate, ne fornisce l'elenco. Sono la collera, l'odio (a sua volta divisibile in disprezzo, rancore e insolenza), la tenerezza, l'amore ovvero l'amicizia, il timore, la fiducia, la vergogna, l'impudenza, l'indulgenza, la benevolenza, la pietà, la giusta indignazione, l'invidia e l'emulazione.

Ricordate la descrizione della motocicletta che feci nel Sud Dakota? Quella in cui venivano enumerate dettagliatamente le sue varie componenti e funzioni? Vedete la somiglianza? Fedro era convinto che quello stile intellettuale avesse avuto qui le sue origini. Infatti, una pagina dopo l'altra, Aristotele tirava avanti come un qualunque istruttore tecnico di terz'ordine, dava un nome a ogni parte, mostrava le relazioni reciproche, ogni tanto inventava una nuova relazione tra le cose nominate, e poi attendeva la campanella per andare a ripetere la lezione in un'altra classe.

Invano Fedro cercò tra le righe un solo dubbio, una sola inquietudine. Trovò soltanto l'eterna boria dell'accademico di professione. Aristotele pensava davvero che i suoi studenti sarebbero stati retori migliori dopo aver imparato quella sequela di nomi e di relazioni? E se per caso non lo pensava, era davvero convinto di insegnare retorica? Fedro credeva di sì. Dallo stile, nulla indicava che Aristotele si sognasse di dubitare di Aristotele. Secondo Fedro, Aristotele era spaventosamente soddisfatto della sua piccola mania di dare un nome e una classificazione a ogni cosa. Vedeva in lui il prototipo dell'insegnante tronfio e ignorante che per secoli, con questo ottuso rituale analitico, con questo cieco, vacuo ed eterno dare nomi alle cose, ha ucciso lo spirito creativo dei suoi allievi.

Le lezioni su Aristotele si tenevano intorno all'enorme tavolo rotondo di un'aula tetra di fronte a un ospedale, dove il sole del tardo pomeriggio riusciva a penetrare a malapena. Dopo qualche lezione, alla fine dell'ora Fedro domandò: « Si possono fare domande sulla retorica di Aristotele? ».

« Sì, se ha letto il testo » gli venne risposto. Notò che il professore di filosofia aveva lo stesso sguardo che gli aveva visto il giorno in cui si era iscritto. Si ritenne avvertito: doveva studiare il testo fino in fondo, e così fece.

La pioggia si fa più fitta e ci fermiamo per sistemare la visiera. Poi ripartiamo a velocità moderata. Faccio attenzione alle buche, alla sabbia e alle macchie d'olio.

La settimana successiva Fedro aveva letto il testo ed era pronto a fare a pezzi l'affermazione secondo la quale la retorica è un'arte perché può essere ridotta a un ordine razionale. Con questo criterio la

General Motors produceva arte pura e Picasso no. Se in Aristotele era possibile trovare significati più profondi di quelli che ci aveva trovato lui, questo era il posto migliore per saperlo.

Non ebbe mai la possibilità di fare la domanda. Alzò la mano, colse un lampo malevolo della durata di un microsecondo nell'occhio del professore, ma a questo punto un altro studente, quasi interrompendolo, disse: « Credo che alcune di queste affermazioni siano molto discutibili ».

Fu tutto quello che riuscì a dire.

« Non siamo qui per imparare quel che pensa *lei*! » sibilò il professore di filosofia. « Siamo qui per imparare quel che pensa *Aristotele*! ». Dritto in faccia. « Quando vorremo imparare quel che pensa lei, terremo un corso sull'argomento! ».

Silenzio. Lo studente è pietrificato. E anche tutti gli altri.

Il professore di filosofia però non ha finito. Punta il dito contro lo studente e domanda: « Secondo Aristotele, quali sono le tre forme retoriche suddivise in base all'argomento trattato? ».

Lo studente non lo sa. « Allora non ha *letto* il testo, vero? ».

E ora, con un'espressione soddisfatta dalla quale si vede benissimo che non aspettava che questo, il professore di filosofia punta il dito contro Fedro.

« Quali sono le tre forme retoriche suddivise in base all'argomento trattato? ».

Fedro però è preparato. « Forense, deliberativa ed epidittica » risponde tranquillo.

« Quali sono le tecniche dell'epidittica? ».

« La tecnica di identificare le somiglianze, la tecnica della lode, quella dell'encomio e quella dell'amplificazione ».

« Esatto... » dice lentamente il professore di filosofia. Cade il silenzio.

Gli altri studenti sembrano sotto shock. Si domandano cos'è successo. Solo Fedro lo sa e, forse, il professore. Uno studente innocente si è preso un colpo destinato a Fedro.

Ora tutti cercano di darsi un contegno per scongiurare altre domande di questo genere. Il professore ha commesso un errore. Ha sprecato la sua autorità disciplinare con uno studente innocente, mentre Fedro, il colpevole, il nemico, è ancora fuori tiro. E lo sarà sempre di più. Dato che non ha fatto domande non c'è modo di stangarlo; e visto il tipo di risposte, sicuramente non ne farà.

Lo studente innocente fissa il piano del tavolo, rosso in viso, facendosi schermo agli occhi con le mani. La sua vergogna diventa il furore di Fedro. In tutti i corsi che ha tenuto non si è mai rivolto a uno studente in quel modo. Ecco come insegnano i classici all'Università di Chicago. Ora Fedro conosce il professore di filosofia. Ma il professore di filosofia non conosce Fedro.

Mentre ci avviciniamo a Crescent City, California, il cielo è piovoso e grigio. Chris e io guardiamo davanti a noi e, lontano, dietro le banchine e i fabbricati grigi, vediamo l'oceano. Mi viene in mente che per tutto il tempo è stato questo il nostro obiettivo. Entriamo in un ristorante dalla ricercata moquette rossa dove ci danno un ricercato e costosissimo menù. Siamo gli unici clienti. Mangiamo in silenzio, paghiamo e ripartiamo verso sud avvolti da una bruma fredda.

Alle lezioni successive lo studente umiliato non si presenta più. Non c'è da sorprendersi. La classe è raggelata, come inevitabilmente accade quando si verifica un incidente del genere. A ogni lezione non parla che uno, il professore di filosofia. Parla e parla e parla a facce che si sono trasformate in maschere impassibili.

Sembra che il professore sappia benissimo che cosa è successo. Il lampo malevolo si è trasformato in un lampo di paura; gli sembra di aver capito che a tempo debito, date le circostanze, potrà capitargli di subire il trattamento che ha inflitto, senza nessuna simpatia da parte di coloro che ha di fronte. Ha perduto ogni diritto alla cortesia. L'unico modo di evitare la rappresaglia è quello di stare con le spalle coperte, e per farlo deve studiare molto e non fare il minimo errore. Di questo Fedro è consapevole. Lui, tacendo, può studiare in condizioni di privilegio.

D'altra parte Fedro non aveva certo l'atteggiamento imparziale del buon studente: adottò nei confronti di Aristotele gli stessi metodi sleali che questi aveva adottato nei confronti dei suoi predecessori, che gli rompevano le uova nel paniere.

Aristotele, sistemando la retorica in una categoria ridicolmente bassa nel suo ordine gerarchico della realtà, rompeva le uova nel paniere a Fedro. La retorica era un ramo della Scienza Pratica, parente povera dell'*altra* Scienza, la Teoretica, quella che ad Aristotele interessava di più. Come ramo della Scienza Pratica, la retorica non aveva nulla a che vedere con la Verità, il Bene o il Bello, se non in quanto utili artifici dialettici. Nel sistema di Aristotele, quindi, la Qualità è del tutto scissa dalla retorica. Questo, dato anche il livello atroce della retorica dello stesso Aristotele, gli dava talmente ai nervi che non riusciva a leggere una sola sua riga senza cercare il modo di attaccarlo.

Il professore di filosofia faceva lezione e Fedro ascoltava, attento sia alla forma classica sia alla superficie romantica. Il professore pareva particolarmente sulle spine quando parlava di « dialettica ». La dialettica, eh?

In modo del tutto sviante il libro di Aristotele iniziava con la dialettica. La retorica, diceva, è la controparte della dialettica, come se la cosa fosse estremamente importante; perché lo fosse, però, non veniva mai spiegato. Seguiva una serie di altre affermazioni farraginose. L'unica cosa chiara era che Aristotele si preoccupava molto del rapporto tra retorica e dialettica, e secondo Fedro anche lui, come il professore, quando parlava di questo era sulle spine.

Il professore di filosofia la definizione di dialettica l'aveva data, ma a Fedro era entrata da un orecchio per uscire dall'altro — cosa che in filosofia capita spesso quando è stato omesso qualcosa. Durante una delle lezioni uno studente, che pareva nutrire gli stessi dubbi di Fedro, aveva chiesto al professore di ripetere la definizione; il professore aveva guardato Fedro con quel piccolo lampo di paura nello sguardo e si era *molto* innervosito. Fedro cominciò a domandarsi se, per caso, nella parola ' dialettica ' ci fosse un qualche significato speciale che ne facesse una parola-chiave, una parola che, a seconda della sua posizione, poteva modificare l'equilibrio di un'argomentazione. Era proprio così.

In senso generale, *dialettica* significa « della natura del dialogo », e il dialogo è la conversazione tra due persone. Oggi invece significa « argomentazione logica ». Essa implica una tecnica di interrogazione mediante la quale si giunge alla verità. È il modo di discorrere di Socrate nei *Dialoghi* di Platone. Platone era convinto che la dialettica fosse il solo metodo che permetteva di giungere alla verità.

Ecco perché è una parola-chiave. Aristotele aveva criticato duramente questa affermazione, sostenendo che la dialettica era utile solo per qualche scopo specifico: indagare sulle convinzioni dell'individuo, giungere alle verità sulle forme eterne, conosciute come *Idee*, le quali per Platone erano fisse e immutabili e costituivano la realtà. Aristotele diceva che esiste anche il metodo scientifico, detto anche metodo « fisico », mediante il quale si osservano i fenomeni fisici e si giunge alle verità relative alle sostanze, che non sono immutabili. Questi sono elementi centrali della filosofia di Aristotele: di conseguenza, detronizzare la dialettica era per lui essenziale, e ' dialettica ' era ancora una parola-chiave.

Probabilmente, pensò Fedro, lo svilimento della dialettica da parte di Aristotele poteva far infuriare un moderno seguace di Platone proprio quanto doveva aver fatto infuriare Platone stesso. Il professore di filosofia non sapeva quale fosse la ' posizione ' di Fedro, e quindi si innervosiva. Forse aveva paura che Fedro, seguace di Platone, gli desse contro. Non sapeva che Fedro non si sentiva insultato perché la dialettica era stata abbassata al livello della retorica, ma perché la retorica era stata abbassata al livello della dialettica.

La persona in grado di chiarire ogni cosa era ovviamente Platone che, guarda caso, fu il primo a presentarsi nella tetra aula di fronte all'ospedale.

Seguiamo la costa, infreddoliti, bagnati e depressi. In questo momento non piove, ma il cielo non lascia speranze. A un certo punto vedo una spiaggia e della gente che passeggia sulla sabbia bagnata. Sono stanco e mi fermo.

Scendendo Chris domanda: « Perché ci siamo fermati? ».

« Sono stanco » dico. Dall'oceano arriva un vento freddo. Mi distendo dove il vento ha formato delle dune, che ora sono bagnate di pioggia e hanno un colore scuro. Il freddo mi passa un po'.

Dopo un po' arriva Chris e dice che vuole ripartire. Sulle rocce ha trovato delle strane piante coi tentacoli: se li tocchi si ritraggono. Lo seguo e, tra un'ondata e l'altra, vedo che sono anemoni di mare; non sono piante, ma animali. Spiego a Chris che i tentacoli possono paralizzare i pesci piccoli. La marea dev'essere al minimo, altrimenti non li vedremmo.

Inforchiamo la motocicletta e ci rimettiamo in strada, diretti a sud. Di quando in quando la pioggia si fa più intensa; allora abbasso la visiera per non sentirmi pungere il viso, però mi dà fastidio e la tiro su appena la pioggia si dirada. Dovremmo raggiungere Arcata prima che faccia buio, ma non voglio correre troppo sul fondo bagnato.

Credo sia stato Coleridge a dire che ciascuno di noi è un platonico o un aristotelico. La gente che non riesce a sopportare le interminabili minuzie di Aristotele è generalmente portata ad amare le elevate generalizzazioni di Platone. Quelli che non riescono a sopportare l'eterno, eccelso idealismo di Platone accolgono con favore i fatti terra terra di Aristotele. Platone ha l'essenza del ricercatore del Buddha, che si ripresenta a ogni generazione e avanza innalzandosi verso l'« uno ». Aristotele è l'eterno meccanico di motociclette che preferisce il « molteplice ». Sotto questo aspetto anch'io sono piuttosto aristotelico, preferisco trovare il Buddha nella Qualità dei fatti che mi circondano; Fedro, invece, era per temperamento un platonico, e quando le lezioni si spostarono su Platone si sentì grandemente sollevato. La sua Qualità e il Bene di Platone erano talmente simili che, non fosse per certi appunti che Fedro ha lasciato, avrei pensato che fossero identici. Lui lo negava, invece, e a tempo debito arrivai a capire quanto il suo diniego fosse importante.

Ma il corso non s'interessava alla nozione del Bene in Platone, quanto alla sua nozione di retorica. Platone dice con estrema chiarezza che la retorica non ha nessun legame con il Bene; anzi è « il Male ». Dopo i tiranni, le persone che Platone odia di più sono i retori.

Il primo dei *Dialoghi* di Platone di cui viene richiesto lo studio è il *Gorgia*, e Fedro ha la sensazione di essere arrivato alla meta. Finalmente...

Per tutto il corso si è sentito come sospinto da forze che non capisce — forze messianiche. Ottobre è arrivato e se n'è andato. Le giornate sono ormai eteree, indistinte, salvo in termini di Qualità. Niente ha importanza, salvo il fatto che sta per nascergli dentro una nuova, catastrofica verità che sconvolgerà il mondo. Che gli piaccia o no, il mondo sarà costretto ad accettarla.

Nel dialogo di Platone, Gorgia è il nome di un sofista che Socrate interroga. Socrate inizia la sua Dialettica delle Venti Domande. Di che cosa si occupa la retorica? Del discorso, risponde Gorgia. Qual è il suo fine? Quello di persuadere. E il suo posto? Nei tribunali e nelle assemblee. Il suo soggetto? Ciò che è giusto e ciò che è ingiusto. Tutto ciò, che è semplicemente la descrizione da parte di Gorgia di quello a cui miravano quelle persone chiamate sofisti, viene sottilmente trasformato dalla dialettica di Socrate in qualcos'altro. La retorica è diventata un oggetto e in quanto oggetto è fatta di singole parti. Queste parti sono immutabili e in rapporto tra loro. In questo dialogo si vede con assoluta chiarezza come il coltello analitico di Socrate faccia a pezzi l'arte di Gorgia. Ma, cosa ancora più importante, si vede che questi pezzi sono le fondamenta dell'arte della retorica di Aristotele.

Socrate era stato uno degli eroi dell'infanzia di Fedro e questo dialogo lo sconvolse e lo irritò. A un certo punto Socrate domanda a quale classe di cose si riferiscano le parole che la retorica impiega. Gorgia risponde: « A ciò che vi è di più grande e di migliore ». Fedro, che senza dubbio ha riconosciuto in questa risposta la Qualità, annota sul margine « Vero! ». Socrate però obietta che la risposta di Gorgia è ambigua. È ancora « all'oscuro ». « Bugiardo! » scrive Fedro, e, sotto, segna la pagina di un altro dialogo in cui si capisce chiaramente che Socrate non può affatto essere « all'oscuro ».

Socrate non usa la dialettica per comprendere la retorica, ma per distruggerla, o per lo meno per screditarla. Le sue domande, quindi, non sono vere domande, sono solo tranelli verbali.

Il professore di filosofia, notando la diligenza e l'apparente buona condotta di Fedro, ha deciso che, dopotutto, non deve trattarsi di un cattivo studente. È il suo secondo errore. Pensa bene di fare un giochetto chiedendo a Fedro che cosa pensi dell'arte culinaria. Socrate ha dimostrato a Gorgia che tanto la retorica quanto l'arte culinaria sono branche dell'arte della ruffianeria, in quanto ambedue fanno più appello alle emozioni che alla vera conoscenza.

Fedro risponde con Socrate che l'arte culinaria è un ramo della ruffianeria.

Una delle ragazze fa una risatina. Il professore si acciglia e riprova. « No. Voglio dire, lei ritiene davvero che un pasto ben cucinato servito nel migliore dei ristoranti sia una cosa da rifiutare? ».

Fedro domanda: « Lei desidera la mia opinione *personale*? ». Da mesi ormai, da quando è scomparso lo studente umiliato, nessuno si azzarda a esprimere opinioni personali.

« Proprio così » dice il professore.

Fedro tace e cerca una risposta. Tutti attendono. Il suo pensiero si muove con la velocità del lampo, provando varie mosse d'apertura, come per una partita a scacchi. Tutta la classe assiste in silenzio. Dopo un po', imbarazzato, il professore lascia cadere la domanda e inizia la lezione.

Fedro non lo ascolta. La sua mente continua a lavorare. La sua rabbia aumenta man mano che gli si fa sempre più evidente la cattiveria, la meschinità e la bassezza dell' ' arte ' chiamata dialettica. Il professore, notando la sua espressione, si allarma e prosegue la lezione in preda a una specie di panico. La mente di Fedro arriva finalmente a vedere una sorta di forza maligna, una forza annidata dentro lui stesso, che *finge* di cercare di capire l'amore, la bellezza, la verità e la saggezza, mentre il suo vero scopo è di abbatterle usurpandone il trono. La dialettica... l'usurpatrice. Questa *parvenue* che cerca di intrufolarsi in tutto ciò che è Bene cercando di impadronirsene e di prenderne il controllo. Il Male. Il professore conclude la lezione in anticipo e scappa in fretta.

Gli studenti se ne vanno in silenzio e Fedro rimane

solo, seduto all'enorme tavolo rotondo, finché il sole non scompare, la stanza diventa grigia e poi cala l'oscurità.

Il giorno dopo è davanti alla porta della biblioteca prima dell'orario di apertura. Appena dentro si mette a leggere furiosamente, ritornando per la prima volta *alle spalle* di Platone, esaminando quel poco che si sa di quei retori da lui tanto disprezzati. Ciò che scopre comincia a confermare quel che i pensieri della sera prima gli hanno già fatto intuire.

La condanna dei sofisti da parte di Platone è una di quelle cose che numerosi studiosi hanno accettato con molte riserve. Lo stesso direttore del programma ha suggerito che i critici che non sono certi di quel che volesse dire Platone non dovrebbero essere certi nemmeno di quel che volessero dire gli antagonisti di Socrate. Siccome si sa che Platone pone i propri discorsi in bocca a Socrate (è Aristotele a dirlo), non c'è motivo di dubitare che egli possa aver messo i propri discorsi anche in bocca agli altri.

Dai frammenti di altri antichi autori pareva di poter valutare i sofisti diversamente. Molti tra i sofisti più antichi venivano nominati ambasciatori delle loro città, carica certo degna di rispetto. L'appellativo di sofista veniva dato persino agli stessi Socrate e Platone, senza alcun intento dispregiativo. Qualche storico successivo ha persino suggerito che il motivo per cui Platone odiava tanto i sofisti era che costoro non erano all'altezza del suo maestro Socrate, il quale, in realtà, era il più grande di tutti i sofisti. Fedro ritiene la spiegazione interessante ma non soddisfacente. Non si aborrisce una scuola di cui fa parte il proprio maestro. Qual era la *vera* intenzione di Platone? Per scoprirlo Fedro si addentra sempre più nel pensiero dei presocratici e alla fine si rende conto che l'odio di Platone per i retori era parte di una lotta molto più vasta in cui la realtà del Bene, rappresentata dai sofisti, e la realtà della Verità, rappresentata dai dialettici, erano impegnate in un enorme scontro per il possesso della mente degli uomini che sarebbero venuti dopo di loro. Vinse la Verità. Ecco perché oggi ci è tanto facile accettare la realtà della Verità e tanto difficile accettare quella della Qualità, benché non ci sia accordo né sull'una né sull'altra.

Per comprendere come Fedro giunse a questo, sono necessarie alcune spiegazioni:

Come prima cosa bisogna abbandonare l'idea che tra l'ultimo uomo delle caverne e i primi filosofi greci l'intervallo sia stato breve. Prima che i filosofi greci arrivassero sulla scena, varie civiltà avanzate si svilupparono per un arco di tempo *cinque volte* maggiore di quello abbracciato dalla nostra storia scritta. Il fatto che gli uomini del tempo non facessero la cronaca delle loro giornate o che comunque i loro scritti non siano arrivati fino a noi può talvolta trarre in inganno. In realtà il Medioevo fu semplicemente il riaffermarsi di un sistema di vita naturale momentaneamente interrotto dai greci.

La filosofia greca arcaica è la prima ricerca cosciente di ciò che è imperituro nella vita degli uomini. Fino a quel momento ciò che era imperituro riguardava gli dèi, i miti. Ma col passare del tempo i greci, con animo sempre più sgombro nei confronti del mondo che li circondava, andarono maturando una maggiore capacità di astrazione, che permetteva di vedere nel vecchio *mythos* greco non una verità rivelata ma una fantasiosa creazione dell'arte. Questa consapevolezza, che mai prima d'allora era esistita sulla scena del mondo, dava alla civiltà greca un livello di trascendenza del tutto nuovo.

Ma il *mythos* prosegue e ciò che distrugge il vecchio diventa il nuovo; a sua volta il nuovo *mythos*, trattato dai primi filosofi ionici, si trasforma in filosofia, e la filosofia serba la permanenza in modo nuovo, come qualcosa di sacro. La permanenza non faceva più parte del dominio esclusivo degli Dèi Immortali. La si trovava anche nei Princìpi Eterni: la nostra legge di gravità, per esempio, è divenuta uno di questi princìpi.

Al Principio immortale fu dato da Talete il nome di acqua. Da Anassimene, il nome di aria. I pitagorici scelsero i numeri, e furono quindi i primi a vedere il Principio Immortale come entità non materiale. Eraclito diede al Principio Immortale il nome di fuoco e sancì l'importanza fondamentale del divenire. Disse che il mondo esiste come conflitto e come tensione degli opposti. Disse che c'è l'Uno e che c'è il Molteplice, e che l'Uno è la legge universale immanente a tutte le cose. Anassagora fu il primo a identificare nell'Uno il *nous*, vale a dire la mente.

Parmenide fu il primo a chiarire che il principio immortale — l'Uno, la Verità, Dio — è separato dall'apparenza e dall'opinione umana; l'importanza di queste separazioni in rapporto alla storia successiva non sarà mai sottolineata abbastanza. È qui che la mente classica, per la prima volta, abbandona le sue origini romantiche e dice: « Il Bene e la Verità non sono necessariamente la stessa cosa », proseguendo poi per la sua strada. Anassagora e Parmenide avevano un ascoltatore che si chiamava Socrate, il quale portò le loro idee a piena maturazione.

Ciò che a questo punto bisogna assolutamente capire è che, fino a quel momento, la dualità di spirito e materia, soggetto e oggetto, sostanza e forma, non esisteva. Queste divisioni non sono che invenzioni dialettiche venute dopo. La mente moderna a volte è restia a crederci e dice: « Be', le divisioni c'erano, ai greci non restava che scoprirle »; la risposta è: « *Dove?* Mostrate dove! ». Come ha detto Fedro, quelle divisioni sono solo fantasmi, dèi immortali del *mythos* moderno che ci appaiono reali perché anche noi siamo *dentro* quel *mythos*. In realtà sono una creazione artistica, proprio come gli dèi antropomorfi che hanno sostituito.

I filosofi presocratici che ho nominato tentarono tutti di trovare un principio immortale e universale nel mondo che li circondava, e questo ci permette di situarli in una categoria unica che si potrebbe chiamare categoria dei cosmologi. Tutti erano convinti che un simile principio esistesse, ma sembrava impossibile superare il disaccordo su quale esso fosse. I discepoli di Eraclito insistevano nel dire che il principio immortale era il divenire. Zenone, invece, discepolo di Parmenide, mediante una serie di paradossi dimostrò che qualunque percezione del divenire è illusoria. La realtà dev'essere immobile.

La soluzione dei cosmologi venne da una direzione del tutto nuova, grazie a un gruppo che agli occhi di Fedro era quello dei primi umanisti. Erano insegnanti, e ciò che insegnavano non erano i princìpi, ma le credenze degli uomini. Il loro scopo non era una singola verità assoluta, ma il miglioramento degli uomini. Dicevano che tutti i princìpi e tutte le verità sono relativi. « L'uomo è la misura di tutte le cose ». Erano questi i famosi insegnanti di « saggezza », i sofisti dell'antica Grecia.

Secondo Fedro questa luce di fondo nel conflitto tra sofisti e cosmologi dà una dimensione del tutto nuova ai dialoghi di Platone. Socrate non enuncia nobili idee nel vuoto, ma nel bel mezzo di una guerra tra quelli che credono che la verità sia assoluta e quelli che credono che sia relativa.

Adesso l'odio di Platone per i sofisti ha un senso. Lui e Socrate difendono la verità, la conoscenza, ciò che non dipende dall'opinione del singolo. L'ideale per cui morì Socrate. L'ideale che, per la prima volta nella storia del mondo, la Grecia sola possiede. Platone aborre e maledice i sofisti perché essi minacciano il primo, fragile tentativo dell'umanità di afferrare l'idea della Verità.

Il risultato del martirio di Socrate e della prosa inimitabile di Platone non è altro che il mondo dell'uomo occidentale così come noi lo conosciamo. Se l'idea di Verità fosse morta e il Rinascimento non l'avesse riscoperta, oggi non saremmo molto più avanti dell'uomo preistorico. Le idee della scienza e della tecnologia e tutti gli altri sforzi umani organizzati sistematicamente sono centrati sull'idea di Verità.

E tuttavia Fedro capisce che la sua concezione della Qualità si oppone in qualche modo a tutto ciò. Sembra più vicina alla visione del mondo dei sofisti.

« L'uomo è la misura di tutte le cose ». Sì, *questo* lui dice della Qualità. L'uomo non è la *fonte* di tutte le cose, come direbbero gli idealisti soggettivi. E non ne è nemmeno l'osservatore passivo, come direbbero gli idealisti e i materialisti. La Qualità che crea il mondo emerge come *rapporto* tra l'uomo e la sua esperienza. L'uomo è *partecipe* della creazione di tutte le cose. La *misura* di tutte le cose... i conti tornano. E insegnavano retorica...

L'unico conto che non torna è che i sofisti — per bocca di Platone — dichiaravano di insegnare la *virtù*. Tutte le fonti indicano che questo era il punto assolutamente centrale del loro insegnamento, ma come è possibile insegnare la virtù quando si sancisce la relatività di tutte le idee morali? La virtù implica un assoluto morale. E come facevano a estrarre la *virtù* dalla retorica? A questo non c'è nessuna spiegazione. Deve mancare qualcosa.

La ricerca dell'elemento mancante porta Fedro a leggere vari volumi di storia della Grecia antica. Leggendo *The Greeks* [I greci] di H.D.F. Kitto, giunge al passo in cui si descrive « l'anima autentica dell'eroe omerico ». Il lampo di illuminazione che segue queste pagine è talmente intenso che l'immagine degli eroi non gli uscirà mai dalla mente e anch'io, oggi, li ricordo senza difficoltà.

Nell'*Iliade* la moglie di Ettore dice al marito:

...Oh troppo ardito!
Il tuo valor ti perderà: nessuna
Pietà del figlio né di me tu senti,
Crudel, di me, che vedova infelice
Rimarrommi tra poco, perché tutti

Di conserto gli Achei contro te solo
Si scaglieranno a trucidarti intesi:
E a me fia meglio allor, se mi sei tolto
L'andar sotterra.

  Il marito risponde:

    Dolce consorte, le rispose Ettorre,
Ciò tutto, che dicesti, a me pur anco
Ange il pensier: ma de' Troiani io temo
Fortemente lo spregio, e dell'altere
Troiane donne, se guerrier codardo
Mi tenessi in disparte, e della pugna
Evitassi i cimenti. Ah! nol consente,
No, questo cor. Da lungo tempo appresi
Ad esser forte, ed a volar tra' primi
Negli acerbi conflitti alla tutela
Della paterna gloria e della mia.
Giorno verrà, presago il cor mel dice,
Verrà giorno che il sacro iliaco muro
E Priamo e tutta la sua gente cada.
Ma né de' Teucri il rio dolor, né quello
D'Ecuba stessa, né del padre antico,
Né de' fratei, che molti e valorosi
Sotto il ferro nemico nella polve
Cadran distesi, non mi accora, o donna,
Sì di questi il dolor, quanto il crudele
Tuo destino, se fia che qualche Acheo,
Del sangue ancor de' tuoi lordo l'usbergo,
Lagrimosa ti tragga in servitude.
Misera! in Argo all'insolente cenno
D'una straniera tesserai le tele:
Dal fonte di Messide o d'Iperèa,
(Ben repugnante, ma dal fato astretta)
Alla superba recherai le linfe;
E vedendo talun piovere il pianto
Dal tuo ciglio, dirà: « Quella è d'Ettorre
L'alta consorte, di quel prode Ettorre,
Che fra' troiani eroi di generosi

Cavalli agitatori era il primiero,
Quando intorno a Ilïon si combattea ».
Così dirassi da qualcuno: e allora
Tu di nuovo dolor l'alma trafitta
Più viva in petto sentirai la brama
Di tal marito a sciôr le tue catene.
Ma pria morto la terra mi ricopra,
Ch'io di te schiava i lai pietosi intenda.
 Così detto, distese al caro figlio
L'aperte braccia. Acuto mise un grido
Il bambinello, e declinato il volto,
Tutto il nascose alla nudrice in seno,
Dalle fiere atterrito armi paterne,
E dal cimiero, che di chiome equine
Alto su l'elmo orribilmente ondeggia.
Sorrise il genitor, sorrise anch'ella
La veneranda madre: e dalla fronte
L'intenerito eroe tosto si tolse
L'elmo e raggiante sul terren lo pose.
Indi baciato con immenso affetto,
E dolcemente tra le mani alquanto
Palleggiato l'infante, alzollo al cielo,
E supplice esclamò: — Giove pietoso,
E voi tutti, o Celesti, ah! concedete,
Che di me degno un dì questo mio figlio
Sia splendor della patria, e de' Troiani
Forte e possente regnator. Deh! fate
Che il veggendo tornar dalla battaglia
Dell'armi onusto de' nemici uccisi,
Dica talun: *Non fu sì forte il padre*:
E il cor materno nell'udirlo esulti.

« Ciò che spinge il guerriero greco a compiere imprese eroiche » osserva Kitto « non è un senso del dovere come noi oggi lo intendiamo, dovere cioè nei confronti degli altri: è piuttosto dovere nei confronti di se stesso. L'eroe greco non aspira a ciò che noi traduciamo con la parola " virtù " ma a ciò che in Grecia si chiama *areté*, " eccellenza "... Dell'*areté* dovremo parlare ancora e a lungo, perché nella vita greca la si incontra dappertutto ».

Ecco, pensa Fedro, una definizione della Qualità che esisteva mille anni prima che i dialettici avessero cercato di catturarla coi loro tranelli verbali. Se qualcuno non ne afferra il significato senza bisogno di *definiens*, *definendum* e *differentia*, o mente, oppure il suo distacco dall'umanità è tale che non vale la pena di rispondergli. Fedro è affascinato anche dal concetto di « dovere nei confronti di se stessi », che è la traduzione pressoché esatta del termine sanscrito *dharma*, e che, a volte, è descritto come l'« uno » degli indù. È possibile che il *dharma* degli indù e la « virtù » degli antichi greci siano identici?

Qualità! Virtù! Dharma! Ecco che cosa insegnavano i sofisti! *Non* la relatività della morale. *Non* la « virtù » ideale, ma l'*areté*. L'eccellenza. Il *dharma*! Prima della Chiesa della Ragione. Prima della sostanza. Prima della forma. Prima dello spirito e della materia. Prima della stessa dialettica. La Qualità era assoluta. Quei primi maestri del mondo occidentale insegnavano la *Qualità*, e il mezzo che avevano scelto a questo scopo era la Retorica. Fedro era sulla buona strada fin dall'inizio.

La pioggia si è calmata quanto basta per permetterci di distinguere l'orizzonte, una linea netta che divide il grigio pallido del cielo da quello più cupo dell'acqua.

Kitto ha altre cose da dire riguardo all'*areté*. « Quando in Platone incontriamo la parola *areté*, » scrive « la traduciamo con " virtù ", e di conseguenza veniamo a perderne tutto il sapore. " Virtù ", almeno ai nostri tempi, ha un senso quasi esclusivamente morale; *areté*, invece, viene utilizzata indifferentemente in ogni ambito e significa semplicemente eccellenza. Quindi l'eroe dell'*Odissea* è un grande combattente, un astuto intrigante, un ottimo parlatore, un uomo dal cuore saldo e di grande saggezza che sa di dover sopportare senza lamentarsi troppo quel che gli dèi gli mandano; ed è capace di costruire e di guidare una barca, di tracciare un solco più dritto di chiunque altro, di lanciare il disco meglio di un giovane fanfarone, di sfidare i giovani feaci al pugilato, alla lotta o alla corsa. Sa uccidere, scuoiare, macellare e cuocere un bue e una canzone lo può commuovere fino alle lacrime. In realtà, è abile in tutto; la sua *areté* è insuperabile. L'*areté* implica il rispetto per la totalità e l'unicità della vita e, di conseguenza, il rifiuto della specializzazione. Implica il disprezzo per l'efficienza... O, piuttosto, una concezione molto più elevata dell'efficienza, che esiste non in un solo settore della vita, ma nella vita stessa ».

Fedro ricordò un'affermazione di Thoreau: « Non si guadagna mai nulla senza perdere qualcos'altro ». Ora per la prima volta cominciò a vedere in tutta la sua immensità ciò che l'uomo aveva perduto nel guadagnare la capacità di comprendere e di dominare il mondo in termini di verità dialettiche.

La pace della mente si può raggiungere anche solo contemplando l'orizzonte. È una linea da geometra... Assolutamente piatta, continua e conosciuta. Forse è la linea originale che fece intuire a Euclide l'idea di linearità, una linea di riferimento dalla quale derivarono i calcoli originali dei primi astronomi che stesero la mappa delle stelle.

Fedro sapeva, con la medesima sicurezza matematica che aveva provato Poincaré quando aveva risolto le equazioni fuchsiane, che questa *areté* dei greci era la tessera mancante del mosaico. Comunque, continuò a leggere fino in fondo.

L'aureola intorno al capo di Platone e di Socrate è ormai scomparsa. Fedro si rende conto che essi fanno esattamente ciò di cui accusano i sofisti: usano un linguaggio emotivamente persuasivo allo scopo di far apparire più forte l'argomentazione più debole, e questo a favore della dialettica.

Ma perché? si chiedeva Fedro. Perché distruggere l'*areté*? Si era appena posto la domanda che subito si diede la risposta. Platone non aveva cercato affatto di distruggere l'*areté*. L'aveva *incapsulata*; ne aveva fatto un'Idea permanente e immutabile: l'aveva *trasformata* in una Verità Eterna rigida e immobile. L'*areté* era divenuta il Bene, la forma più alta, l'Idea più elevata. Essa era subordinata solo alla Verità stessa, in una sintesi di tutto il pensiero precedente.

Ecco perché la Qualità alla quale Fedro era arrivato in classe gli era sembrata così simile al Bene di Platone. Questo Bene Platone l'aveva preso proprio dai retori. Fedro fece delle ricerche, ma non trovò nessun cosmologo che avesse parlato del Bene. Erano stati i sofisti a parlarne. La differenza stava nel fatto che il Bene platonico era un'Idea immobile ed eterna, mentre per i retori non era affatto un'Idea. Il Bene non era una *forma* della realtà. Era la realtà stessa, sempre mutevole, e non conoscibile attraverso rigidi schemi.

Come mai Platone aveva fatto questo? Fedro vide che la filosofia platonica era il risultato di *due* sintesi.

La prima cercava di risolvere le divergenze tra i discepoli di Eraclito e quelli di Parmenide. Ambedue le scuole credevano in una Verità Eterna. Allo scopo di vincere la battaglia per la Verità e sottomettere l'*areté*, cioè di battere coloro che insegnavano l'*areté* subordinandole la Verità, Platone doveva prima risolvere il conflitto interno tra coloro che credevano nella Verità. A questo scopo egli affermò che la Verità Eterna non è soltanto divenire, come dicevano i discepoli di Eraclito, e non è nemmeno un'entità immutabile, come dicevano i discepoli di Parmenide. Ambedue queste Verità Eterne coesistono come Idee immutabili e Apparenza mutevole. Ecco perché Platone, per esempio, ritiene necessario separare l'Idea di cavallo dal cavallo stesso, e dice che l'Idea di cavallo è reale, vera e immobile mentre il cavallo è un semplice fenomeno transitorio privo di importanza. L'Idea di cavallo è un'Idea pura. Il cavallo che si vede nella realtà è un insieme di apparenze mutevoli, un cavallo che può cambiare continuamente, andare dove vuole e persino morire senza scalfire minimamente l'Idea di cavallo, il principio immortale che può avanzare in eterno sulle orme degli dèi antichi.

La seconda sintesi di Platone è l'incorporazione dell'*areté* dei sofisti nella sua dicotomia tra Idee e apparenza. Platone dà all'*areté* una posizione di grande onore, subordinandola solo alla Verità stessa e alla dialettica, il metodo mediante il quale si giunge alla Verità. Ma in questo suo tentativo di unire il Bene e la Verità facendo del Bene la più elevata tra le Idee, egli usurpa il posto dell'*areté* e mette al suo posto la Verità dialetticamente determinata. Una volta che il Bene viene delimitato come idea dialettica un altro filosofo non avrà difficoltà a dimostrare con metodi dialettici che l'*areté*, il Bene, si può con vantaggio sistemare in una posizione più bassa all'interno del « vero » ordine delle cose, una posizione più compatibile con i meccanismi interni della dialettica. Questo filosofo non si sarebbe fatto aspettare a lungo. Il suo nome era Aristotele.

Aristotele era convinto che il cavallo mortale dell'Apparenza, che mangia l'erba, porta in giro la gente e genera cavallini, meritasse molta più attenzione di quella che gli aveva dato Platone. Disse che il cavallo non era mera Apparenza. Le apparenze si aggrappano a qualcosa che è indipendente da loro e che, come le Idee, è immutabile. Questo « qualcosa » lo chiamò « sostanza ». In quel momento, e non prima, nacque la nostra moderna concezione scientifica della realtà.

In Aristotele, la cui conoscenza dell'*areté* troiana sembra nulla, dominano dappertutto forme e sostanze. Il Bene è una branca secondaria della conoscenza e va sotto il nome di etica; ciò che ad Aristotele interessa veramente è la ragione, la logica, la conoscenza. L'*areté* è morta e la scienza, la logica, e l'università come la conosciamo oggi, ricevono qui il loro atto costitutivo e la loro missione: di trovare e inventare un'infinita proliferazione di forme riguardanti gli elementi sostanziali del mondo e di chiamare queste forme conoscenza, trasmettendole alle generazioni future. È la nascita del « sistema ».

E la retorica, poi. Questa povera retorica che una volta ' imparava ' se stessa è ora ridotta a insegnamento di procedimenti artefatti e di forme, di forme aristoteliche per lo scrivere, come se esse avessero una qualche importanza. Cinque errori di ortografia, ricordava Fedro, *oppure* l'incompiutezza di una frase, *oppure* tre avverbi al posto sbagliato, *oppure*... Bastava uno qualunque di questi errori per dire a uno studente che non conosceva la retorica. Dopo tutto la retorica è questo, no?

Forme e formalismi... Un anno dopo l'altro gli studenti del primo banco recitano la loro parte per prendere i loro aristotelici bei voti, mentre coloro che posseggono la vera *areté* siedono silenziosi alle loro spalle chiedendosi che cosa c'è di sbagliato in loro, visto che la materia non gli piace.

E oggi, in quelle poche università che si danno ancora la pena di insegnare l'etica classica, gli studenti, sulle orme di Platone e di Aristotele, si gingillano con la domanda che nella Grecia antica non ebbe mai bisogno di essere formulata: « Che cos'è il Bene? E come lo definiamo? Poiché persone differenti l'hanno definito in modo differente, come facciamo a *sapere* se esiste davvero? Alcuni dicono che lo si trova nella felicità, ma come facciamo a sapere che cos'è la felicità? E come si può definire, la felicità? Felicità e Bene non sono termini oggettivi. Non li possiamo trattare in forma scientifica. E poiché non sono oggettivi, significa che esistono solo nella nostra mente.

Quindi, se vuoi essere felice cambia la tua mente. Ah ah ah ».

Adesso è talmente buio, tra la pioggia e la bruma, che devo accendere le luci.

30

Ad Arcata entriamo in un ristorantino freddo e umido dove mangiamo *chili* e fagioli e beviamo caffè.

Ci rimettiamo in marcia sull'autostrada. Ci fermeremo quando saremo a un giorno di viaggio da San Francisco.

Sotto la pioggia l'asfalto illuminato dai fari che ci vengono incontro assume strani riflessi. Il ventesimo secolo. Ce l'abbiamo tutto intorno, questo ventesimo secolo. È ora di chiudere questa odissea del ventesimo secolo, di farla finita con Fedro.

Alla lezione successiva, una segretaria del Dipartimento annunciava che il professore di filosofia era malato. La settimana dopo era ancora malato. Gli studenti, il cui numero dall'inizio del corso s'era ridotto di due terzi, andarono un po' sconcertati a prendere un caffè al bar di fronte.

Lì, una studentessa che Fedro giudicava intelligente ma intellettualmente snob disse: « Questo è uno dei corsi più sgradevoli che ho seguito ». Guardava Fedro con una faccia femminilmente indispettita, come se lui le avesse rovinato quella che poteva essere una bella esperienza.

« Sono assolutamente d'accordo » rispose Fedro. Si preparò a parare il colpo, ma il colpo non ci fu.

Sembrava che gli altri studenti intuissero che la causa di tutto fosse Fedro, ma non potevano dimostrarlo in nessun modo. A questo punto una donna un po' più anziana degli altri, dall'altra parte del tavolo, gli domandò come mai frequentasse il corso.

« Sto proprio cercando di scoprirlo » rispose Fedro.

« Sei uno studente a tempo pieno? » insistette la donna.

« No, sono insegnante a tempo pieno al Navy Pier ».

« E che cosa insegni? ».

« Retorica ».

La donna tacque, e tutti gli altri lo fissarono in silenzio.

Novembre stava per finire. La città, cupa, attendeva l'arrivo dell'inverno. In assenza del professore di filosofia, era stato assegnato un altro dialogo di Platone. Si intitolava *Fedro*. Il Fedro greco non era un sofista ma un giovane oratore che, in questo dialogo, fa da spalla a Socrate. Il dialogo parla della natura dell'amore e della possibilità di una retorica filosofica. Fedro, per esigenze di copione, non è molto intelligente, ed è tragicamente privo di doti retoriche; l'unica cosa notevole in lui è la personalità. I personaggi che servono a far risaltare Socrate vengono spesso chiamati da Platone con un nome che indica una particolare caratteristica della loro personalità. Per esempio, nel *Gorgia* un ragazzo giovane, loquace, innocente e di buon carattere è chiamato Polus, che in greco significa « puledro ». La personalità di Fedro è diversa. Lui non fa parte di nessun gruppo particolare. Alla città preferisce la solitudine della campagna. È pericolosamente aggressivo. A un certo punto minaccia di picchiare Socrate. *Fedro* in greco significa « lupo ». Nel corso del dialogo, trascinato dal discorso di Socrate sull'amore, si ammansisce.

Il nostro Fedro legge il dialogo e rimane estremamente colpito dalle splendide immagini poetiche. Ma non si ammansisce: fiuta anche un leggero odore di ipocrisia. Il discorso non è fine a se stesso, ma viene usato per condannare quello stesso dominio affettivo dell'intelligenza al quale esso rivolge un appello retorico. Le passioni sono viste come nemiche dell'intelligenza, e Fedro si domanda se la condanna delle passioni tanto radicata nel pensiero occidentale non sia iniziata qui. Probabilmente non è così. Altrove si dice che la tensione fra il pensiero della Grecia antica e le emozioni è un elemento fondamentale per la formazione della cultura e della società greche. Comunque, è interessante.

La settimana dopo il professore di filosofia è ancora assente e Fedro approfitta dell'occasione per rimettersi in pari con il lavoro al Navy Pier.

Dopo un'altra settimana, nella libreria dell'Università vede due occhi scuri che lo fissano da dietro uno scaffale, e riconosce lo studente che il professore aveva zittito all'inizio del corso. Dalla sua espressione gli pare di capire che il ragazzo è al corrente di qualcosa che lui non sa. Gli si avvicina per attaccare discorso, ma la faccia si ritrae e il ragazzo se ne va, lasciandolo sconcertato. E teso. Forse è solo stanco e ha i nervi a fior di pelle.

Quando si avvia verso l'aula dove si svolge il corso, la faccia lo segue tenendosi a una ventina di passi di distanza. C'è sotto qualcosa.

Fedro entra nell'aula e attende. Dopo tante settimane entra anche lo studente. Non certo per farsi ascoltare, ormai. Fedro vede che lo guarda con un mezzo sorriso. Senz'altro avrà i suoi motivi.

Si sente uno scalpiccio alla porta e Fedro improvvisamente *sa*: si sente le gambe molli e cominciano a tremargli le mani. Sulla soglia, con un sorriso benevolo, c'è il direttore del programma per l'Analisi delle idee e lo studio dei metodi dell'Università di Chicago. Ha preso in mano il corso.

Ecco come Fedro sarà buttato fuori dalla porta principale.

Ecco perché il ragazzo è tornato. Gli hanno spiegato che la ripassata gliel'hanno data per sbaglio e, tanto per fargli vedere quanto sono buoni, gli hanno dato una poltrona di prima fila per la ripassata di Fedro.

Come faranno? Fedro lo sa già. In primo luogo distruggeranno dialetticamente la sua posizione di fronte alla classe mostrando quanto poco sappia di Platone e di Aristotele. Quanto a questo non avranno difficoltà; è una vita che li studiano.

Poi gli suggeriranno di darsi una regolata o di filare. Gli faranno qualche altra domanda e anche a questa lui non saprà rispondere. Infine lasceranno intendere che lo spettacolo che ha dato di sé è talmente abominevole che non gli conviene proseguire il corso: meglio che se ne vada subito.

Be', ha imparato tante cose, ed è questo il motivo per cui è venuto. Può completare la sua tesi in qualche altro modo. A questo pensiero si calma e le gambe gli ritornano salde.

Dall'ultima volta che il direttore lo ha visto, Fedro si è fatto crescere la barba, e lui non l'ha riconosciuto. Il vantaggio però non durerà a lungo.

Presto arriva il momento. « Se ho ben capito, » dice il direttore « oggi dobbiamo iniziare a discutere dell'immortale *Fedro* ». Guarda gli studenti ad uno ad uno. « Giusto? ».

Alcuni allievi gli assicurano timidamente che non si sbaglia. La sua personalità è di una forza schiacciante.

Si scusa per l'assenza del professore che l'ha preceduto e dice che farà delle domande per rendersi conto del livello di preparazione degli studenti.

È il modo migliore, pensa Fedro. Così può conoscere gli studenti a uno a uno. Per fortuna lui sa il dialogo quasi a memoria.

Il *Fedro* è un dialogo che in un primo tempo lascia sconcertati e poi colpisce con forza sempre maggiore, proprio come la Verità. Ciò che per Fedro è la Qualità, per Socrate sembra essere l'anima, che ha in se stessa la causa del proprio divenire ed è causa di tutte le cose. Non c'è contraddizione. Non ci può mai essere una vera contraddizione negli elementi centrali delle filosofie monistiche. L'Uno indù dev'essere identico all'Uno greco, altrimenti sarebbero due. Il disaccordo tra i monisti riguarda gli attributi dell'Uno, non l'Uno stesso. Poiché l'Uno è la fonte di tutte le cose e include tutte le cose in sé, non può essere definito nei termini delle cose stesse, a meno di circoscrivere la sua definizione a una sola delle sue parti. L'Uno può essere descritto solo in forma allegorica, facendo uso di analogie, di rappresentazioni visive e verbali. Socrate sceglie un'analogia fondata su un'opposizione tra cielo e terra e dimostra che gli individui vengono condotti all'Uno da un carro trainato da due cavalli...

Il direttore fa una domanda leggermente provocatoria allo studente accanto a Fedro. Ha gettato l'amo.

È un errore di persona, lo studente infatti non risponde a tono e il direttore, contrariato, lo liquida dicendogli che avrebbe dovuto leggere meglio il testo.

È il turno di Fedro, che ora è tremendamente calmo. Deve spiegare il dialogo.

« Se mi è permesso riprendere a modo mio...? » chiede per nascondere il fatto che non ha seguito. E inizia. « Credo che in questo dialogo la persona di Fedro venga caratterizzata come *lupo* ».

Ha parlato a voce alta, con una nota di rabbia, e il direttore fa un salto sulla sedia. Centro!

« Sì » conferma il direttore. Un lampo nello sguardo mostra che l'ha riconosciuto. « *Fedro* in greco significa proprio " lupo ". Un'osservazione molto acuta. Prosegua ».

« Fedro incontra Socrate, *che conosce solo la vita cittadina,* e lo porta in campagna. Qui giunto comincia a recitargli un discorso dell'oratore Lisia, che egli ammira. Socrate gli chiede di leggerlo e Fedro lo accontenta ».

« Basta! » dice il direttore, che ormai ha ritrovato il pieno controllo di sé. « Lei ci sta raccontando la trama, non il dialogo ». Passa allo studente successivo.

Nessuno degli studenti sembra conoscere l'argomento del dialogo in modo soddisfacente. E così, con affettata tristezza, il direttore dice che devono rileggerlo meglio e che, per questa volta, darà loro una mano spiegandolo lui. La tensione che ha costruito con tanta cura cala di colpo. Tutta la classe è nelle sue mani.

Il direttore passa a spiegare il significato del dialogo con grande minuzia. Fedro ascolta, attentissimo.

Dopo un po' qualcosa lo disturba. Da qualche parte è entrata una nota falsa. Si rende conto che il direttore ha trascurato completamente la descrizione che Socrate dà dell'Uno, saltando all'allegoria del carro e dei cavalli.

In questa allegoria, l'uomo alla ricerca dell'Uno è trainato da due cavalli, l'uno bianco, placido, nobile d'aspetto; l'altro nero, caparbio, pieno di passione. Il primo lo aiuta, il secondo lo confonde. Il direttore non lo ha ancora detto, ma è vicino al punto in cui dovrà annunciare che il cavallo bianco è la ragione equilibrata, mentre quello nero rappresenta le fosche passioni, le emozioni. La nota falsa si fa improvvisamente più acuta.

« Ora Socrate ha giurato agli dèi che dice la Verità » prosegue il direttore. « Ha fatto voto di dire la Verità, e se ciò che segue non è la Verità, egli ha perduto la sua anima ».

È una TRAPPOLA! Strumentalizza il dialogo per dimostrare che la ragione è sacra! Stabilito questo, si metterà a indagare sulla sua natura e — guarda un po'! — ci ritroveremo nel regno di Aristotele!

Fedro alza la mano. È mortalmente calmo. Sente che sta firmando la propria condanna a morte, ma sa che se abbassasse la mano ne firmerebbe un'altra, una di un altro tipo.

Il direttore sembra sorpreso e seccato, ma gli fa cenno di parlare. E riceve il messaggio.

« Tutto questo non è che un'analogia » dice Fedro.

Silenzio. Sul volto del direttore appare un'espressione confusa. « Cosa? » esclama. Il suo sapiente incantesimo si è rotto.

« Tutta questa descrizione del carro e dei cavalli è soltanto un'analogia ».

« Cosa? » ripete il direttore, poi ad alta voce: « È la *Verità*! Socrate ha giurato agli dèi che questa è la Verità! ».

Fedro replica: « È Socrate stesso a dire che si tratta di un'analogia ».

« Se lei legge il dialogo troverà che Socrate afferma chiaramente che è la Verità! ».

« Sì, ma due paragrafi *prima*, mi pare... ha affermato che si tratta di un'*analogia* ».

Sul tavolo c'è il testo e si potrebbe consultarlo, ma il direttore ha il buon senso di non farlo.

È fantastico, pensa Fedro, che me lo sia ricordato. Questo demolisce l'intera posizione dialettica. Certo che si tratta di un'analogia. Tutto è analogia, ma i dialettici non lo sanno. Ecco perché il direttore non ha notato l'affermazione di Socrate.

Tra poco se ne accorgeranno tutti. Il direttore del programma è stato messo K.O. di fronte ai suoi allievi.

Ora è muto. Non riesce a trovare nulla da dire. Il silenzio che all'inizio della lezione lo aveva fatto apparire come un dominatore ora lo sta distruggendo. Non capisce da che parte sia arrivato il colpo. Non si è mai trovato di fronte un sofista vivo. Solo quelli morti.

Quando finalmente ritrova le parole, sono quelle di un altro: di uno scolaretto che ha dimenticato la lezione, che l'ha imparata male, ma chiede comunque indulgenza.

Cerca di bluffare, ripete che nessuno ha studiato bene il dialogo, ma lo studente alla destra di Fedro scuote il capo. Evidentemente qualcuno l'ha studiato.

A questo punto accade una cosa sgradevole. Lo studente innocente, che in precedenza stava a guardare lui, Fedro, ora non pare più tanto innocente. Schernisce il direttore e gli pone delle domande sarcastiche, insinuanti. Il direttore, che è già stato azzoppato, sta per essere massacrato... Ma poi Fedro si rende conto che tutto questo era destinato a lui.

Non prova dispiacere, solo disgusto. Quando un pastore va a uccidere un lupo e si porta dietro il proprio cane, deve badare bene a quello che fa. Tra il cane e il lupo ci sono certi rapporti che il pastore potrebbe aver dimenticato.

Una ragazza salva il direttore facendogli delle domande facili. Lui le accoglie con gratitudine, risponde minuziosamente e pian piano si riprende.

Quindi gli viene posta la domanda: « Che cos'è la dialettica? ».

Il direttore ci pensa, quindi — incredibile — si rivolge a Fedro e gli chiede se vuole essere lui a rispondere.

« Vuole la mia opinione *personale*? » domanda Fedro.

« No... Diciamo quella di Aristotele ».

Niente più sottigliezze. È deciso a entrare in contatto con Fedro sul proprio territorio e farla finita.

« Per quanto ne so... » dice Fedro e poi si ferma.

« Sì? ». Il direttore è tutto sorrisi.

« Per quanto ne so, l'opinione di Aristotele è che la dialettica venga *prima* di ogni altra cosa ».

In mezzo secondo netto l'espressione del direttore passa dall'unzione allo shock, poi alla rabbia. È rimasto preso ancora una volta nella sua stessa trappola. Non può far fuori Fedro in base a un'affermazione presa da una voce che lui stesso ha scritto per l'*Encyclopaedia Britannica*.

« E dalla dialettica derivano le forme, » prosegue Fedro « e da... ». Ma il direttore lo interrompe. Vede che le cose non sono andate come voleva e chiude la questione.

Se fosse stato veramente in cerca della Verità, e non il piazzista di una particolare opinione, non l'avrebbe interrotto, pensa Fedro. Avrebbe potuto imparare qualcosa. Una volta affermato che « la dialettica viene prima di ogni altra cosa », l'affermazione stessa diviene un'entità dialettica, soggetta a essere discussa dialetticamente.

Fedro avrebbe domandato: Che prove abbiamo che il metodo dialettico di domanda e risposta per giungere alla Verità venga prima di ogni altra cosa? Non ne abbiamo affatto. E, quando questa proposizione viene isolata e presa in esame, diventa palesemente ridicola. Ecco qui questa dialettica, come la legge di gravità di Newton, piazzata lì nel bel mezzo del nulla a partorire l'universo. È una scemenza.

La lezione finisce e il direttore si ferma sulla porta per rispondere alle domande. Fedro sta quasi per dirgli qualcosa, poi rinuncia. L'idea di esporsi ad altri colpi non lo entusiasma.

Fedro il lupo. Gli si addice, questo nome, gli si addice sempre di più. Non sarebbe contento se la sua tesi li avesse entusiasmati. L'ostilità è il suo vero elemento. Fedro il lupo, sì.

La Chiesa della Ragione, come tutte le istituzioni del sistema, non è basata sulla forza del singolo quanto sulla sua debolezza. Solo agli incapaci si può insegnare bene. Gli altri sono sempre una minaccia. Ma per Fedro la Qualità la si vede meglio sulle montagne, là oltre il limite dei boschi, e non qui, dove le finestre sporche e gli oceani di parole la offuscano. Si rende conto che qui questo non verrà mai accettato: per capirlo bisogna essere liberi dall'autorità, e questa è un'istituzione autoritaria. Per le pecore la Qualità è quello che dice il pastore, e se una notte, col vento che infuria, ne lasci una oltre il limite dei boschi lei si spaventerà a morte e belerà e belerà finché non arriverà il pastore, o il lupo.

Alla lezione successiva Fedro tenta per l'ultima volta di comportarsi bene, ma il direttore non ne vuol sapere. Fedro gli chiede di spiegargli un particolare, dicendo che non è riuscito a capirlo. Non è vero, ma Fedro pensa che un po' di deferenza non guasta.

La risposta è: « Forse lei è stanco! », detta col tono più mordace possibile — ma non morde. Il direttore sta semplicemente condannando in Fedro ciò che più teme in se stesso. La lezione prosegue e Fedro guarda fuori dalla finestra; gli dispiace per questo vecchio pastore e per le pecore e i cani del suo corso, e gli dispiace per se stesso: non sarà mai uno di loro. Quando suona la campanella esce per l'ultima volta.

Per contrasto, le lezioni al Navy Pier vanno a gonfie vele. Gli studenti ascoltano attenti questa strana figura barbuta scesa dalle montagne che racconta che una volta nell'universo c'era una cosa che si chiamava Qualità, e che loro sanno che cos'è. Sono tutti un po' sconcertati, qualcuno ha persino paura di lui. Capiscono che in qualche modo Fedro rappresenta un pericolo, ma ne sono tutti affascinati e vogliono saperne di più.

Fedro però non è un pastore e lo sforzo di comportarsi come se lo fosse lo sta schiantando. Come sempre, gli studenti indisciplinati delle ultime file si sentono in sintonia con lui e sono i suoi prediletti, mentre quelli timidi e obbedienti dei primi banchi sono terrorizzati, e suscitano così il suo disprezzo. Anche se alla fine saranno le pecore, e non i suoi sregolati amici, a passare gli esami. E Fedro intuisce che anche le sue giornate di pastore stanno per finire, e non fa che domandarsi che cosa lo attende.

Ha sempre avuto il terrore del silenzio in classe, quello che ha distrutto il direttore. Parlare per ore e ore non è nella sua natura; ne esce esausto. Ora, dato che non gli rimane nulla a cui dedicarsi, si dedica a questo terrore.

La campanella suona e Fedro se ne sta seduto in cattedra senza dire una parola. Tace per tutta l'ora. Alcuni studenti lo provocano, cercano di scuoterlo, poi tacciono anche loro. Altri sono pervasi da un panico interiore che li fa diventar matti. Alla fine dell'ora è come se la classe esplodesse; tutti gli studenti si precipitano verso la porta. Nell'ora successiva, in un'altra classe, succede la stessa cosa, e così in quella dopo e in quella dopo ancora. Poi Fedro torna a casa e non fa che domandarsi che cosa lo attende.

Le sue quattro ore di sonno si sono ridotte a due, poi a nulla. È finita. Non riprenderà lo studio della retorica aristotelica. E non riprenderà l'insegnamento. Basta. Comincia a andare in giro per le strade con la mente che turbina.

La città gli si chiude intorno e con la sua strana prospettiva lui la vede come l'antitesi di ciò in cui crede. Non è la rocca della Qualità, ma la rocca della forma e della sostanza. Sostanza sotto forma di lamiere e di travi d'acciaio, sostanza sotto forma di banchine e di strade di cemento, di mattoni e asfalto e pezzi di ricambio, di binari e carcasse di animali che un tempo pascolavano nelle praterie. Forma e sostanza senza Qualità, questa è l'anima di questo posto. Cieco, enorme, sinistro e inumano: visto di notte, alla luce fiammeggiante dei fuochi che si levano dagli altiforni della zona sud, e attraverso gli spessi fumi di carbone che si fanno ancora più densi e profondi contro il neon delle scritte di BIRRA e PIZZA e LAVAMATIC e di altre insegne sconosciute e senza senso, lungo dritte strade senza senso che vanno a perdersi per sempre in altre strade dritte.

Se la città fosse tutta mattoni e cemento, pure forme di sostanza, potrebbe sopravvivere: sono quei piccoli, patetici tentativi di Qualità che uccidono. Il falso caminetto di gesso che attende di ospitare fiamme che non possono esistere. Oppure la siepe davanti al palazzone, con dietro pochi metri quadrati d'erba. Pochi metri quadrati d'erba, dopo il Montana. Se non avessero messo né la siepe né l'erba, sarebbe andato benissimo. Così, invece, è un richiamare l'attenzione su ciò che si è perduto.

Lungo le strade che partono da casa sua Fedro non riesce a vedere al di là del cemento e dei mattoni e del neon, ma sa che lì dentro ci sono anime grottesche e contorte che cercano senza posa di assumere atteggiamenti che li convincano di possedere la Qualità, che imparano strane pose dello stile e del fascino messi in circolazione dai fotoromanzi e dagli altri mass media, e pagati dai venditori di sostanza. Di notte Fedro pensa a loro, soli, senza più le loro reclamizzate e fascinose scarpe e calze e biancheria, che fissano al di là dei vetri fuligginosi i grotteschi gusci che essi svelano, quando le pose si fiaccano e va insinuandosi la verità, l'unica verità che c'è qui, e gridano al cielo, Dio, qui non c'è niente, solo morto neon e cemento e mattoni.

Il suo senso del tempo se ne va. A volte i suoi pensieri corrono e si accavallano a una velocità incredìbile, ma quando cerca di prendere una decisione concreta gli pare che occorrano minuti interi perché emerga un solo pensiero. Nella mente gli si forma e comincia a crescere un unico pensiero; gli viene da qualcosa che ha letto nel *Fedro*.

« E ciò che è scritto bene, e ciò che è scritto male... c'è davvero bisogno di chiederlo a Lisia o a qualunque altro oratore o poeta abbia scritto, o scriverà, di politica o d'altro, in metro o in prosa? ».

E ciò che è bene, Fedro, e ciò che non è bene — dobbiamo chiedere ad altri di dirci queste cose?

È quello che, mesi prima, diceva agli allievi del Montana: un messaggio che Platone e tutti i dialettici che erano venuti dopo di lui avevano mancato, dato che tutti cercavano di definire il Bene in base al suo rapporto intellettuale con le cose. Ma ora Fedro capisce quanto si è allontanato da quel messaggio. Il suo scopo originario era quello di evitare una definizione della Qualità, ma nella lotta contro i dialettici ha fatto delle affermazioni, e ogni affermazione è stata un mattone in un muro di definizioni che lui stesso stava innalzando intorno alla Qualità. Tentare di sviluppare un sistema razionale intorno a una Qualità indefinita è contraddittorio. È l'idea stessa di sistema razionale a sconfiggere la Qualità. Tutto ciò che Fedro ha fatto è insensato; la sua era la missione di un pazzo.

Il terzo giorno, all'incrocio di due strade sconosciute, gira l'angolo e la vista gli si offusca. Quando riprende i sensi è disteso sul marciapiede e la gente va e viene come se lui non esistesse. Si rialza faticosamente e si impone di trovare la via di casa. I suoi pensieri sono lenti, sempre più lenti. È più o meno in questo periodo che lui e Chris cercano il posto dei letti a castello. Dopo quell'episodio Fedro non esce più di casa.

Per tre giorni e tre notti se ne sta seduto a gambe incrociate su una trapunta a fissare il muro. Tutti i ponti sono stati tagliati. Indietro non si può tornare. E ora non si può nemmeno andare avanti. A sua moglie che gli domanda se si sente male non risponde. Lei si arrabbia, ma Fedro non reagisce. Non è più in grado di reagire. Non solo i pensieri, ma anche i desideri si fanno più lenti. È così stanco — ma il sonno non arriva. Si sente come un gigante, gli pare di espandersi in un universo sconfinato.

Comincia a liberarsi delle cose, degli intralci che porta con sé da sempre. Dice a sua moglie di andarsene con i bambini, di convincersi che ormai sono separati. Quando la sua urina comincia a spandersi sul pavimento, la paura dello schifo e della vergogna scompaiono. La paura del dolore, il dolore dei martiri, è superata, quando le sigarette gli si bruciano fra le dita finché le vesciche che il loro stesso calore ha gonfiato non le spengono. Sua moglie vede le bruciature, l'urina sul pavimento e chiama aiuto.

Prima che l'aiuto arrivi, però, la coscienza di Fedro va in pezzi piano piano... si dissolve. A poco a poco non si chiede più che cosa lo aspetta. Lo sa, e i suoi occhi piangono per la sua famiglia, per lui stesso e per questo mondo. Gli si fissa in mente il frammento di un vecchio inno cristiano. « Devi attraversare quella valle solitaria ». L'inno lo sprona. « Devi attraversarla da solo ». Sembra un canto del Montana.

Fedro attraversa una valle solitaria, fuori dal *mythos*, ed è come se emergesse da un sogno, vede che tutta la sua coscienza, il *mythos*, è stata un sogno, un sogno soltanto suo, un sogno che ora deve sforzarsi di tenere in piedi. Poi persino ' lui ' scompare e rimane solo il sogno di lui stesso con lui dentro.

E la Qualità, l'*areté* per la quale ha lottato così duramente e che non ha *mai* tradito, ma che in tutto quel tempo mai una volta ha capito, ora gli si rivela. Finalmente la sua anima può riposare.

Il traffico si è diradato e la strada è buia: è come se la luce del fanale non riuscisse ad attraversare la pioggia per illuminare l'asfalto. Pericolosissimo. Può succedere qualunque cosa: una cunetta, una macchia d'olio, la carcassa di un animale... Ma se vai troppo piano rischi di morire tamponato. Non so bene perché proseguiamo. Ci saremmo dovuti fermare già da un bel po'. Non so più che cosa sto facendo. Probabilmente stavo cercando un motel, ma mi sono distratto e non ho visto le insegne. Se aspettiamo ancora un po' chiuderanno tutti.

Lasciamo l'autostrada alla prima uscita e ci troviamo su una striscia d'asfalto piena di ghiaia e di cunette. Vado piano. Buio pesto da una parte e dall'altra. Potremmo girare in eterno senza trovare nulla, senza più trovare nemmeno l'autostrada.

« Dove siamo? » grida Chris.

« Non lo so ». Ho la mente stanca, i pensieri lenti. Mi pare di non riuscire a pensare alla risposta giusta... o a che cosa fare.

Vedo l'insegna luminosa di un distributore. Ci fermiamo ed entriamo. Il benzinaio, che dimostra più o meno l'età di Chris, ci guarda in un modo strano. Non conosce nessun motel. Prendo l'elenco del telefono, ne trovo qualcuno e gli dico i nomi delle strade; lui ci dà delle indicazioni un po' confuse. Chiamo il motel che secondo il benzinaio è il più vicino, prenoto e mi faccio confermare le indicazioni.

Tra la pioggia e le strade buie per poco non ci sfugge. Hanno spento l'insegna e quando firmo alla Réception nessuno apre bocca.

La stanza è un residuo dello squallore degli anni Trenta, sordida, abborracciata da qualcuno che di falegnameria non sapeva nulla, ma è asciutta, riscaldata e ha due letti; tanto basta. Ci sediamo davanti alla stufa e di lì a poco il freddo e l'umidità ci escono dalle ossa.

Chris tiene gli occhi bassi, fissa la stufa. Dopo un po' dice: « Quando torniamo a casa? ».

Fiasco.

« Quando saremo a San Francisco » dico. « Perché? ».

« Sono proprio stanco di star qui seduto a... ». La sua voce si perde in un mormorio.

« A...! ».

« ...Non so. Semplicemente seduto... come se non andassimo in nessun posto ».

« E dove dovremmo andare? ».

« Non lo so. Come faccio a saperlo? ».

« Non lo so neanch'io » rispondo.

« Ma se non lo sai *tu*! » sbotta e si mette a piangere.

« Che cosa c'è, Chris? » domando.

Non mi risponde. Si stringe la testa fra le mani e si dondola avanti e indietro. Mi fa rabbrividire. Dopo un po' la smette. « Quand'ero piccolo era diverso » dice.

« Diverso come? ».

« Non lo so. Facevamo sempre delle cose che avevo voglia di fare. Adesso non ho voglia di far *niente* ».

Continua a dondolarsi in quel modo raggelante, con la faccia tra le mani. Non so che cosa fare. È un movimento strano, quasi immateriale, una sorta di seclusione fetale che mi chiude fuori, che chiude fuori tutto. Un ritorno a un qualcosa che io non conosco... il fondo del mare.

Ora so dove l'ho già visto: sul pavimento dell'ospedale.

Non so proprio che cosa fare.

Passa ancora un po' di tempo, poi andiamo a letto e cerco di addormentarmi.

Domando a Chris: « Era meglio prima che andassimo via da Chicago? ».

« Sì ».

« Perché? Che cosa ti ricordi? ».

« Era divertente ».

« *Divertente?* ».

« Sì » dice, e tace. Poi riprende: « Ti ricordi quella volta che siamo andati a cercare i letti a castello? ».

« Ti sei *divertito*, quella volta? ».

« Certo » risponde, e se ne sta zitto per un bel po'. Poi dice: « Non ti ricordi? Hai fatto cercare a me la strada di casa... Giocavi sempre con noi. Ci raccontavi un sacco di storie. Ce ne andavamo in giro a fare delle cose e adesso non fai niente ».

« Sì che faccio qualcosa ».

« No, invece! Stai lì seduto a guardare chissà dove e non fai *niente!* ». Si rimette a piangere.

Fuori la pioggia scroscia contro i vetri; sento calarmi addosso un gran senso di oppressione. Chris piange per *lui*. È *lui* che gli manca. Ecco che cosa voleva dire il sogno. Nel sogno...

Per molto tempo continuo ad ascoltare gli scricchiolii della stufa e il vento e la pioggia che batte sul tetto e contro la finestra. Poi smette di piovere e si sente solo il rumore delle rare gocce d'acqua che il vento fa cadere dagli alberi.

31

Il mattino dopo il tempo è umido, freddo e nebbioso. Il motel dove ci siamo fermati domina un pendio sul quale crescono dei meli bagnati di pioggia e di rugiada. Passeggiando vedo una lumaca, poi un'altra... Santo cielo, è pieno.

Quando Chris esce gliene faccio vedere una. Non dice nulla.

Partiamo e facciamo colazione in un paese lontano dalla strada che si chiama Weott. Vedo che Chris è ancora sulle sue. Non mi guarda, non mi parla, e decido di lasciarlo in pace.

Più avanti, a Leggett, vediamo un posto turistico con uno stagno pieno di anitre. Comperiamo del mangime. Chris lo getta alle anitre con un'aria così infelice — non l'ho mai visto così. Più tardi ci rimettiamo in marcia su una strada tutta curve e improvvisamente ci troviamo nella nebbia fitta. La temperatura scende ancora e capisco che siamo ritornati sull'oceano.

Quando la nebbia si dirada, dall'alto di una scogliera vediamo l'oceano, lontano, di un azzurro intenso. L'aria diventa più fredda, freddissima.

Ci fermiamo e mi metto la giacca. Vedo Chris che va vicinissimo all'orlo della scogliera. Gli scogli sono almeno trenta metri più in basso. Troppo vicino!

« CHRIS! » grido. Non mi risponde.

Lo afferro per la camicia e lo tiro indietro.

« Togliti di lì » dico.

Mi guarda con una faccia strana.

Tiro fuori dei vestiti pesanti anche per lui, ma non se li mette. Inutile fargli fretta. Se è di questo umore e vuole aspettare, può farlo.

Aspetta e aspetta. Passano dieci minuti, poi quindici.

Faremo a chi aspetta di più.

Dopo una trentina di minuti di vento dell'oceano domanda: « Da che parte andiamo? ».

« A sud, giù per la costa ».

« Torniamo indietro ».

« Dove? ».

« Dove fa più caldo ».

Vorrebbe dire allungare la strada di centocinquanta chilometri. « Dobbiamo andare a sud, adesso » dico.

« Perché? ».

« Perché tornando indietro diventa troppo lungo ».

« Dài, torniamo indietro ».

« No. Mettiti la roba pesante ».

Non mi ascolta e rimane seduto per terra.

Passa un altro quarto d'ora. « Torniamo indietro » dice.

« Chris, non sei tu a guidare la moto. Sono io. Andiamo a sud ».

« Perché? ».

« Perché c'è troppa strada e perché ho detto che andiamo a sud ».

« Be', ma *perché* non torniamo indietro? ».

Mi arrabbio. « A te non interessa affatto sapere perché, vero? ».

« Voglio tornare indietro. Dimmi solo perché non possiamo tornare indietro ».

Sto per perdere le staffe. « Tu non vuoi tornare indietro davvero. Quello che vuoi è farmi arrabbiare, Chris. E se continui così ci riuscirai! ».

Un lampo di paura. Ecco che cosa vuole. Vuole odiarmi. Perché io non sono *lui*.

Abbassa lo sguardo, amareggiato, e si mette i vestiti. Torniamo alla moto e ci rimettiamo in strada.

Io posso anche imitare quello che dovrebbe essere suo padre, ma inconsciamente, al livello della Qualità, Chris mangia la foglia e sa che io non sono *lui*. In tutto questo Chautauqua c'è stata non poca ipocrisia. Si continua a dire che il dualismo soggetto-oggetto va eliminato, e il dualismo più grosso di tutti, quello tra me e *lui*, non viene affrontato affatto. Una mente divisa contro se stessa.

Ma chi è stato? *Io no.* E non c'è modo di tornare indietro... Continuo a domandarmi quanto è profondo il mare, laggiù...

Ecco cosa sono, sono un eretico che ha ritrattato; agli occhi di tutti ho salvato la mia anima. Agli occhi di tutti, ma non ai miei; in cuor mio so bene di aver salvato solo la pelle.

Compiacere gli altri: è così che sopravvivo. Per uscire devi farlo. Per uscire ti sforzi di capire che cosa vogliono sentirti dire e cerchi di dirlo nel modo più intelligente e più originale possibile. Se riesci a convincerli, esci. Se non mi fossi rivoltato contro di *lui* sarei ancora là, ma *lui* è stato fedele a ciò in cui credeva fino alla fine. È questa la differenza fra noi, e Chris lo sa. Ed è anche il motivo per cui, qualche volta, ho la sensazione che *lui* sia la realtà e io il fantasma.

Siamo nella zona costiera della contea di Mendocino. Il paesaggio è selvaggio, bello e aperto. Passiamo davanti a vecchi steccati di legno sbiaditi dalle intemperie. Lontano si vede una vecchia fattoria. Che cosa si può coltivare da queste parti? Lo steccato è tutto sgangherato. Gente povera.

Ci fermiamo a riposare in un posto dove la strada scende al livello del mare. Spengo il motore e Chris dice: « Perché ci fermiamo qui? ».

« Sono stanco ».

« E io no, invece. Andiamo ». È ancora arrabbiato. Anch'io.

« Va' sulla spiaggia e gira in tondo finché non mi sono riposato » dico.

« Andiamo » ripete, ma io mi allontano e lo ignoro. Si mette a sedere sul marciapiede vicino alla moto.

L'odore del mare è molto forte e con questo vento freddo non mi riposo granché.

Alla fine ci rimettiamo in marcia e a un certo punto capisco che Chris è un nuovo Fedro, che pensa come lui e si comporta come lui: va a caccia di guai, spinto da forze di cui è quasi inconsapevole e che non capisce. Le domande... le stesse domande... vuole sapere tutto.

E se non ottiene risposta continua a insistere finché non gli viene data, e allora fa un'altra domanda e

continua a insistere finché non ottiene un'altra risposta... Domande su domande, senza mai vedere, senza
mai capire che le domande non avranno mai fine.
Manca qualcosa, e lui lo sa. Si ucciderà nel tentativo
di scoprire che cosa.

Nei posti che stiamo attraversando aleggia una ra-
diosità solare che è come un'aura di nostalgia, di
ricordo di tanti anni fa. Ci fermiamo in un ristorante affollato e troviamo un tavolo libero, l'unico,
accanto a una finestra che dà sulla strada luminosa.
Chris tiene gli occhi bassi e non parla. Forse, in qualche modo, sente che non abbiamo più molta strada
da fare.

« Non ho fame » dice.

« Ti dispiace aspettare mentre mangio io? ».

« Andiamo. Io non ho fame ».

« E io sì, invece ».

« Ho mal di pancia » dice. Il vecchio sintomo.

Lo guardo e vedo che sta piangendo.

« Che cosa c'è, adesso? ».

« La pancia. Mi fa male ».

« Tutto qui? ».

« No. È che questo viaggio è così *brutto*... vorrei
non essere mai venuto... lo odio questo viaggio... pensavo che mi sarei divertito e invece non mi diverto per
niente... vorrei non essere mai venuto ». Dice sempre
la verità, come Fedro. E come Fedro mi guarda con
un odio che si fa sempre più intenso. Ci siamo.

« Pensavo, Chris, di metterti su un pullman con
un biglietto per casa ».

Il suo viso è senza espressione; poi vi si mescolano
lo stupore e lo sgomento.

« Io vado avanti, » aggiungo « e ci vediamo tra una
settimana o due. Non c'è motivo di costringerti a fare
una vacanza che non ti piace ».

Adesso sono io a essere stupito. Non sembra affatto
sollevato, anzi, sembra ancora più sbigottito; abbassa
gli occhi e non dice nulla.

Sembra che l'abbia còlto di sorpresa, è spaurito.

Risolleva lo sguardo. « E dove andrei? ».

« Be', a casa nostra non ci puoi andare perché c'è dell'altra gente. Puoi andare dai nonni ».

« Non voglio ».

« Puoi andare dalla zia ».

« Non le sono simpatico. E neanche lei mi è simpatica ».

« Allora puoi andare dagli altri nonni ».

« No ».

Faccio qualche altro nome, ma lui scuote il capo.

« E allora da chi vuoi andare? ».

« Non so ».

« Chris, lo vedi da te dove sta il problema. Questo viaggio non vuoi farlo. Lo odi. Però non vuoi andare a casa di nessuno. Di tutti quelli che ho nominato non ce n'è uno che ti sia simpatico e viceversa ».

Sta zitto, ma gli occhi gli si riempiono di lacrime.

Una donna a un altro tavolo mi guarda furente. Apre la bocca come se volesse dire qualcosa. Le pianto in faccia uno sguardo gelido e glielo tengo addosso finché non chiude la bocca e si rimette a mangiare.

Chris comincia a piangere a dirotto. Lo guardano tutti.

« Andiamo a fare un giro » dico, e mi alzo senza aspettare il conto.

La donna alla cassa dice: « Mi spiace che il ragazzo non si senta bene ». La ringrazio con un cenno del capo, pago e siamo fuori.

Cerco una panchina, ma non ne vedo. Allora inforchiamo la moto e lentamente ci dirigiamo verso sud. Troviamo un posto tranquillo e ci fermiamo. Guardo Chris e vedo che ha un'espressione vacua, smarrita, ma appena gli chiedo di mettersi a sedere compare di nuovo un po' della rabbia e dell'odio di questa mattina.

« Perché? » domanda.

« Chris, penso che sia venuto il momento di parlare un po' ».

« E parla, allora ». Tutto il vecchio spirito combattivo è tornato. È l'immagine del 'buon padre' che non sopporta. Sa che questa 'bontà' è falsa.

« Che intenzioni hai per il tuo futuro? » chiedo. Che domanda stupida.

« Che intenzioni devo avere? » ribatte lui.

« Che cosa pensi che farai? ».

« Farò quello che farò ». Ha un'aria sprezzante.

La nebbia si dirada un attimo. Si vede la scogliera sotto di noi e, più in là, della gente sdraiata sulla sabbia. Poi tutto scompare di nuovo. Mi sento pervaso da un senso di ineluttabilità. « Chris, credo che sia venuto il momento di parlare di qualcosa che non sai » dico.

Si fa più attento.

« Chris, tuo padre è stato pazzo per molto tempo, e la pazzia è di nuovo vicina ».

Più che vicina, è qui. Il fondo del mare.

« Non è perché sono arrabbiato con te che ti mando a casa, ma perché ho paura di quel che può succedere se continuo a prendermi la responsabilità di occuparmi di te ».

Rimane impassibile. Ancora non capisce che cosa gli sto dicendo.

« Quindi qui ci salutiamo, Chris. E non so se ci rivedremo ».

Ecco. È fatta. Adesso tutto verrà da sé.

Mi sta guardando con un'espressione così strana. Sono convinto che non ha ancora capito. Quello sguardo... devo averlo visto da qualche parte... da qualche parte... da qualche parte...

Negli acquitrini, nella nebbia del primo mattino c'era un'alzavola che aveva questo stesso sguardo. L'avevo colpita a un'ala e non poteva più volare; mi ero gettato su di lei e l'avevo presa per il collo e prima di ucciderla, per chissà quale intuizione del mistero dell'universo, l'avevo guardata negli occhi... Così tranquilla e ignara... e tuttavia così consapevole. Poi le avevo coperto gli occhi con le mani e le avevo torto il collo fino a spezzarglielo. Avevo sentito il colpo secco tra le dita.

Quando apersi la mano gli occhi mi guardavano ancora, ma fissavano il nulla.

« Chris, lo sai cosa dicono di te? ».

Mi fissa.

« Che tutti i tuoi problemi sono nella tua testa ».

Lui scuote il capo.

« Ti sembrano reali, hai la sensazione che siano reali, ma non lo sono ».

Spalanca gli occhi. Scuote ancora il capo, ma adesso ha capito.

« Le cose vanno di male in peggio. Problemi a scuola, problemi con i vicini, con la famiglia, con gli amici... problemi dappertutto. Chris, io ero l'unico che li teneva indietro tutti dicendo: " Ma no, sta benissimo ", e adesso non ci sarà più nessuno. Hai capito? ».

Mi fissa sbalordito. Il suo sguardo mi segue ancora, ma ora non è più così fermo. Di certo non l'aiuto. Non l'ho mai fatto. Lo sto uccidendo.

« Non è colpa tua, Chris. Non è mai stata colpa tua, cerca di capirlo ».

Il suo sguardo si spegne con un lampo improvviso; sta guardando dentro di sé. Gli occhi si chiudono e dalla bocca gli esce uno strano grido, un gemito lontano. Fa per allontanarsi, inciampa e cade; si mette in ginocchio e comincia a dondolare avanti e indietro toccando per terra con la testa.

Il rumore di un camion che arriva nella nebbia mi terrorizza.

« Àlzati, Chris ».

Il gemito è acuto e inumano, come quello di una sirena lontana.

« Àlzati! ».

Chris continua a dondolarsi e a gemere.

Non so che cosa fare. Non ne ho la minima idea. È finita. Avrei voglia di correre oltre la scogliera, ma mi vinco. Prima devo metterlo su un autobus, poi potrò anche farlo.

Non è niente, Chris.

Ma non è la mia voce.

Non ti ho dimenticato.

Chris smette di dondolarsi.

Come potevo dimenticarti?

Chris alza il capo e mi guarda. Il velo attraverso il quale mi ha sempre guardato sparisce per un attimo, poi riappare.

Non ci lasceremo più.

Il fragore del camion è vicinissimo.

Alzati, adesso!

Chris si mette lentamente a sedere e mi fissa. Il camion arriva, si ferma e il camionista guarda fuori per vedere se abbiamo bisogno di un passaggio. Faccio di no con la testa e gli accenno di proseguire. Il camionista innesta la marcia e scompare nella nebbia. Siamo di nuovo soli.

Gli metto il mio giubbotto sulle spalle. Tiene la testa tra le ginocchia e piange, ma questo è un gemito umano, non lo strano lamento di prima. Ho le mani bagnate e sento che è bagnata anche la mia fronte.

Dopo un po' di tempo mi chiede in un gemito: « Perché sei andato via? ».

Quando?

« All'ospedale! ».

Non avevo scelta. La polizia mi ha costretto.

« Non ti lasciavano uscire? ».

No.

« E allora perché non volevi aprire la porta? ».

Che porta?

« La porta a vetri! ».

Mi sento attraversare come da una lenta scarica elettrica. Che porta a vetri?

« Non ti ricordi? » dice. « Noi eravamo da una parte, tu dall'altra e la mamma piangeva ».

Non gliel'ho mai raccontato, questo sogno. Come fa a saperlo? Oh, no.

Siamo in un altro sogno. Ecco perché la mia voce sembra così strana.

Non potevo aprirla, quella porta. Mi avevano detto di non aprirla. Dovevo fare tutto quello che dicevano loro.

« Credevo che non volessi vederci » dice Chris. Abbassa lo sguardo.

Tutti questi anni, quello sguardo di terrore.

Adesso la vedo, la porta. È in un ospedale.

È l'ultima volta che li vedo. Mi vogliono distruggere perché dico la Verità.

Adesso tutto ha un senso.

Chris piange piano, ora. Il vento che arriva dall'oceano passa tra l'erba alta intorno a noi e la nebbia comincia a diradarsi.

« Non piangere, Chris. Non sei più un bambino, adesso ».

Aspetto ancora un po', poi gli do uno straccio per pulirsi la faccia. Raccogliamo le nostre cose e le sistemiamo sulla moto. La nebbia si alza di colpo e noto che il sole sul viso gli dà un'espressione aperta che non gli ho mai visto. Infila il casco, tira la cinghietta e guarda in su.

« Eri davvero matto? ».

Perché me lo domanda?

No!

Sono esterrefatto. Ma a Chris brillano gli occhi.

« Lo sapevo ».

Monta sulla moto e partiamo.

32

Mentre passiamo in mezzo a boschetti di manzanitas e di cespugli dalle foglie lucide, mi ritornano in mente le parole di Chris. « Lo sapevo » ha detto.

La moto affronta le curve senza sforzo, inclinandosi in modo che il nostro peso è sempre in equilibrio, qualunque angolo formiamo con l'asfalto. La strada è piena di fiori e di paesaggi inattesi, le curve si susseguono strette e pare che tutto intorno a noi ondeggi e piroetti su e giù, su e giù.

« Lo sapevo » ha detto. Mi ritorna in mente come uno di quei fatterelli che ti tirano per la manica per dirti che non sono poi così trascurabili. Sono anni che ce l'ha in testa. Anni. Tutti i problemi che ci ha dato diventano più comprensibili. « Lo *sapevo* » ha detto.

Avrà sentito dei discorsi molto tempo fa, e nella sua mente di bambino deve aver fatto una gran confusione. Avrà sentito quello che Fedro diceva sempre — che *io* dicevo sempre — anni fa, e ci ha creduto e se lo è tenuto nascosto dentro per tutto questo tempo.

Tra noi ci sono legami che non capiremo mai fino in fondo, che forse non capiamo per nulla. Era Chris il *vero* motivo per uscire dall'ospedale. Sarebbe stato un grosso sbaglio obbligarlo a crescere da solo. Anche nel sogno era lui che cercava sempre di aprire la porta.

Non sono io che lo porto in giro. È lui che porta in giro *me!*

« Lo *sapevo* » ha detto. Questa frase continua a tirarmi per la manica e a dirmi che, forse, questo mio problema non è poi così enorme, perché la risposta l'ho qui davanti agli occhi. Per l'amor del cielo, liberalo dal suo fardello! Torna a essere una persona sola!

Ci avvolge il profumo intenso degli alberi fioriti e dei cespugli. Sento il caldo che penetra attraverso il giubbotto e asciuga quella sensazione di bagnato che ho dentro. Mi sta venendo sonno e mi fermo in una valletta attrezzata per i picnic.

« Ho sonno » dico a Chris. « Dormo un pochino ».

« Anch'io » mi risponde.

Dormiamo e quando ci svegliamo mi sento ristorato come non mi capitava da molto tempo. Ficco il giubbotto di Chris e il mio sotto le corde elastiche che legano i bagagli e ci rimettiamo in marcia. Fa così caldo che mi vien voglia di togliermi il casco. Ricordo che in questo Stato non è obbligatorio e lo metto via.

« Metti via anche il mio » dice Chris.

« È meglio che lo tieni. È più sicuro ».

« Ma tu il tuo te lo sei levato ».

« Hai ragione » dico, e metto via anche il suo.

La strada prosegue tra gli alberi, poi sale e si apre su una serie di canyon che si allungano in lontananza.

« Splendido! » urlo a Chris.

« Non c'è bisogno di gridare » dice lui.

« Oh » faccio ridendo. Senza casco si può chiacchierare normalmente. Dopo tutti questi giorni!

« Be', comunque è splendido » dico.

Altri alberi, cespugli e boschetti. Fa sempre più caldo. Chris mi afferra per le spalle e vedo che si tiene ritto sui pedalini.

« È un po' pericoloso » dico.

« No che non è pericoloso. Lo so che cosa faccio ».

Probabilmente è vero. « Comunque sta' attento » dico.

Dopo un po', mentre tagliamo bruscamente un tornante sovrastato dagli alberi, Chris lancia un « oh », e poi un « ah », e infine un « uuh! ». Certi rami sono così bassi che, se non sta attento, ci sbatterà contro con la testa.

« Che cosa c'è? » domando.

« È così diverso ».

« Che cosa? ».

« Tutto. Prima non riuscivo a guardare oltre le tue spalle ».

È vero. Non me n'ero mai reso conto. Per tutto questo tempo non ha fatto che fissare la mia schiena. « Che cosa vedi? » domando.

« È tutto diverso ».

Entriamo in un altro boschetto. « Non ti viene paura? » dice.

« No, ti abitui ».

Dopo un po' riprende: « Potrò avere una motocicletta quando sarò abbastanza grande? ».

« Sì, se saprai occupartene ».

« Che cosa bisogna fare? ».

« Tante cose. Le hai viste ».

« Me le farai vedere tutte? ».

« Certo ».

« È difficile? ».

« No, se le fai nel modo giusto. È farle nel modo giusto che è difficile ».

« Oh ».

Dopo un po' mi accorgo che si è rimesso a sedere. « Papà? » dice.

« Cosa? ».

« Credi che saprò farle nel modo giusto? ».

« Penso di sì » rispondo. « Non credo che avrai problemi ».

E continuiamo per la nostra strada attraversando Ukiah, Hopland e Cloverdale e addentrandoci nella regione del vino. Il motore che ci ha fatto attraversare mezzo continente continua a girare e girare, ronzando nel suo oblio, consapevole solo delle sue forze interne. Attraversiamo Asti e Santa Rosa e Petaluma e Novato, lungo l'autostrada che si fa sempre più larga, sempre più animata, piena di auto, di camion e di autobus carichi di gente. Di lì a poco ai margini della strada compaiono le case, le barche e il mare della baia di San Francisco.

Le prove della vita, naturalmente, non hanno mai fine. Tutti sono destinati a sperimentare infelicità e disgrazie, ma ora ho come una sensazione, una sensazione che prima non c'era, e che non si ferma alla superficie delle cose, ma mi pervade fino al profondo del cuore: ce l'abbiamo fatta. Ora tutto andrà meglio. Queste cose si sentono.

POSTFAZIONE

In questo libro si parla molto del modo di vedere le cose proprio degli antichi greci, ma c'è un aspetto di cui non si dice nulla: la loro visione del tempo. I greci vedevano il futuro come qualcosa che ci arriva alle spalle, mentre il passato si allontana davanti a noi.

A pensarci bene, è una metafora più esatta della nostra: come si può guardare al futuro? Si possono solo fare proiezioni dal passato, anche quando il passato dimostra che queste proiezioni sono spesso errate. E come si può veramente dimenticare il passato? Che cos'altro conosciamo?

Dieci anni dopo la pubblicazione di *Lo Zen e l'arte della manutenzione della motocicletta* questa prospettiva greca è molto calzante. Come sia il futuro che arriva alle mie spalle non lo so, ma il passato, davanti a me, domina tutto a perdita d'occhio.

Certo nessuno avrebbe potuto prevedere ciò che è accaduto dal giorno in cui, dopo 121 risposte negative, un editore solitario mi offrì un anticipo di 3.000 dollari. Era un libro, disse, che lo aveva costretto a chiedersi perché faceva l'editore; quei 3.000 dollari, aggiunse, sarebbero stati quasi sicuramente il primo e l'ultimo pagamento, ma non dovevo scoraggiarmi. Con un libro simile i soldi erano una faccenda marginale.

Ed era vero. Ma poi venne il giorno della pubblicazione, e arrivarono le recensioni sbalorditive, il successo, le interviste sui giornali, alla radio e alla televisione, le proposte cinematografiche, le edizioni straniere, gli infiniti inviti a dibattiti e conferenze, le lettere degli ammiratori – e così via, per settimane, per mesi. Le lettere erano piene di domande: Perché? Come è successo? Manca qualcosa, che cos'è? Che cosa ti proponevi di dire veramente? In tutte c'è una nota di insoddisfazione. Chi le ha scritte sapeva che nel libro c'era più di quanto non sembrasse. Volevano sapere anche il resto.

In realtà non c'era un « resto ». Nessun proposito occulto. Mi era sembrato, semplicemente, che ci fosse più qualità nello scrivere questo libro che nel non scriverlo. Ma via via che il tempo si ritrae davanti a me e l'orizzonte che sta intorno a questo libro si allarga, diventa possibile una risposta più esauriente.

In svedese esiste una parola, *kulturbärer*, che si può rendere con « portatore di cultura », ma anche così non è molto comprensibile. È un concetto di cui gli americani non fanno grande uso, ed è un peccato.

I libri portatori di cultura portano la cultura come un mulo porta la sua soma. Non sono libri da scriversi con intenzione. I libri portatori di cultura appaiono quasi per caso, come le alterazioni improvvise del mercato azionario. Ci sono libri di grande qualità che sono *parte* integrante della cultura, ma non è la stessa cosa: questi libri sono sì parte della cultura, ma non la portano in nessun posto. Per esempio, se parlano della follia lo fanno con umanità e comprensione, perché questo è l'atteggiamento culturale corrente; ma non portano in sé nessun dubbio sul fatto che la follia possa essere altro che una malattia o una degenerazione.

I libri portatori di cultura mettono in discussione i valori culturali comunemente accettati, e spesso lo fanno in un momento in cui la cultura si sta muovendo in quella stessa direzione. Non sono necessariamente libri di grande qualità: *La capanna dello zio Tom* non è certo un capolavoro, dal punto di vista letterario, ma fu un libro portatore di cultura. Giunse in un momento in cui la cultura era vicina al rifiuto della schiavitù. La gente vi vide un ritratto dei suoi nuovi valori, lo fece suo, ed ecco il clamoroso successo.

Il successo di *Lo Zen e l'arte della manutenzione della motocicletta* sembra il risultato di un fenomeno analogo. Oggi l'elettroshock coatto di cui parla è illegale: è una violazione della libertà umana. La cultura è cambiata.

Inoltre, il libro uscì proprio quando veniva messo in discussione un altro valore culturale: il successo materiale. Gli hippy lo rifiutavano in tronco, e i conservatori non riuscivano a capire perché. Il successo materiale era il sogno americano: il sogno di milioni di contadini europei che erano venuti a cercarlo appunto in America, un mondo in cui loro e i loro discendenti avrebbero finalmente avuto l'abbondanza. E adesso quegli stessi discendenti cresciuti negli agi gettavano loro in faccia quei sogni, dicendo che non valevano nulla. Ma che cosa volevano?

C'era una cosa che gli hippy sognavano e volevano, e la chiamavano « libertà », ma la « libertà », in ultima analisi, è una meta puramente negativa, che indica soltanto che qualcosa non funziona. In realtà le alternative offerte dagli hippy erano solo pittoresche e temporanee, e alcune anzi andavano sempre più assomigliando a pure e semplici degenerazioni. La degenerazione può essere divertente, ma è difficilmente sostenibile come modo per impiegare la propria esistenza.

Questo libro propone un'alternativa diversa, e più seria, al successo materiale. Più che un'alternativa, in verità, è un'estensione del significato di « successo » a qualcosa di più ampio che l'avere un buon lavoro e il vivere in pace. Di più ampio, anche, della pura e semplice libertà: indica un traguardo positivo che non ha nulla di limitante. È questa, credo, la ragione principale del suo successo: esso offriva proprio ciò di cui la cultura era in cerca, e in questo senso è un portatore di cultura.

Il panorama di questi ultimi dieci anni, sempre più lontano davanti a me se lo guardo con occhi greci, ha una zona assai buia: Chris è morto.

È stato assassinato. Fu verso le otto di sera di sabato 17 novembre 1979, a San Francisco: Chris era uscito dal Centro Zen dove studiava per andare a trovare un amico che abitava lì vicino, in Haight Street.

Secondo il racconto di alcuni testimoni, un'automobile accostò al marciapiede e ne saltarono giù due negri: uno gli arrivò alle spalle per bloccargli la fuga, e lo afferrò per le braccia; quello davanti gli svuotò le tasche e, non trovando nulla, si infuriò e prese ad agitare un grosso coltello. Chris disse qualcosa che i testimoni non sentirono, e il suo aggressore si infuriò ancora di più; Chris disse qualcos'altro e l'uomo, fuori di sé, gli piantò il coltello nel petto. Poi i due saltarono in macchina e scapparono.

Chris rimase per un po' appoggiato a una macchina, sforzandosi di non svenire. Poi attraversò la strada barcollando e si aggrappò a un lampione all'angolo tra Haight Street e Octavia Street; infine, col polmone destro pieno di sangue, perché la coltellata gli aveva reciso un'arteria polmonare, si accasciò sul marciapiede e morì.

Io continuo a vivere, più che altro per la forza dell'abitudine. Al suo funerale scoprimmo che quel mattino aveva comprato un biglietto per l'Inghilterra, dove io e la mia seconda moglie vivevamo su una barca a vela. Poi arrivò una sua lettera con questa frase: « Non credevo che sarei mai arrivato a compiere 23 anni ». Li avrebbe compiuti di lì a due settimane. Dopo il funerale caricammo tutte le sue cose su un vecchio furgone, compresa una motocicletta di seconda mano che aveva appena comprato, e il viaggio di ritorno ci portò su alcune delle strade montane e desertiche del West che sono descritte in questo libro. In quella stagione le foreste e le praterie erano coperte di neve, solitarie e bellissime. Quando arrivammo a casa di suo nonno, nel Minnesota, ci sentivamo più in pace. Le sue cose sono ancora là, nella soffitta del nonno.

Io ho la tendenza a fissarmi su un problema filosofico e a girarci intorno in cerchi sempre più stretti che, alla fine, o fanno saltar fuori una risposta oppure diventano così involuti, così ripetitivi, da essere pericolosi per la mia salute mentale. Ora la mia domanda stava diventando ossessiva: « Dov'è andato? ».

Dov'era andato, Chris? Quel mattino aveva comprato un biglietto aereo. Aveva un conto in banca, cassetti pieni di vestiti e scaffali pieni di libri. Era una persona reale, viva, che occupava un tempo e uno spazio su questo pianeta: e ora, d'un tratto, dov'era finito? Era salito su per la ciminiera del crematorio? Era nella piccola urna piena di ossa che ci avevano restituito? Stava suonando un'arpa d'oro su una nuvola lassù? Nessuna di queste risposte aveva senso.

La domanda da fare era: A che cosa ero così attaccato, io? A qualcosa che si trovava solo nella mia immaginazione? Quando si è stati in un ospedale psichiatrico questa non è mai una domanda oziosa. Se Chris non era immaginario, dov'è andato? Le cose reali scompaiono e basta? Se è così, è un bel guaio per le leggi fisiche della conservazione. Ma se ci atteniamo alle leggi della fisica, il Chris che è scomparso era irreale. Gira, gira, gira... Ogni tanto scappava via, così di punto in bianco, solo per farmi arrabbiare. Ma prima o poi ricompariva; adesso però dove sarebbe potuto ricomparire? Perché in fin dei conti, dove era andato questa volta?

Quel girare in tondo alla fine si arrestò quando capii che prima di chiedersi « Dove è andato? » bisognava chiedersi: «Che cos'è il "Chris" che se ne è andato?». È un vecchio vizio culturale quello di pensare alle persone innanzitutto come a qualcosa di materiale, qualcosa fatto di carne ed ossa. Finché questa idea reggeva, il problema era insolubile. Gli ossidi che erano nella carne e nelle ossa di Chris, naturalmente, sono saliti su per la ciminiera del crematorio. Ma non erano Chris.

Quello che bisognava capire era che il Chris di cui sentivo tanto la mancanza non era un oggetto ma una sorta di ampio disegno, e che anche se la carne e le ossa di Chris facevano parte di questo disegno, la cosa non finiva lì. Il disegno era più vasto di Chris e di me, e ci legava con rapporti che noi non capivamo né padroneggiavamo fino in fondo.

Ora il corpo di Chris, che era parte di quel disegno più ampio, non c'era più. Ma il disegno restava. Al centro c'era un grande strappo, un buco, ed era di lì che veniva tutto il dolore. Il disegno cercava qualcosa a cui attaccarsi e non lo trovava. È forse per questo che le persone in lutto sono così attaccate alle lapidi e agli oggetti o ai ritratti dei morti. È il disegno che cerca di mantener salda la propria esistenza incentrandosi su questo o quel nuovo oggetto materiale.

Un po' più tardi, quando tutto fu più chiaro, capii che questi pensieri erano assai vicini a concetti che si trovano in molte culture 'primitive'. Se si prende quella parte del disegno che non è la carne e le ossa di Chris e lo si chiama «spirito» o «fantasma» di Chris, si potrà dire senza ulteriori traduzioni che lo spirito o il fantasma di Chris sta cercando un nuovo corpo. Quando cose del genere ci vengono presentate come credenze dei 'primitivi' le consideriamo superstizioni, perché per «fantasma» o «spirito» intendiamo qualcosa come un ectoplasma materiale, e non pensiamo invece che il loro significato potrebbe essere tutt'altro.

Comunque sia, non molti mesi dopo, mia moglie rimase inaspettatamente incinta. Ne discutemmo a lungo e decidemmo che era meglio non farne nulla. Io ho passato i cinquanta, e non me la sentivo di affrontare una nuova paternità. Avevo fatto la mia parte. Sicché fissammo l'appuntamento con il medico. Poi accadde una cosa molto strana, che non dimenticherò mai. Mentre ridiscutevamo tutti gli aspetti della nostra decisione, ci fu una sorta di dissociazione: come se mia moglie, mentre parlavamo tranquillamente, avesse cominciato ad allontanarsi. Ci guardavamo, parlavamo normalmente, ma era come quelle fotografie di un razzo subito dopo il lancio, quando si vedono i due settori che cominciano a distaccarsi. Si crede di essere uniti e poi, all'improvviso, ci si accorge di non esserlo più.

Dissi: « Un momento, aspetta; c'è qualcosa che non va ». Non sapevo che cosa fosse, ma era qualcosa di molto intenso, e non volevo che continuasse. Qualcosa di molto inquietante, che però in seguito è diventato chiaro. Era il disegno più vasto di Chris, che finalmente si manifestava. Questo capovolse la nostra decisione, e adesso ci rendiamo conto di che catastrofe sarebbe stata per noi se avessimo agito diversamente.

Sicché forse si può dire, stando a questa primitiva visione delle cose, che Chris, dopotutto, ha usato il suo biglietto aereo. Stavolta è una bambina di nome Nell, e la nostra vita ha ritrovato la sua prospettiva di un tempo. Lo strappo nel disegno si sta richiudendo. Naturalmente ci saranno sempre mille ricordi di Chris, ma non sarà un aggrapparsi distruttivo a una qualche entità materiale che non potrà esserci mai più. Adesso siamo in Svezia, la terra degli avi di mia madre, e io sto lavorando a un secondo libro che è il seguito di questo.

Nell ci sta insegnando aspetti dell'essere genitori che prima non avevamo capito. Se piange o butta all'aria le cose o s'impunta (ma non lo fa spesso), non è un fastidio. C'è sempre il confronto con il silenzio di Chris. Ciò che ora vediamo con molta più chiarezza è che se i nomi e i corpi sono sempre diversi, il disegno più vasto che ci contiene tutti continua immutato. E alla luce di questo disegno più vasto, le ultime righe di questo libro hanno ancora ragione di essere: ce l'abbiamo fatta. Tutto va davvero meglio. Sono cose che in qualche modo si sentono.

ooolo99ikl;i., pyknulmmmmmmmmmmmmmmmm

(Quest'ultima riga l'ha scritta Nell: ha allungato una mano e si è messa a pestare sui tasti, poi ha avuto negli occhi lo stesso lampo di Chris. Se l'editore la lascia dov'è, sarà il suo primo lavoro pubblicato).

Göteborg 1984

(*Traduzione di Anna Giulia Ravorio*)

gli Adelphi

FINITO DI STAMPARE NEL SETTEMBRE 1992
DALLA TECHNO MEDIA REFERENCE S.R.L. – MILANO

Printed in Italy

gli Adelphi
Periodico mensile: N. 8/1990
Registr. Trib. di Milano N. 284 del 17.4.1989
Direttore responsabile: Roberto Calasso